講談社文庫

リミット

野沢 尚

講談社

目次

リミット……5
解説　池上冬樹……517

リミット

1

荒川から川口市元郷《もとごう》の路地へと吹き抜ける風が、少年の鼻孔《びこう》に清涼な五月《さつき》晴れの匂いを運んでいる。

ゴールデン・ウィークが明けたばかりの水曜日、宅間《たくま》均史《ひとし》は給食を挟んだ五時間目の体育を終えて家路についた。校章入りの黄色い通学帽子、まだ革の艶《つや》を失っていない真新しいランドセル、トレーナーのエンブレムとズック靴の甲には同じアニメのキャラクターが載っている。

整列の時の「前へならえ」では両手を腰に当てるクラス一のチビ助だ。給食のスープが水で薄められていたのは、クラスの長身グループのいじめだった。そこで泣き寝入りをしてスープを残すようなひ弱な七歳でないところに、宅間均史の不幸があるのかもしれない。連中の薄笑いを見るなり頭に血がのぼって、給食中の教室を突っ切り、いじめのリーダー格に飛びかかっていった。

鼻に歯形をつけてやった。そいつの泣き声が聞けたのは愉快だった。いじめグループによる十倍の報復がやってくる前に、駆けつけた担任教師の制止によって騒乱は治まった。

来週の運動会の練習に充《あ》てられた体育の授業でも、敵の動きは不気味だった。屈強な体育教師の目の前では手を出すことはなく、徒競走の列の向こうから舌なめずりの表情を投げかけていた。

この下校時、学校から自宅までの道のりで奴らの襲撃がないこと自体が不思議で、桜の新緑が南風にさやぐほかは、嵐の前の静けさに思える。明日は自分の血を見るに違いない、と宅間均史は子供心に覚悟していた。

工務店を経営している父親は、以前三人いた職人を一人にリストラし、女事務員にも辞《や》めてもらって母親をデスクに座らせた。共働きの家の一人っ子。帰宅しても友人はセガ・サターンしかいない。今日のようにひと悶着《もんちゃく》があったあとではチビ組の友人たちはふりかかる火の粉《こ》を恐れて、遊びにくることもないだろう。両親が帰ってくるまで、宅間均史は格闘ゲームの一人プレイで時間を潰《つぶ》すしかない。

神社の脇を抜けると道が細くなり、蛇《へび》が地をのたうつような路地が続く元郷の住宅街には、住人の気配すら感じられない。午後二時半、どこからかワイドショーのテレビ音声が聞こえてくるだけの、重く煮詰まったような静寂《せいじゃく》。いつも通る道なのに、油断をしていると迷子になりそうな心細さを感じた。

するると不意に泣きたくなった。寂しいし、明日が恐い。

幅六メートルの公道を横断すると、宅間均史には憩《いこ》いの路地が待っている。畳屋の山崎さんが「よお坊主」と声をかけてくれて、麦茶と草加煎餅《そうかせんべい》のおやつを分けてくれる。そこでの十五分ほどの道草が宅間均史に、家での孤独に立ち向かう活力を与えてくれる。

路地の向こうに見えた畳屋の山崎さんは今日も五分刈《ごぶが》りの頭から汗をしたたらせ、太い畳針を渾身《こんしん》の力で突き刺している。作業着から伸びる上腕が見事な力瘤《ちからこぶ》を作っていてほれぼれする。威張り散らすだけの父親と比べると、あれこそ男だよな、と思うが、父親は山崎さんについて、酒乱のせいで女房子供が家を出ていってからというもの仕事に自分を駆り立てることでしか生きられない男だと言っていた。言葉の半分も宅間均史は理解できなかった。

山崎さんはやがて宅間均史に気づいて、「よお坊主、一杯どうだ」と麦茶のプラスチック・ボトルを掲げてくれるだろう。

視界が白く急激に遮《さえぎ》られた。公道の右側からやってきた白いワゴン車が行く手を塞《ふさ》いだ。目の前でドアが荒々しく横に開き、暗がりの車内から二本の触手が伸びてきた。

畳職人の山崎徳郎《とくろう》は、仕事場の軒先《のきさき》の日蔭から日向《ひなた》へと振り返り、陽光の眩《まぶ》しさに目をそばめた。路地の彼方に黄色い学童帽が見えたと思った一瞬ののち、少年の目印は視界からかき消えた。公道に出現した白いワゴン車は、窓に黒いシールを貼っていて、内部はさだかでなかった。時間にして三秒ほどか。すぐに発進したワゴン車が走り去ると、学童帽の色はそこにはなかった。

あの年頃の子供を見ていると、山崎徳郎は去っていった息子を思いだしてしまう。それでも宅間均史少年との毎日十五分の語らいが、酒びたりの日々を送る山崎にとって救いになっていた。

車がこちらの視界を塞いでいる時に少年は公道を曲がっていったのだろうと思い、山崎は仕事に戻った。

なぜあの時、連れ去られる宅間均史に気づかなかったのかと、山崎の悔恨は終生続くことになる。

七歳男児。身長百八センチ。体重十八・四キログラム。血液型O型。

HLA型——［A9・B7・DR1／A2・B15］

腎機能、肝機能、共に異常なし。心臓百十九グラム。肺臓三百五十グラム。腎臓百八グラム。肝臓六百六十グラム。

★

ゴールデン・ウィークが明けたばかりだというのに、福島真美《ふくしままみ》の母親はパチンコに明け暮れていた。

数字の7が三つ並ぶと救急車のような赤いランプが回りだし、店員が箱を持って駆けつけ、周囲の客が振り返る。あの時がたまらない、自分がスターになった感じがする、と母親は言う。今日の様子だと、スターになるまではほど遠い。

福島真美は今日もパチンコ屋のロビーを遊び場にするしかない。白いブラウスにギンガムチェックのスカート。腰まで伸びる長い髪は、朝、簡単にブラッシングしただけ。四歳の娘の髪をおさげに結《ゆ》う時間も惜しかったのか、母親は真美を自転車のうしろに乗せ、開店時間が迫るパチンコ店に駆けつけた。

埼玉県入間市《いるまし》。国道16号線沿いの、一見するとディズニーランドのシンデレラ城を思わせる瀟洒《しょうしゃ》な外観の店だった。しかし中に入っても王子様やお姫様が真美と遊んでくれるわけではない。そこには耳を聾《ろう》する電子音と煙草《たばこ》の煙しかない。

私の目の届く所にいなさい、と真美は母親にきつく言われている。通路の先に母親のでっぷりした体が見える位置、ロビーのソファに座って折り紙をはじめて、もう一時間になる。

父親は外車のセールスマンだ。連休も仕事にでていて、母親は不満たらたらでパチンコ通いである。真美の不満のはけ口はどこにもない。稼いだ金で母親が着せ替え人形を買ってくれた時は少し嬉しかったが、ゴールデン・ウィークの七連休を人形ひとつで楽しく過ごすことはできなかった。

おしっこをしたあとに横腹が痛くなると連休中に訴えたら、病院が始まったら検査にいこうと母親は言った。しかしすっかり忘れている。「痛い、痛い」と連発すればかまってくれるかもしれないと思って、大袈裟《おおげさ》に痛がったのがよくなかったのかもしれない。この頃、真美は母親に狼少年のように思われていた。

約束の一時間だよ、次はあたしと遊んでよ。真美は通路の先の母親に駆け寄って声をかけてみようかと思ったが、あの顔つきでは駄目だと思った。あとひとつの7に飢えた目。うっかり声をかけて母親の集中が途切れたら、7が呼べないのは娘が邪魔したからだと言わんばかりの顔になる。

もうひとつ「奴《やっこ》さん」を折ってからにしよう、と真美は思った。

「一人で寂しいね」

横から声がした。振り向くと、黒いキャップを目深《まぶか》にかぶった若い女がいた。顔の上半分がひさしに隠れて見えないが、その奥でふたつの瞳が濡れたように光っている。吹き出物ひとつないスベスベした頰《ほお》が柔らかな笑顔を作っている。ナイキのジャージの上下。近所の人だろうか、と真美は思った。

ママよりずっと若くて、ずっと綺麗な人だ。こんな時間にパチンコをしている若い女なんてロクなもんじゃない、と母親は言うだろう。いつか隣の台で若い茶髪《ちゃぱつ》の女が7を三つ並べて狂喜した。いっぺんに不機嫌になった母親が真美にそう言ったのだ。

「折り紙、好きなの？」

「うん」

「鶴は折れる？」

「ママに教わったんだけど、むずかしくて」

この女の人は、パチンコ屋に来たのにどうしてパチンコをしないのだろう、と真美は思う。台はたくさん空《あ》いているのに。

「外で遊べばいいのに」

「遠くにいっちゃ駄目だって、ママが……」

「ガラスの向こうだもん。大丈夫かもよ」

この女の人が遊んでくれるんだろうか。真美の頭の中で十個ほどの遊びがすぐ思い浮かんだ。

「これ知ってる？」若い女がジャージのポケットから、びよーん、と取りだした物を見て、真美の顔が輝いた。

「知ってる！　ゴム飛びのゴム」

「しよっか」

「でも……」

「大丈夫だって」

真美はジャージ姿の女に手を引かれ、自動ドアをくぐって駐車場に出た。爽《さわ》やかな五月の風がうなじを撫《な》で、いっぺんに足どりが軽くなった。


地元の高校を出てこのパチンコ・チェーンに就職した店員・井原昭彦《いはらあきひこ》が、福島真美失踪当時の目撃者だった。

いつも母親に連れられて、開店時間にやってくる子供なので顔はよく知っていた。行儀よくソファで折り紙をしている女の子。店の置物のように見えるほどだ。客の苦情で玉の交換機を調整していた時、いつもの居場所に女の子がいないことに気づいた。

目を転じると、ガラスの向こうで見慣れない白いワゴン車がサイドのドアを閉め、駐車場から滑りでていくところだった。ドアが閉まる瞬間に、ギンガムチェック柄が見えた気がした。

母親はいつもの台で奮闘中だった。「娘さんはトイレですか?」と声をかけたほうがよいかもしれないと思った時、交換機の内部で変なレバーを動かしてしまったのか、玉が次々と床にこぼれ落ちた。客が「あーあ」と声をあげ、床に散乱した玉を一緒になって拾ってくれる。そんな騒ぎにかまけて、福島真美の不在を母親に告げなければならないことなど、すっかり念頭から消えていた。

あの時母親に教えていたら、と井原は後に悔やむことになった。
四歳女児。身長九十七センチ。体重十三・八キログラム。血液型A型。
HLA型――［A2・B18・DR1／A11・B40・DR2］
腎機能にやや異常が見られる。先天的な腎臓障害の疑いがあり。

★

連休明けの最初の土曜日だが、東京近郊のワンダーランドは午後に向かって気温が高くなるに従って、人口密度も高くなっていた。

人気のアトラクションは一時間待ちの看板を掲げている。キャラクターのかぶりものに幼児が駆け寄り、親が向けるカメラにはちきれんばかりの笑顔を投げかけている。かつては海だった埋立地にこの巨大遊園地が建設されて、もう十年以上になる。一日では遊びきれない娯楽施設の豊富さで多くの入場者がリピーターとなり、人気の衰えを見せない。

五歳になったばかりの古賀直樹は両親に手を引かれて横浜からやってきた。ワンダーランドのフリークのような母親には何度か連れてきてもらったが、家族三人で来るのは初めてだ。出版社に勤めている父親が仕事で連休を返上した罪滅ぼしに、近くのホテルに一泊して二日がかりで遊んでくれることになったのだ。が、父親は二日酔いがとれないらしい。母親がキャラクターズ・ショップでワンダーランド名物のクッキーを買いこんでいる間、ベンチの日蔭で寝転んでいる。

「ねえ、これ買って」

直樹はクッキー選びに余念のない母親の袖《そで》を引っぱって、ゴム製のグッズを差しだす。様様な形に変えられるカスピ海の怪獣だ。去年のアニメ映画で人気を博したキャラクターがキーホルダーになっている。

「これで買える？　お釣りをちゃんともらうのよ」と母親が千円札を渡す。

レジで会計をしてもらってひと足先にショップをでると、ベンチの父親に駆け寄り、直樹はキーホルダーを自慢げに見せた。

「写真、撮ってやるよ」

父親は眠たそうな目をこすって起きあがった。直樹はキーホルダーの怪獣の顔がカメラに向くように掲げ、路上に仁王立ちになる。

父親は縦の構図でカメラを構えた。直樹はカスピ海の海賊役を真似して、ピストルの形にした右手を、左手で持った怪獣の顔に突きつける。シャッターが切られると、直樹は股間《こかん》を手で押さえて「おしっこ」と言った。今にも洩れそうでもじもじと足踏みする。

「早く行ってこい。行けるだろ一人で。あの青いマークだ」

ショップの先に男子トイレのマークが出ている。いちいちトイレにまで付き添ってもらわなければならない年頃ではない。

「なくすぞ、キーホルダーをちゃんとポケットに入れておけ！」

父親——古賀英寿《ひでとし》は走っていく息子に声をかけた。直樹は走りながら振り返り、「はーい」と応えてトイレの入口に吸いこまれた。

トイレの中は外の人込みが嘘のように閑散《かんさん》としていた。用を足した中学生が出ていくと、直樹だけになった。

ちょろちょろと便器に落ちる音がやけにタイルに響き渡る。カスピ海の怪獣は半ズボンのポケットから顔だけ出している。おしっこを絞りだしている小さなペニスを間近で眺めている恰好だ。

誰かがトイレに入ってきて、背後を通り過ぎて個室に入った。直樹が最後の一滴を絞りだしてズボンのチャックを閉じようとした時だった。

うしろで個室のドアが開いて、音もなく躍《おど》りかかってきた何者かが直樹を拘束した。声をだす暇もなく、直樹は両腕に抱きかかえられ個室に引きずりこまれる。叫ぼうとしたが、声が喉元《のどもと》までせり上がってくるより早く、濡れた布が口と鼻に当てられる。ハッカの刺激臭がしたと思った直後、直樹の視界は白い闇へと吸いこまれていった。

顔が見えた。金髪の若い男。渋谷のセンター街で見たことのある風体。ロッカー。フリーター。チーマー。そういうカタカナの呼び名。白濁《はくだく》する視界に思考力も溶けていく。直樹は強制的な眠りにがんじがらめにされた。


それは遊び疲れた子供を若い父親が抱いている姿としか見えなかった。

古賀英寿がそろそろ息子がトイレから出てきはしないかと入口のほうへ視線を泳がせた時、七三の髪型の若い父親がスワローズ・ファンの子供を抱いて出てきた。息子と同じ年頃だが服装が違う。それだけで古賀英寿は気にとめず、視界の外に親子連れを押しやった。

古賀英寿から最後の頭痛が遠《とお》のいた。これで家族とともにアトラクションの一時間待ちにも耐えられる。ふたたびトイレの出入口を見る。直樹は「おしっこ」と言っていた。それにしては遅い。慌てて半ズボンを濡らしてしまい、その処理に困っているのだろうか。

ショップからクッキーの入った袋を下げて妻が出てきた。「あれ、直樹は？」と問い掛ける眼差《まなざ》し。

古賀英寿は立ちあがった。息子の消えた方角へ足早に歩を進める。トイレへと接近するにつれ、胃の上部がちくちくと痛みだす。

見渡す限りの五月晴れに雷鳴を聞いたような忌まわしい感覚が、古賀英寿の身を焦がし始めていた。

午後の早い時間帯で、まだまだワンダーランドは人を飲みこもうとしていた。その人波に逆らうようにして、直樹を抱いた偽《にせ》の父親は足早にエントランスを抜け、駐車場に止めてある白いハイエースを目指す。

男の手際は早かった。トイレで薬を嗅《か》がせると、ぐったりした直樹を洋式便器に座らせ、ポロシャツと半ズボンを脱がせ、バック・パックから別の服を取りだして着せた。ネイビーブルーの上半身は白いトレーナーにとって替わり、スワローズの帽子をかぶせると、外見上は別の子供になる。

次に取りだしたのは、七三に分けられた大人用のかつらだ。男は自分の金髪にそれをかぶった。真っ赤なブルゾンを脱いで裏返す。リバーシブルの上着によって黒い上半身に変わり、うさん臭い横文字の人種からまっとうな市民の姿となった。

直樹から脱がせた服を袋にしまう時、トイレの床にそれが落ちた。カスピ海の怪獣が男を睨みつけた。その面構えに男はふふっと笑い、自分のポケットにしまった。

直樹を抱き上げ、顔が肩口に埋まるような恰好で「だっこ」し、外の気配に用心しながら個室を出る時、中年太りの男が入口からやってきて鉢合《はちあ》わせになってぎくりとなったが、この子の父親ではなかった。

足早に園内を通り抜けて、駐車場に辿りついた。

直樹をハイエースの助手席に座らせ、エンジンをかけて発進しようとした時だ。パーキング係の若い女がいきなり目の前に現われ、急ブレーキを踏んだ。その拍子に直樹の頭ががくりと前に傾いた。男は慌てて直樹の上半身をシートに安定させたが、若いパーキング係はこちらを注視している。助手席の子供が何やらおかしい、そう感じたかもしれない。

男は「くそっ」と低く呟いて慌てた。誘導棒を持って出口へ案内しようとするパーキング係の横を、タイヤを鳴らして走り去った。直樹の頭がまた傾き、横の窓にゴツンと当たった。ミラーを見ると、パーキング係が突っ立ったままこちらを見送っている。

ナンバーを覚えられただろうかと、男は不安になった。

五歳男児。身長百五センチ。体重十六・五キログラム。血液型RhマイナスAB型。HLA型――［Aw36・B16・DRw6／A1・B27・DR4］

腎機能、肝機能、共に異常なし。心臓百三グラム。肺臓三百二十五グラム。腎臓百三グラム。肝臓六百十八グラム。

希少価値。

2

営団有楽町線氷川台《ひかわだい》の地下鉄構内から地上に出てくると、有働公子《うどうきみこ》のうなじに熱波がまとわりついた。つい三十分前に桜田門で感じた外気は初秋の気配があったというのに、九月はじめの陽気というのはまったく油断ならない。

公子は駅を目指す通勤通学の人々に幾度かぶつかりそうになりながら、青信号が点滅する横断歩道を足早に渡る。午前八時を過ぎた。急げば、登校する息子の貴之《たかゆき》と会えるかもしれない。

徹夜明けだった。事件は未明に解決したが、朝一番に提出する調書に手間取った。威力業務妨害容疑の男の取調べは、捜査一課の別の刑事が担当することになる。三日間、覆面パトカーの中での張込みは、公子から体力の最後の一滴まで奪っていた。

身長百六十二センチ。不規則な食生活でも太りもしないし痩《や》せもしない体質。大学時代のリーバイスがまだはける。ポロシャツの襟《えり》が萎《しお》れているのは、署内のコインランドリーで手早く洗ったためだ。ショーツの替えは持っていたが、ブラジャーはこの二日間、替えていない。汗で汚れているのが不快だ。

疲れが溜《た》まると顎《あご》の肉が気になりだし、ストレスが脂肪のむくみとなってそこに蓄《たくわ》えられる。こういう時に写真に撮られると、顔が一・五倍に膨《ふく》れあがったように見える。化粧映えのする二重目蓋《ふたえまぶた》は、今、眼窩《がんか》の奥にひっそりと隠れている。襟元までの髪は量が多く、横に広がる癖があるのでカチューシャは手離せない。そこだけ鈍重な印象を与える丸い鼻は、間近でよく見ると左にやや曲がっている。留置場勤務の頃に大トラの女に拳骨《げんこつ》で殴られた名残《なごり》で、顔全体のバランスを微妙に狂わせているが、三センチの至近距離で自分の顔を眺めてくれる男性など今のところいない。一生そんな存在に縁がないと思うのは辛《つら》すぎるが。

肩から掛けたスエードのバッグは三日分の着替えで膨らんでいる。

通りすがりの人々は、これが警視庁捜査一課・特殊犯捜査係の婦人警官の朝帰りだとは誰も思わないだろう。

が、城北公園通りから左に折れて、氷川神社の向こうに官舎のコーポが見えてくると、公子は出勤する同業の住人と朝の挨拶を交わすことになる。警官を夫に持つ主婦は「おはようございます」よりも「ご苦労さま」と言葉を投げかけてくる。

そもそも官舎住まいの警察官は、隣近所のつき合いが薄い。職場の上下関係にほとほと嫌気が差しているのか、プライベートではなるべく干渉されたくないと思う。二階に住んでいる練馬署の二十五歳の巡査などは、巡査部長の昇進試験にめでたく合格したのかどうか、公子に教えようとしない。

試験問題の傾向について助言を求めてきた若者に、公子は、丸暗記すればいい点が取れる学校のテストとは大違いと忠告をしてやったのだ。

巡査から巡査部長になる時が一番厳しくふるいに掛けられることは、試験を受けた者だけしか実感できない。判例にもない、模範解答集にもない問題が平気で出題される。本を読んで頭でっかちで試験に受かった人間など、ほとんどいない。現場の責任者になりやすい立場にある巡査部長というのは、犯罪現場に最初に遭遇して、混乱している状況で早く判断を下さなくてはならない。判例にも学説にもない状況だから分かりませんでは通らない世界なのだ。

試験の結果がどうだったのか公子に教えようとしないのは、忠告には感謝したものの、婦人警官ごときに馬鹿にされたくないという若者のプライドかもしれない。警察社会は骨の髄まで男社会だ。

氷川神社の脇のゆるい坂道を上る。

この坂の勾配《こうばい》に身を預ける時、公子は決まって、婦人警官という生き方をどうして選んでしまったのかと自問自答してしまう。坂道の既視感《きしかん》が三十四年の人生を振り返らせるのだ。

公子の故郷の福井にもこんな坂道があった。低気圧が通過したあとの、あの地独特のフェーン現象を、東京の今頃の陽気に思いだすこともできる。熱波は足許から生き物のように立ち上ってくる。

故郷を出たかったからといって、何も警官になる必要はなかった。深く内省するほどではないが、軽い苦笑が公子の口許からこぼれる。

父親は高校教師、母親も小学校教師という家庭に育った。弟が一人いて、現在は地元の県庁に勤めている。

公子は幼い頃から体が弱かった。小児喘息《ぜんそく》だと医者に診断されたのは五歳の時だ。学生時代にマラソンの選手だった父親は、よく公子を連れて足羽川《あすわがわ》の河原を走った。土手の桜並木は春になると桜色のトンネルで、息を切らしながら家に帰ると、頭に桜の花びらをいっぱいかぶっていた。河原のマラソンが小児喘息の適切な治療法だったのかはさだかではないが、公子は人並の体力を作ることができた。

福井の城下町で公子は平穏な学生生活を送る。成績は常に中の上。クラスの中で目立たなかった公子が、警視庁の婦人警官になったと知った同級生たちは、信じられないと口を揃えて言う。

地元の県立高校から東京の日本大学に進学した。合格したのは法学部。とにかく故郷から出たい一心だった。どんよりした鉛色《なまりいろ》の日本海に自分の将来も飲みこまれてしまうような不安感。この海の色に染まって人生がくすんでいくのはたまらないと公子は感じた。

親から八万円の仕送りを受け、東京で一人暮らしを始める。大学ではワンダー・フォーゲルのサークルに入って、暇さえあればトレッキング・シューズをはいて友人たちと山歩きをした。本格的な登山にまでは発展しなかったのは、人より劣る体力のせいだ。持病の喘息はまだ完治していなかった。風邪をこじらせると気管支がヒューヒューと鳴り、止まらない咳《せき》が公子の体をひと晩中痛めつける。

就職難。それが警察官の試験を受けた理由だったかもしれない。女子の大卒の就職が狭き門になっているところで、警察は安定性抜群の公務員だった。制服の権威というものに憧れがあったのだろうか。なかったはずだ、と公子は思う。婦人警官に駐車違反の切符を切られた当時のボーイフレンドは、女がやる最低の仕事だ、と悪態をついていた。

とにかく東京で就職しないと、公子は故郷に連れ戻されて花嫁修業をやらされそうな雰囲気だった。

競争率四十九倍という難関だったが、合格して婦人警官を拝命した。警察学校における六ヵ月間でも、やはり公子の成績は中の上だった。

全寮生活では、朝六時半に起床し、点呼と国旗掲揚。夜は十時半に消灯するという清く正しい日課が義務づけられる。学校で植えつけられるのは一にも二にも競争意識だ。個々の生徒同士はもとより、担任の名前をとった××教場と呼ばれるクラス単位で、何事につけても競い合いが行なわれる。学科試験の平均点に始まり、スポーツの勝ち負け、掃除の内容まで、すべてが点数化される。こうして若者たちは、警察という日本最大の企業で通用する企業戦士に育てられる。

全警察官の三パーセントに当たる約六千五百人の婦人警官は、その大半が、卒業配置後に各課の教養を終えると、まずミニパトに乗って駐車違反車両の取り締まりに当たる。公子も先輩の婦警と二人で、黙々とチョークで印をつけて回った。大学時代のボーイフレンドが軽《けい》蔑《べつ》してやまなかった仕事だ。

一年後、公子は羽田空港の警察署に配置換えとなった。刑事防犯係としての私服任務はハイジャック防止。不審者発見のための張込みだった。どんな場所にいても警察官は目つきで分かると言われるが、公子は通行人の中で保護色のように素性《すじよう》を隠すことができた。監視任務で人込みに立っていても、旅に疲れてぼうっと佇《たたず》んでいる女としか見えないらしい。防犯係として派手な成績は残さなかったが、警察官らしからぬ印象を人に与えるというのも一種の才能だと上司に言われた。

次に配置されたのは新宿署の総務部だった。留置管理課の「看守さん」はいやでも犯罪者と肌で触れあう。犯罪者の生態や心理をじっくり学ぶには最適の場所で、私服刑事を夢見る卵が一度は通らなくてはならない職場とも言われている。

二十五歳で一念発起、公子は刑事講習を受けることになった。

各署から推薦されて集まってくる刑事志望者たちは、面接、作文、心理テストなどの試験で半分の人数に絞られる。

公子が群を抜いていたのは作文の評価だった。それは後に、捜査一課という花形部署につく時の大きな武器となった。

選抜試験を勝ち抜いた者は、二ヵ月の講習を受ける。座学講習では、刑事訴訟法、警察法などの関連法規や、殺人・強盗・火災事件、知能犯事件、暴力団犯罪事件の各種捜査要領や、聞込み、尾行、張込み、さらには各種令状請求、調書作成、実況検分などの実際を学ぶ。

現場での刑事見習いは、所属している警察署で行なう。公子は有象無象《うぞうむぞう》の犯罪地帯である新宿署管内で、被害現場の実況検分に走り、傷害事件や盗犯事件の被害届や参考人調書などを作らされた。

この講習の成績は人事記録に記載され、異動の際の考査資料となって刑事を辞めるまで一生ついて回ることになる。

公子は武道の成績だけが極端に悪かった。剣道では脇があまく、すぐ胴を打たれる。柔道では小外刈りであっけなく倒され、袈裟固《けさがた》めで一本を取られる。非力を克服するためにたくさん食べるよう努力してみたが、体重計の針はまったく動かなかった。

二十六歳で渋谷署防犯課に配属。当時、性犯罪の専従捜査班が試験的に設けられて、公子は女性の被疑者や参考人の聴取で、犯罪世界に片足を突っこんでしまった女性たちの悲しみに直面した。

公子の才能が開花したのは、当時の上司の指導にもよる。提出した調書は赤鉛筆で添削されて突き返され、「心情が込められていない調書は、ただの聞き取り書にすぎない」と厳しく教えられた。

フィリピン人売春婦による昏睡強盗事件では、通訳がいても片言の英語で意志を通わせ、「自分の体を自分が納得して使っているのだ、相手を喜ばせた代償に金をもらうのがなぜいけないのか」という売春婦の気持ちを、調書の中で切々と代弁してみせた。

上司は「調書というのは、本人の言葉で書くものだ」と言った。ならばと思い、傷害事件の被害者として事情聴取をした青年が軽度の精神薄弱者だった時、公子は本人の学力に合わせた大きな平仮名文字だけで調書を作ってみた。その工夫には上司も「なるほど」と唸《うな》った。本人の肉声に近い文章であるほど、証人の目撃談は真実味をもって読む者の胸に迫るのだった。

思い返せば、小学生の頃から、作文だけはいつも先生に褒《ほ》められていた。公子は文章は得意だったが、特に文学が好きだったというわけではない。高校生の頃は、同級生と赤川次郎の文庫本の貸し借りをする程度だった。

調書作りの腕を褒められるようになった頃から、公子は寸暇《すんか》を惜しんで文芸書を乱読した。署内の食堂でいつも文庫本を開いて箸《はし》を口に運んでいる公子の姿に、やがて目を止める男性が現われた。

有働貴久《たかひさ》は交通機動隊の白バイ警官だった。いかにも体の隅々まで筋肉が詰まっている長身痩軀《そうく》だが、両頰がいつも林檎娘《りんごむすめ》のように赤くて、ユーモラスな印象を周囲に与える。高校時代は暴走族だったという変わり種だった。警察の厄介になることは一度もなかったため、かろうじて警察学校に入学できたという。

初めてのデートで誘われた先は、奥多摩の山奥だった。貴久はモトクロス・バイクのうしろに公子を乗せて、山から谷へと悪路をひた走る。公子は振り落とされまいと貴久の腰にしがみついた。

口は悪いが気持ちの優しい男性だった。勤務中に手配車と遭遇すると、犯人よりも無謀な運転で追い詰めようとする仕事ぶりだけが、公子の心配の種だった。警察官の殉職者では、過労死の次に多いのが交通担当の事故である。

要するに職場結婚だった。警察は組織ぐるみで早婚を奨励しているが、結婚相手は誰でもいいというわけではない。あくまで非公式だが、前科前歴調査と左翼活動歴の有無などが調査され、望む結婚相手の父親が左翼活動家であったり、兄弟に傷害の前科があったりした時は、まず結婚は認められない。だから男性の警察官にとって最も望ましいのは婦警との結婚である。婦警なら採用時に徹底的な調査を受けているので、これ以上身元が確かな女性はいないというわけだ。

貴久は名古屋出身、公子は福井なので、結婚式は盛大だった。警官の制服が披露宴会場を埋め尽くした。

すぐに子供ができた。息子の名前は夫から一字を取って「貴之」とつけた。公子は子育てのために長期の休暇を取ったが、貴之が「摑まり立ち」をするようになった頃、職場に復帰した。

夫と勤務時間がずれる時は、息子の世話は夫婦で分担した。二人の休みが重なった時は、朝から晩まで家族三人の肌が密着していた。近所の公園でシートを広げ、貴之を囲むようにして三人で昼寝をするのが安らぎのひと時だった。

公子が三十歳、貴之が三歳の時に最も恐れていたことが起こった。

検問を振りきって逃走したコンビニ強盗の改造車両を貴久は白バイで追跡し、カーブで横転、ヘルメットが真っぷたつになるほどの重傷を負った。公子が病院に駆けつけた時はすでに脳死状態だった。肉体は拍動を続けているのに、これが「死」だとは到底受け止められない。その葛藤に苦しんだ一週間後、夫の心臓は止まった。

警察組織は夫の死を殉職と認めなかった。貴久が上司の命令を無視して、管轄外まで追跡したことが理由である。次の検問にまかせれば手配車は検挙できたはず、功を焦《あせ》っての無駄死にだと彼らは言わんばかりで、結局、無謀な運転による事故死として処理された。

結婚式も派手だったが、葬式も盛大だった。

故郷の父は「仕事をやめて帰ってこい」と言ったが、公子は婦警の仕事をやめるつもりはなかった。この東京で息子を一人前に育てることが、貴久の妻としての役目だと思った。夫の死を殉職と認めなかった警察への意地もあった。

殉職者は毎年、慰霊祭で弔《とむら》われる。会場の慰霊碑を中心にして、警察庁長官、警視総監、内閣総理大臣、国家公安委員長などからの生花が並ぶ。六千本にも及ぶ殉職者の碑柱に、毎年、平均して三十本ほどが加えられてゆく。その数に加えてほしいわけではない。夫の二階級特進を望んでいるわけでもない。暴走する手配車両を命賭けで追跡した正義を組織が認めてくれなければ夫は浮かばれなかった。

貴之を氷川台の保育園に入れて公子は職場に戻った。大学時代の友人が離婚して隣町に住んでいたこともあり、防犯課の仕事が忙しい時は子守りを頼むことができる。

渋谷署では女子高生のデートクラブ摘発で成績を上げたが、公子の真骨頂《しんこっちょう》はやはり調書作りにある。ブランド物欲しさで体を売る女子高生の肉声がそのまま書面に綴《つづ》られた。

警視庁捜査一課に上がったのは、今から半年前だった。

捜査一課の中で、誘拐事件や企業恐喝事件を担当するため記者クラブ立ち入り禁止の特殊犯捜査係、それが公子の職場となった。

桜田門の庁舎六階にある捜査一課の大部屋は、大企業の営業部のように、一面がガラス張りで陽光溢《あふ》れる中、事務デスクがずらりと並び、強行犯係、火災犯係、特殊犯係と、ロッカーで区切られている。捜査一課長の下に、参謀格の理事官、さらに八人の管理官が総勢二百八十人の捜査一課を指揮しているが、普段部屋にいるのは、書類決裁や連絡係に残っている係長か、持ち回りで事件発生のスクランブルに備える「在庁」の捜査員だけで、閑散としている。どの係も所轄署《しょかつしょ》の捜査本部に出張っていて、昼間はほとんど誰もいないのだ。

捜査一課の刑事たちは、苛酷な捜査が終了すると十日前後の休みが与えられる。休暇が終われば係ごとに交代で事件待ちとなる。これを「在庁」と呼び、その初日には大部屋の神棚に御神酒《おみき》を捧げるという習慣がある。犯罪が起こらない在庁期間ができるだけ長くなるように、という願いがこめられる。

在庁の間は外出や自由行動が許された。それは自分の「畑」を耕すことにつながる。捜査一課の刑事の生命は「どれだけ自分の畑を持っていて、どれだけ耕しているかだ」とよく言われる。その畑は、刑事によっては質屋であったり、飲み屋の女将《おかみ》であったりする。公子の場合、ポケベルを持って日比谷公園の松本楼でコーヒーを飲み、過去の捜査資料を貪り読むことにあった。

調書の行間から事件の矛盾点が滲《にじ》みでてくる時がある。他の事件との関連を調べたい時には、警視庁の「情報処理センター」のコンピューターに保管してある資料を呼びだす。指名手配情報、家出人情報、犯歴などの資料が網羅されていて、インターネットを通じてパソコンで閲覧できるというシステムが最近になって警視庁で試験運用となった。捜査員の名前がコード化されていて、定期的に変更されるパスワードを打ちこめば画面に文書が現われる。誰がどの資料を閲覧したか記録されるので、縄張りを荒らして抜け駆けをしようとしている刑事には不向きかもしれない。

このファイルは、捜査員が個人で所有している端末で閲覧することは基本的に禁じられている。外部のパソコンからアクセスすると、ダウン・ロードされた資料が端末に残り、警察の機密が洩れる恐れがある。このため情報処理センターでは、資料がどこの端末で閲覧されたかを厳しくチェックし、登録外の端末を使用した捜査員は処罰される規則になっていた。

特殊犯捜査係に配属されてから、まだ誘拐事件は発生していないが、被疑者や参考人の心と打ち解け、気持ちの通った調書を作ると認められた公子には、誘拐事件における「被害者対策」という仕事が期待されている。

　身代金目的の誘拐事件が発生すると、犯人は必ずといっていいほど「母親を電話に出せ」と求める。腹を痛めていない父親よりも、母性愛を揺さぶろうと考えるためだ。

　すると本物の母親では冷静に対処できない。電話の逆探知のための時間稼ぎもしなくてはならない。そのため担当となった婦警は、取り乱している母親から子供についての情報を事前に聞きだし、犯人から電話があった時は、悲しみと恐怖に震えた母親役を演じなければならない。これが「被害者対策」の主な役目である。

　誘拐事件発生時のマニュアルについては、特殊犯捜査係は日頃から訓練を積んでいる。警視庁管轄外の地方で事件が起こった時にもタスク・フォースとして派遣され、県警の捜査を陣頭指揮することも多い。

　誘拐事件に対処する訓練は、企業恐喝事件で場数《ばかず》を踏むしかない。企業恐喝とは、商品を人質にとった誘拐事件と言えるからだ。

「食品に青酸カリを入れた。金をよこせ」と電話してくるような単純な威力業務妨害で、特殊犯捜査係は奔走させられる。公子がこの三日間、車の中で張込みに明け暮れた事件もその類《たぐい》だった。電話の逆探知で逮捕できるのが大部分、残りは金の受け取り現場で必ず逮捕できる。企業と犯人の裏取引がなければ百パーセントの検挙率といってよい。

「頭のいい人間は絶対誘拐はしない」というのが定説である。戦後の百三十件にも及ぶ誘拐事件において、実際に身代金が犯人の手に渡ったのはたったの十件。しかもその全員が逮捕されている。誘拐事件の犯人検挙率は九十七パーセントで、犯人を逮捕できなかったのは四件に過ぎない。

特殊犯捜査係のベテラン部屋長である曽根巡査部長は、エド・マクベインの原作から映画化した黒澤明の『天国と地獄』を例に挙げ、あれ以上の身代金受け取りの手口はないとまで言いきる。

列車が鉄橋にさしかかった時に、犯人の指示で窓から身代金入りのバッグを投下するという有名な場面がある。エアコンが完備していて窓が開閉しない特急列車を使い、犯人は走行中に車内電話を通じ、身代金のバッグを投げ出す場所を指示する。トイレだけが列車で唯一、窓が開く場所だった。その窓のサイズなら、犯人が指定したバッグがぎりぎり外へ投げだせる。犯人が入念な下調べを行なっていたことを窺わせ、観客をあっと言わせる見せ場だった。

あの映画の公開以後、手口を真似た誘拐事件も発生しているが、ことごとく犯人側は失敗している。警察関係者も映画を研究資料として、新たな対策マニュアルを作りあげていたのだ。

ある犯罪研究家は、海外の、たとえばスイスやカリブ海の国で秘密裏に銀行口座を開設し、電信で入金させるといった大掛かりな方法を使わない限り、誘拐犯が身代金を奪取することは不可能と断言している。

誘拐は数ある犯罪の中で最もわりに合わない犯罪と言われているが、それでも事件は発生する。なぜだろうかと公子は考えた。

誘拐犯罪は密室で作られるプランから出発する。机上の計画だと、突発的な局面が生じる可能性までは考えない。成功への夢だけが自己増殖し、失敗はありえないと思ってしまうのではないか。

公子は「在庁」の間、松本楼でコーヒーを飲みながら読んだ資料の中で、最近発生した三つの事件に目を留めた。

川口、入間、千葉で、五月の一週間のうちに、連続的に幼い子供が行方不明になっている。被害者は皆、児童か幼児というだけで共通項はない。

三件とも、現場近くで窓に黒いシールを貼った白いワゴン車が目撃されていることから、同一犯によるのは確かだ。が、身代金の要求がない。だから特殊犯捜査係の出番にはならなかった。

こういうのを「神隠し」と言うのだろうか。親たちは、ただ我が子を連れ去られて狼狽《うろた》えるばかりだった。記者クラブで聞いた話によると、三件のうち、子供の失踪をめぐって父親と母親が責任のなすりつけ合いをし、離婚になったケースもあるという。

公子は警察官としてというより、同じ年頃の子供を持つ母親として、目的のはっきりしないこの連続幼児失踪事件にうすら寒い思いを抱いた。

赤い靴をはいた女の子が、異人さんに連れられて……。

時代錯誤的なそんな事件が現代でも起こってしまうところに、日本という国の底知れない不気味さがあった。

二DKで家賃九千円という官舎である。二階建てで十室。それが敷地内に二棟並んでいる。「警察官宿舎」という看板など出ていない。外見上は普通の団地と変わらない。

亭主を送りだした警察官夫人たちが、ベランダで布団を叩いている。カーテンが閉じている部屋は、泊まりあけの署員がいる家庭だ。

外階段を上った先の、南東の角部屋。公子がチャイムを二度鳴らす。それが合図だった。やがて二種類のキーが解かれ、チェーンを外す音。お母さんが帰らない夜は用心に用心をかさねるように、と言ってある。

「お帰り」

身長百二十センチの貴之が母親を見上げた。てかてかと光るその髪に公子はまず顔を埋めた。

「ちゃんと洗ったみたいね」

シャンプーの匂いがした。輝くばかりの笑顔だが、上の前歯二本がない。公子が今の仕事で家をあける前日、永久歯への生《は》えかわりのため、グラグラしている前歯二本を歯医者で抜いてもらったのだ。「歯抜け小僧」と仇名《あだな》をつけてやりたいほど、貴之は笑うと少し間の抜けた顔になる。公子に似た二重目蓋。亡き夫に似て厚みのある唇。息子の髪をくしゃくしゃになでて玄関をくぐった。

四畳半のダイニングキッチンの向こうに、六畳のふた間がある。一方の部屋には勉強机がふたつ、仲良く並んでいる。貴之の学習机と、文庫本や警察の資料で埋まった公子の事務机だ。

もうひとつの部屋は居間。ゲームソフトがテレビの横に山積みになっている。そのぐらいは買ってやろうと公子は思った。孤独を紛《まぎ》らわすものには不自由させたくなかった。

冬のボーナスの時、大きめの二段ベッドを購入した。クッション・タイプなので二十万以上した。下の段に公子が眠り、上で息子が眠る。寝返りをうつ息子を上に感じて、公子は安らかな眠りに誘われる。ひと仕事が終わって在庁期間に入り、そうした安眠の日々にしばらく身を投げだせることに、公子は「ほうっ」と溜め息をついた。

ダイニングのテーブルで貴之はコーンフレークを食べていた。午前八時十五分。ＮＨＫの朝のテレビ小説がオープニングの音楽を始める頃、貴之はランドセルを背負って家を出ていく。

「ほら、朝ドラ始まったよ、もう行かなきゃ遅刻」

「分かってる」

ランドセルを背負う前に、貴之は流しから公子のコップを持ってきてミルクを注いだ。久しぶりに帰宅した母のために、せめてそれだけしたかったようだ。

「ありがと」

「ほら、ちゃんと食べたからね」

貴之が空になったコーンフレークの器を見せる。一緒にいる時は、色とりどりの果物も添えてやる。喘息治療の一番は、バランスのとれた栄養補給なのだ。

「今夜、何が食べたい？」

「何でもいいよ」

「好き嫌い、言わせないからね」

「行ってきまーす」

「薬、ちゃんと持ってる？」

「学校に予備を置いといた」

携帯用の喘息治療薬。インタールの吸入器だ。小児喘息は貴之にも遺伝していた。それが分かったのは、貴之が五歳の時だった。ひどい発作の時は呼吸困難となり、人によっては死に至ることもあるので、喘息といえども侮《あなど》れない。

公子も年に一度くらい軽い発作に襲われ、貴之の吸入器を借りることがある。公子の場合は多分に精神的なことが原因のようだ。去年、まだ渋谷署の防犯課にいた頃、組織売春の摘発で小学生の女の子を補導した。その母親との対応で神経をすり減らし、事情聴取の間に咳が止まらなくなって同僚と交代してもらったことがあった。極度のストレスが発作を引き起こすのだ。

喘息はハウス・ダストにも原因があるので、こまめに家の中を綺麗にしてなくてはならない。絨毯《じゅうたん》のダニも大敵。徹夜明けで今すぐベッドに直行したいが、晴れているうちに掃除をしておこう。

「行ってらっしゃい」

送りだすと、貴之は元気に部屋を飛びだしていった。午後三時に帰ってくる時まで夕飯の買物もしておかなければ。手のこんだ料理を並べて、貴之に「おいしい」と言ってほしい。「おいしいよ、これもおいしい」と連発してほしい。

貴之が注いでくれたミルクを一気飲みしたあと、ああそうか、と公子は思い当たった。

貴之がランドセルを背負う姿を久しぶりに見たような気がしたのは、今日から二学期だからだ。子供たちの長い夏休みが終わり、昨日は始業式、今日から授業が始まる。三日前まで一緒に手伝ってやった自由研究を、貴之はちゃんと完成させただろうかと気になった。

台風の構造がテーマだった。日本地図を全紙に描き、白い布団綿で台風の雲を立体的に作った。ドーナツ型の中心の空洞は、台風の目。どうしてそんな巨大な渦が遥か上空にできるのか、一緒に区立図書館にいって調べたりした。

眠気はとっくにさめてしまった。公子は畳部屋に掃除機をかけながら「マイ・ブルー・ヘヴン」を鼻唄で歌い、夕食の献立を考え始める。

3

うなじから洪水のようにしたたる汗がえび反りになった背中の窪《くぼ》みに溜まったところで、塩屋篤志《しおやあつし》の唇が吸いついた。

澤松智永《さわまつともえ》はベッドに両手をつき、背中にのしかかる男の体重を支えている。猫のそれのようにざらついた男の舌が這《は》い回る。篤志の右手が尻の間にすべりこみ、人差し指で肛門を、親指で性器をなぶり、湧きでる潤滑油を周囲になすりつける。智永はうしろ手で、金色がはげかかった篤志の髪を摑み、自分の股間に誘う。それも吸いなさいと智永は命じる。篤志は智永の体を表向きに倒し、股間に顔を埋めた。篤志の指で剝《む》きだしにされた陰核に二枚の唇が吸いつく。しゃぶりつく音を聞くと篤志が愛《いと》おしく感じられる。篤志は智永のかつての教え子だった。篤志にとって智永は初めての女。中学の制服姿の篤志が自分のブラウスにむしゃぶりついてきたあの夏の日が、智永の脳裏に甦《よみがえ》ってくる。

智永は最初の歓喜の声をあげた。篤志の舌が膣《ちつ》に入ってきたのだ。ペニスのように奥まで届けと押し入れ、篤志の舌は懸命に侵入を試みる。智永はまた髪を摑み、次の姿勢を篤志に命じた。篤志は舌のかわりに二本の指を挿入し、智永のとがった乳首に挑みかかってくる。乳輪から口いっぱいにふくみ、乳首の頂上へと微妙な舌づかいで愛撫をする。二度。三度。寸分の狂いもない動きで繰り返した。上と下の性感帯が、それぞれの波を引き起こして、智永の中心線でぶつかる。智永の子宮がかっと熱をもち始める。やはり今日は排卵日だ。だから篤志が欲しくなったのだ。ちょうど一ヵ月ぶりだった。男に抱かれるのではなく自分が抱く。それが月に一度の智永の流儀だった。

篤志の性器が猛々《たけだけ》しく入ってくる。智永は下に精神を集中し、膣壁で男のものを捉《と》らえる。奥まで入ってきた時、智永は狂おしく叫んでしまった。悔しい。篤志に征服されつつあった。快感のうねりに身をまかせたい自分と、科学者のように膣の中の圧力を調節しようとしている自分が智永の中で同居していた。篤志が苦悶の声を洩らして一度引き抜こうとする。智永は許さない。待ってよ、イッちゃうよ、と許しを乞うかつての教え子。許すものかと智永は両手で篤志の腰を摑む。骨っぽく、まるで車のハンドルのように手になじむ篤志の腰。智永は引き寄せ、押し返す。引き寄せ、押し返す。篤志が、駄目だって、と泣きそうになる。滝の中のセックスだった。二人は汗でびしょ濡れになっていた。油を塗りたくったように二人の肌は滑る。智永は篤志の腰を自在に操作し、速度を上げて幾度も引き寄せた。されるがままの篤志は逆襲のつもりか、両方の乳房をわし摑みにする。潰されそうな痛みに智永は歯をくいしばり、膣の中で破裂寸前の篤志のものに次々と摩擦を加える。黒いカーテンで閉ざされた夕方の薄闇の中で、篤志の顔が命乞いのように歪んだのが見えた。

「いきなさい」

命じた。一瞬後に智永も昇りつめた。放出されたものが智永の奥深くへとふりかかった。トンネルの彼方で自分の絶叫が聞こえた。篤志はもう智永の手を借りず、自分で残りの運動に駆り立てている。最後の一滴まで快感に結びつけたい一心の、子供じみた動きだった。

篤志は果てた。体重を智永にあずけた。智永は十本の指を篤志の背中に回して、粒だった汗をなすりつけ、油のような感触を名残惜しむ。

快感が引いていき、膣の中に溜まる精液の質感だけが残った。萎《しぼ》んでゆく篤志の性器を智永の膣壁はまだ離さない。待って、待って、と下半身が勝手に男にすがっている。

篤志のそれが外へ抜け落ち、空間のできた二人の肌と肌に風が吹いた。

黒いベッドに黒いシーツ。すべてが黒い。周りを闇で閉ざせば閉ざすほど、世界に二人しかいないような感覚を楽しめる。

「中に出しちゃったよ」と、篤志は一応男としての心配。

「大丈夫よ」

六本木のクラブに勤めていた頃つき合ったことのある産婦人科の青年医師が、智永の基礎体温と触診から、君は妊娠しにくい体だね、と嬉しそうに言っていたのを思いだす。だからこの五年、スキンは一度も使っていない。

智永も体を起こした。快感の余韻でやや目が回った。ティッシュを股間に挟みこんでショーツをはき、タンクトップを着た。

身長百六十七センチ。下腹部の脂肪だけが均整のとれた智永の体の唯一の欠点。輪郭がはっきりした豊かな胸は、横たわっても、最低限の崩れだけで持ちこたえる。肩まで伸びた黒すぎるほどの髪には、毛先の一本一本に丹念なシャギーが入っている。横の髪は頬をベールのように隠す。高さを誇示する鼻梁《びりょう》からラインは眉へと下りて、目尻にかけて美しい曲線を引く。そこに位置する眼窩には、無機物を思わせる動きのない瞳が冴え冴えと納まっていた。智永の表情は、創造主が芸術の粋《すい》を集めたかのような直線や曲線で形作られている。

篤志が裸のまま、冷蔵庫へ酒を取りにいく。スミノフの瓶をワイン・クーラーに入れたまま冷やしておいた。製氷室から氷をクーラーに落として、手が焼けつくほど冷えきったそれを智永の前の床に置いた。

厚めのオールド・ファッションド・グラスにクーラーの氷をひと掴み入れて、スミノフを注ぐ。ウォッカのあまみは徹底的に冷やすだけで引きだせる。

智永はひと口ごくりと飲む。喉の動きに反応したかのように、膣からまた篤志の液体がしたたり落ち、ティッシュに吸いこまれた。

立ちあがり、カーテンを開けた。薄い光だと思っていたのは、赤々とした夕陽だった。熱の引いた智永と篤志の体を、ふたたび赤く燃えたたせる。

北新宿。五階建ての雑居ビルの最上階。下の階には会計事務所。その下には弁護士事務所が入っている。窓の彼方、夕陽は西新宿の高層ビルをシルエットにしている。高層建築が墓標のように見える時間帯だった。

十五畳ほどの広さの一室に、黒いセミダブルのベッドと大きな冷蔵庫、地図や写真で埋まった広いテーブル、あとは仕事用のAV機器が一角を占めている。生活感は薄そうだが、冷蔵庫を開けると、ありとあらゆる食料品がぎっしりと詰まっている。智永も篤志も、もう一人の女も、それぞれに得意料理がある。部屋の住人でないのに、篤志ともう一人の女は、このキッチンに自分用の鍋さえ持っている。

「なあ先生」

篤志がそう呼ぶ。智永と出会ってから七年間、変わらない呼び方だった。「……どうなんだよ」

「何が」

「よかったのか、よくなかったのか」

「最高」

皮肉にもとれる、突き放した答え方。それでも智永は素直に答えたつもりだった。かつての教え子の頬に幼い笑みが浮かぶ。

塩屋篤志は百八十センチの長身だが、全体が生白い。鋼《はがね》を思わせる筋肉が全身を覆っているものの、どんなに陽にさらしても焼けない肌は、この青年の脆《もろ》さを物語っている。どこかの筋肉をひとつ切断すれば、全身がばらばらに崩れ落ちそうだった。

「今日のこと、泉水《いずみ》に気づかれないようにしなさいよ」

「先生とするんなら許せるかもって、あいつ、言ってたよ」

「そういう女の言葉を信じて、泣きを見た男はごまんといるの」

「俺と先生がどういうセックスをするのか、見てみたいってさ」

智永ともう一人の女のつき合いも七年になる。篤志と同じ中学の教え子だった。

墓標の向こうに陽が沈もうとしている。灼熱《しゃくねつ》の赤は、次第に濃くなり、黒みがかってゆく。この世で最も絶望的な色。そう言ったのはノルウェーの画家だ。

智永は一日の最後の光を見る時、明日はもう訪れないかもしれないという不安な色に染まりながら、自分は母親の体内から絞りだされてきたのではないかとよく想像する。

逢魔《おうま》が時《とき》が迫り、赤茶けた色が窓を覆う産室で、自分はこの世に向かって絶望的な産声をあげたのではないか……。

その生年月日によって、まさに人生が運命づけられていたと分かった時、智永は腹がよじれるほど笑った。今の仕事を思いついた時だった。それは創造主の酔狂に違いないと智永は思った。

一九六三年三月三十一日、吉展《よしのぶ》ちゃん誘拐事件発生の日、澤松智永は東京都大田区大森で生まれた。

桜の開花宣言が出されようとしている花曇りの日曜日、夕闇迫る台東区入谷《いりや》の公園で四歳の男児が何者かに誘拐された。身代金五十万を要求した犯人は、母親に金を運ばせて上野一帯を引きずり回し、警察の手配をかいくぐって身代金を奪って逃走した。警察側の大失態だった。かくして吉展ちゃん誘拐事件は、犯人が身代金奪取に成功した数少ない例のひとつとして知られることになる。

犯人の小原《おばら》保《たもつ》が別件逮捕から吉展ちゃんの誘拐殺人を自供したのは、事件発生から二年四ヵ月後だった。

その頃、智永の両親は血で染まったエプロン姿で凄絶《せいぜつ》な夫婦喧嘩を繰り返していた。お互いの流血ではない。経営する肉屋の仕事で付いた血の跡だった。父親の酒癖の悪さと母親の浪費癖が原因となった夫婦のいさかいは、幼い智永の目には獣同士の摑み合いを思わせた。

喧嘩は自分のせいに違いない。部屋の隅で震えながら、幼い智永はそう思った。自分さえいなくなれば家は笑いに包まれるのだ、と思わずにいられなかった。昼は自分の前で殴りあっていた。ところが夜になると、襖《ふすま》の向こうで両親は裸の体を舐《な》めあい、歓びの声をあげている。自分のいない場所なら仲良くなれるのだ。

子供の存在がかろうじて夫婦関係を繋《つな》げていることなど、三歳たらずの智永には分からなかった。喧嘩に疲れ果てた二人に歩み寄り、タオルを握った幼い手でそれぞれの涙を拭いてやったこともある。

その優しさは、後に殺意に変わった。

小学校を卒業する頃だろうか。こんな両親の間に生まれたから自分は不幸なのだという論理に智永は支配された。店の肉切り包丁を握りしめ、母親の背後に忍び寄って振りあげようとした時もある。ほんの数秒で潮が引いてゆく単なる衝動に過ぎなかったが、愛しあえない両親から生まれた子供は、こうした屈折と憎悪を育ててしまうことを、智永は自分の経験から学んだ。

もう決して肉切り包丁を両親の背後に振りあげることなく、感情のコントロールを覚え、中学、高校と、無口な女生徒として個性を埋没させた。

智永が大学に入った頃、両親は仮面を脱ぎ捨てて離婚した。智永はやっと両親の呪縛《じゅばく》から解放された。店を売った金をきっかり三等分することを望み、智永は一人暮らしを始めた。この金は悪事の分け前のような気もした。両親の罪は智永を産んだこと。智永の罪は親を殺そうと思ったこと。

以来、両親との関係は完全に断っているが、自分の体の中にあの両親の血が流れている限り、自分の悪事はまだ延々と続くのだと思えてならない。

だから自分は教師の道に進んだのだろうか、と智永は自己分析する。自分のような子供が他にも存在するのか見てみたいという、いわば人類学的な興味。それをこの目で確かめられたら、ぬらぬらと獣の血で染まる包丁の輝きは夢から消え、自分も救われそうな気がした。

何より、子供心の屈折を知り抜いている自分ならいい教師になれるのでは、と智永は思った。教育実習の時、教壇で教えたことを子供たちは吸い取り紙のように吸収してくれた。教職課程を修了した智永は、足立区の公立中学校で教鞭《きょうべん》を執ることになった。

学校とは、子供を育てるという意味において母性の場であり、女の組織ではないのか。

それは二十三歳の新卒教師のあまい理想に過ぎなかった。職員室という村社会で、智永は窒息しそうな思いを日々味わうことになった。自尊心と猜疑心《さいぎしん》、特権意識と強迫観念、威圧的なバリアをそれぞれに張っている教師たちと、ただ無気力なだけの子供たちに囲まれて、智永は屈折と憎悪の上にかろうじて築きあげた最後の理想さえ打ち砕かれた。学生時代と同様、個性を埋没させ、日々のノルマを淡々とこなすだけの女教師になった。

そんな智永が拠《よ》りどころにしたのは、妻子ある生活指導の教師だった。

学校という職場は一般の企業よりも職場不倫の温床になりやすい。管理職という存在が校長と教頭しかいないため、組織としての上下関係は薄い。クラス担任を持てば二十代でも三十代でも教室という一国一城の主《あるじ》になる。学級作りや父兄とのつき合い方も自由なら、恋愛も不倫も勝手にどうぞ、というムードになりやすいのだ。

それまで恋愛関係が皆無《かいむ》に等しかった二十四歳の智永は、学校帰りのラブホテルで生活指導の教師と逢瀬をかさね、快楽のバリエーションを少しずつ覚えていった。そこに愛がある。ここにも愛がある。肉体から覚えたことを「愛」と呼ぶことで、智永は細胞がただれてしまいそうな教師生活に何とか踏みとどまっていた。

しかし学校は二人の関係に気づき、生活指導の教師を他の学校に追いやることで事態の解決をみた。そういう形で愛人関係が終わったことに、智永はむしろホッと胸を撫で下ろした。快楽と愛との齟齬《そご》に気づき始めていた頃でもあった。

二十六歳の時、智永の教師生活を根底から揺さぶる事件が隣町で起きる。高校中退の少年グループが、千葉県在住の女子高生を監禁して、一ヵ月に及ぶ凌辱《りょうじょく》の末、死体を埋立地に捨てたという猟奇事件だった。

加害者の少年の一人は、智永の二年前の教え子だった。クラスの副担任をしていた頃、「智永先生」と、まだ声変わりしていない声で自分を呼ぶ小柄な男子生徒が残虐な殺人者に変貌したことがどうしても信じられない一方で、加害者グループの心の変遷と被害者の絶望が手に取るように理解できた。

監禁された少女は当初四十九キロあった体重が三十三キロになっていた。少年たちはだんだん彼女に性的魅力を感じなくなってきた。風呂にも入らない。生傷が化膿して悪臭が漂う。性的な対象から、ただいたぶる対象へと移っていった。幼児が無理にねだって買ってもらった玩具《おもちゃ》に飽きて、邪魔になって捨てたくなる心理に等しかった。

一方、少女は絶望の中を生きている。悲惨な世界に安住してしまった時、そこを飛びだせばいいという論理がすり減っていく。どんどん悲惨になる道を選び、少年たちの鋳型《いがた》にはめられてゆく。閉じた世界で時間や空間が加重された末に、猟奇は起こりえたのだと智永は想像できた。

生活指導の愛人教師が去り、教え子の狂気を知った二年後、智永は運命的な出逢いをする。

一人の転校生。十四歳の塩屋篤志が智永の前に現われた。東京山手《やまのて》からの転校生という殻を捨てられないことで陰湿ないじめを受けることになった篤志にとって、唯一の支えが智永だった。

「この問題を教えてください」と教科書を持って放課後の職員室にやってくる塩屋篤志は、見る度に顔に生傷を増やしていた。いじめを繰り返すクラスの連中に対して、いつかこの子は牙を剥くに違いないという予感に智永は震えつつ、なかばそれを期待していた。

母親の背後に肉切り包丁を振りあげた自分も、痩せ細った少女を埋立地に捨てた少年も、この塩屋篤志も、同じ世界の住人であることを智永は確認したかった。

篤志の家庭環境は劣悪だった。外に愛人を抱えている飲食店経営の父親と、ブランド漁《あさ》りで憂さを晴らしている母親との関係は悪化の一途《いっと》を辿っていた。家庭にいても教室にいても窒息状態に陥るばかりの篤志の目に、智永は救いの女神として映ったようだ。

塩屋篤志が投げかけてくる思慕《しぼ》の情を、智永は体ごと受け止めたい衝動に駆られた。少年の肌と密着することで自分に伝わってくるものを夢見た。

夕陽が差しこむ二年C組の教室だった。

「先生が好きだ」と告げた篤志にひるむことなく、あらかじめ定められた軌跡のように、智永の唇が少年の唇に吸い寄せられていった。二十八年間、限界で踏みとどまってきた智永の人生が「壊れた」瞬間だった。

自分のアパートで篤志を抱いた。少年は性急に智永の乳房に食らいつき、挿入した途端に放出していた。恥ずかしさに震える篤志を抱きしめてやりながら、自分は教師として救いようのないほどドロップ・アウトしたのだと智永は痛感した。

大丈夫よ。大丈夫だから。篤志にではなく、自分に投じた言葉だった。篤志も同じ言葉で智永を慰めた。

「大丈夫だよ、先生……」

だから智永は無意識のうちにバランスをとろうとしていたのかもしれない。テレビの学園ものに登場するような熱血教師を、智永は一方で演じてしまった。

智永はひょんなことから、生活指導の教師でないにもかかわらず、体を張って不良化した女生徒を救うことになる。

顧問をしている映画研究部の女生徒が、錦糸町《きんしちょう》のデートクラブで金を稼いでいるという噂が舞いこんだ。智永は夜の街に出た。

街角の暗がりで張込んでいると、日色《ひいろ》泉水が雑居ビルに入っていくのが見えた。泉水は三歳ほど大人びた化粧を施《ほどこ》していたが、口許の幼さは隠せない。あの唇でどんな痴態を演ずるのか、智永は見てみたい気がした。

かつての自分の姿にもダブった。あの頃もし、平凡な女生徒という仮面を一切合切投げ捨てていたら、日色泉水のような少女が出来あがっていたに違いないと智永は思った。

ビルの一室で客待ちの状態になった日色泉水を呼び寄せるため、智永はデートクラブに電話をした。女の客からの電話はさすがに珍しかったようだ。智永はレズビアン趣味の客を演じて、求めている少女像を説明した。つまり日色泉水のような少女を。

もしそういう子がいるのなら三倍の料金を払うと言った。三十分後、指定されたホテルの部屋に少女が現われた。

自分を呼んだ客が智永だと分かって、泉水は開いた口が塞がらない。

「こんな所で課外授業でもしようっての?」

精一杯強がっていた。智永はありふれた説教などするつもりはなかった。カラオケ完備の部屋で、朝まで泉水と歌いまくった。「浪漫《ロマン》飛行」と「ラブ・ストーリーは突然に」を後の教職員旅行で歌いこなせたのは、その夜、泉水がみっちり教えてくれたからだ。

生徒はどれかひとつ課外クラブを取らなければならないという校則がある。泉水は一番暇そうだという理由で映画研究部を選んだようだが、智永はクラブ活動に泉水を引きずりこむことで、デートクラブの世界から足を洗わせた。

泉水は小金稼ぎの目的で売春世界に足を踏み入れたわけではなかった。その年頃の少女にしては物欲は少なくて、瞬間的な刺激を獲得できたら次の一瞬も生きられるという考え方をする十四歳だった。それは物欲がないより恐ろしいことかもしれないと智永が分かったのは、後々、ともに犯罪世界に身を置いた時である。

刹那《せつな》を生きる。だからだろうか、泉水はニュー・シネマの代表作といわれる『俺たちに明日はない』が最も好きな映画だと言った。

映画研究部の顧問をやっていても映画については生徒のほうが詳しい。智永は泉水に教えられて初めて、その映画をビデオで見た。

世界恐慌の一九三〇年代のアメリカ。ボニー・パーカーというウェイトレスの女と、クライド・バローという性的不能者の青年が、アメリカ南西部を銀行強盗として駆け抜ける。やがて二人は警官隊に包囲され、八十七発の銃弾を浴びて絶命する。「死のバレエ」と呼ばれるラストのスローモーション場面が特に有名だ。

ボニーとクライドは、カポネやデリンジャーなどとは比べ物にならない、いわば「ドサ回りのチンピラ」に過ぎない。それでも多くの人々が、取るに足らないこのアベック強盗に同情と共感を寄せた。

　ボニーは詩人でもあった。「いつか私たちは死ぬだろう／二人はともに土になる／何人かの人にはそれは悲しみ／法に平和がもたらされる／それこそがボニーとクライドの死」と詩の中で望んだように、二人は二十代半ばで一緒に死を迎えた。しかしともに埋められることはなく、おのおの数マイル離れた墓地に別れ別れで葬《ほうむ》られた。

　智永は映画のビデオを自宅に持ち帰り、裸で抱きあいながら篤志にも見せた。刹那を生きることに情熱を注いだ主人公二人に同じ感銘を受けた時に、智永と篤志と泉水、三人は運命の糸でたぐり寄せられた。

「中学を卒業しても先生と別れたくない」とダダをこねていた篤志だったが、三月が近づく頃、智永に突然別れを告げた。

「先生にもうこれ以上迷惑をかけたくないから」

　それは嘘だ。篤志は同じ年頃の女の子とつき合い始めたに違いないと思った。

　寂しくなかったと言えば嘘になる。しかし、篤志の相手が他でもない泉水だと知ると、智永は不思議と許せた。

　篤志と泉水は卒業証書を手にし、整列して拍手する教師たちの前を通り過ぎていく。校門の外へ散っていく二人を見送ったあとには、空虚な日常しか残らなかった。刹那を生きるという泉水と篤志の信条がその時初めて、智永には魅力的に思えた。

ある日、かねてからしつこく言い寄っていた中年の体育教師と決着をつけるため、智永は放課後の理科実験室に彼を誘った。智永と生活指導の教師とのかつての不倫は、教師仲間の間では周知の事実のようだ。男たちの眼差しはまるで智永を慰安婦扱いだった。

「俺にもやらせてほしい」と体育教師は下卑《げび》た笑いを浮かべて智永に近寄る。その言葉に激怒したわけではない。智永が無人の部屋に体育教師を誘いだしたのは、篤志と泉水が去ったあとの怠惰な世界から自分を解き放つためだった。

カエルの実験用のメスを、陸上競技で鍛えた体育教師の大腿部へ、智永は渾身の力をこめて突きたてた。

この事件は学校上層部の徹底した緘口令《かんこうれい》によって、警察沙汰にはならなかったものの、智永は依願退職という形で教師生活にピリオドを打つことになった。

三十歳になった智永は、女子大時代の友人に頼まれて、六本木のクラブで雇われママをすることになる。教師から夜の仕事というのは、極端から極端への転身のようだが、実際は転校先の教室で教鞭を執っているような気分だった。

営利という目標に向かって若いホステスたちを束ねていくことは、新年度の学級作りと変わらない。その証拠に、智永はまるで担任教師のように女の子たちに慕われた。定時制高校で勉強をやり直したいという向学心のあるホステスに、参考書を開いて勉強を教えてやったこともある。

教え子と肉体関係になり、体育教師を刺し、次々と一線を踏み越えるうちに、智永は外見上も肚《はら》のすわった女に変貌した。やくざの客同士が目の前で刃物を抜いても、眉ひとつ動かさず、その手を取り、刃先を自分の頬に当てた。

「この店で殺しあうなら、まず私の顔を切ってからやりなさい」と言葉にして言ったわけではないが、やくざたちは刃をおさめた。

智永が裏社会に引き寄せられていったのか、裏社会が智永を引き寄せたのか、智永は様々な夜の貌《かお》にめぐり逢った。

不法就労者の外国人女性を斡旋《あっせん》している密入国ブローカーの一人に、グレイ・ウォンというチャイニーズ系タイ人がいた。

智永の排卵日の渇きを癒《いや》す男になった。浅黒い肌のいたるところに宝飾品をちらつかせたグレイ・ウォンは、金の生る木に食らいつくことに関しては天才的で、不法就労者の斡旋だけでなく、組織的な車泥棒にも一枚嚙んでいた。

ベッドではひとつの愛撫を飽きずに繰り返す男である。この男にはどんな人生があったのだろうか、と智永は思う。二十八年の生きざまについて何ひとつ語ろうとしない男だ。故郷はこの男にどんな傷を与えたのだろうと考えながら愛撫を受け、根源的な憂いとも思えるものがグレイ・ウォンの無表情の奥から滲みでてくる時、智永は狂おしげな声をあげて中に招いた。

流暢《りゅうちょう》な日本語で語る寝物語が、智永を魅了した。

一九九一年五月、タイのドン・ムアン国際空港を飛びたったラウダ航空が消息を断ち、タイ西部の山中に墜落した。二百二十三人の乗客乗員が死亡したタイ航空史上最悪の事故で、墜落現場が公表される前から、多くの略奪者たちがマイクロバスやピックアップ・トラックを駆って山に入った。遺体が身につけている貴重品や衣類、鞄《かばん》を次々に持ち去っていく。指輪目当てに遺体の指を切断する輩《やから》もいたという。グレイ・ウォンは略奪者たちが調達したバスの運転手として、現場の光景を目にした。

ちぎれた女の足から銀のアンクレットを奪った男が、グレイ・ウォンに高々とそれを掲げた。死者への弔《とむら》いの心など微塵《みじん》もない。宝を得るためなら死者をもなぶる。

「トモエにそんなことができるか?」とグレイ・ウォンが問うた。

「できるかもしれない」

問題は、智永にとって「宝」とは何かという一点だ。

グレイ・ウォンはこんな話もした。

腎臓や肝臓疾患で苦しむ日本人の患者。中でも先天的な障害を持つ子供の場合、親はどんなに高い金を払っても子供に健康な臓器を移植させたいと願うが、臓器提供者は少なすぎる。親は闇のルートに頼ってでも何とかしたいと考える。

グレイ・ウォンはある日本人外科医と結託し、貧しさのため臓器を売ろうとしている人間をタイで集め、日本人相手に臓器摘出と移植の手術をした。

人間の体というのは、臓器だけでなく髪の毛も皮膚も骨も、すべてがパーツとして売り物になる、という話に智永は妙に惹《ひ》きつけられた。一枚嚙んでみたいと思ったが、グレイ・ウォンが喋ってくれた商売にそのまま乗っかっただけでは、何の面白みもない。

その商売でさらなる利益を上げるには単純かつ明快な論理が欠けているのでは、と智永には思えてならなかった。

その頃、智永に懐かしい再会があった。

綾瀬の中学を卒業したあと、進学したはずの篤志と就職したはずの泉水は、智永以上にドロップ・アウトしていた。二人して深夜の六本木で覚醒剤を売っていた。

再会のきっかけは一人の不良ホステスだった。閉店時間までやけにテンションの高い彼女の腕に、ドス黒い注射痕を見つけた。どこでクスリを買ったのかと智永が問い詰めると、あるバーで、若い売人カップルが水商売の女ばかりを相手にスピードを売りつけているという。

教師時代の虫が疼《うず》いた。自分の教え子を薬物中毒から救わなければならない、という変な義務感に突き動かされて、彼女が教えてくれたバーに行ってみた。売人を捕まえて、「二度と彼女に薬を売るな」と言ってやるつもりだった。そこで智永は、髪を金色に染めた篤志と、二の腕にサソリのタトゥーをいれたタンクトップ姿の泉水と出くわした。

篤志は高校には進学したが長続きせず、中退して印刷工場に就職した。泉水は美容師になるべく専門学校に入った。真面目に働いていれば、すでに見習いを卒業している頃だった。親元を離れて同棲生活をしていた二人は、揃ってハジけた。智永がそうであったように、二人も都市の暗黒部分に引き寄せられたのだろうか。

が、刹那を生きる現代版ボニーとクライドを気取ってるわりには、若者二人がやっていることはみみっちい。

とにかくクスリの密売だけはやめさせた。店の常連であるやくざによると、外人や子供が覚醒剤の密売に走って商売があがったりだという。密売人にとって本当に恐ろしいのは、警察よりも、本気をだした時のやくざのほうなのだ。

放っておいてくれよ。先生には関係ないだろ。篤志と泉水が口を揃えて言う。五年前よく聞いた台詞《せりふ》だった。二人の拗《す》ね方はあまり変わってないと、智永には微笑ましくもあった。

二人の若者は智永にとって息子であり娘である。彼らが都市の暗闇で犯罪に手を染めて生きるしかないのであれば、智永は強き母親として、二人の教え子を自滅させることなく守ってやらねばならない。

智永は久しぶりに再会した教え子の二人と夜通し飲み、連絡場所を交換した。つぶれた二人を店に置いて北新宿の部屋に帰ろうと、朝の通勤通学路を朦朧《もうろう》とした足どりで歩いていた時だ。

それは天啓だったのかもしれない。グレイ・ウォンから聞かされた商売を、何倍にも拡張する方法を智永は思いついた。

内臓疾患の子供を抱える親は、喉から手が出るほど闇の臓器を求めているという。しかし、それまでグレイ・ウォンと共犯の外科医が仲立ちした移植手術では、三人に一人の割合で失敗していた。闇の臓器ドナーを供給しているタイで、去年あたりから新型の肝炎が流行していて、汚染された臓器で術後一ヵ月以内に死に至るケースが頻発している。

安全な臓器をどこで確保したらいいのか。それがグレイ・ウォンと外科医の頭を悩ませていた。

智永は朝の通学路でクリーンな臓器が群れをなしている光景を見た。

桜並木の下を集団登校する小学生たちだ。飽食の人種。栄養状態のいい日本の子供たち。ドナーはそこら中に掃いて捨てるほどいるではないか。この単純かつ明快な論理。

あの黒々とした髪も、産毛の光るあの肌も、未来に輝く目も、すべてがパーツとなって金に換算される。舗道に突ったって、集団登校の子供たちとすれ違う智永は、ゆったりと顔をほころばせ、ほくそ笑んだ。

子供を切り売りする女か。口の中で呟いてみた。

世の中の女連中が最も嫌悪する「悪」に自分を駆りたてることに、智永はいい知れぬ喜びを感じた。

子供を金に換えるなどということをよく思いついたな、それでも女か、自分の子宮が痛まないのか、と世間の声が聞こえた。智永はせせら笑う。ひと頃つき合った産婦人科医には、子供が産めない体かもしれない、と言われた。たとえその能力が残っているのだとしても、自分がこの子宮で作ることのできるものなんて、所詮《しょせん》、親の背後で包丁を振りあげるような子供だろう。歴史は繰り返す。因果応報《いんがおうほう》ではないか。

人にはそれぞれに、自分の人生と決着をつけるべき時がある。決着をつけるにふさわしい舞台がある。この三十五年には智永にふさわしい舞台はなかった。両親に殺意を抱いた家庭から、個性を埋没させて無表情で居続けた学校生活、教え子と関係を持ち、同僚教師に刃を突きたてた教職員時代を経て、流れついたのが夜の街。智永は転がり続けただけだ。

これからは違う。両足で仁王立ちできる場所がここにある。犯罪世界という名の舞台。時は今だ。今しかない。北新宿の通勤通学の朝、智永がそう決心して振り返った時、桜並木の彼方へと小学生の一団は弾《はず》む足どりで消えていった。

朝の光で透けて見えるようだった。体液の中に漂っているピンク色の心臓が、健康な一対の腎臓が、脂肪のかけらもない肝臓が、智永の目に……。

「一人はバラで、もう一人は五体満足で売れたってさ」

篤志が二杯目のスミノフに氷を足す。その報告は智永の留守中、篤志が受けた。日本とタイを行ったり来たりしているグレイ・ウォンとは連絡を怠らないようにしている。

墓標の彼方へ沈む夕陽は、もう残照にすぎない。智永はもう充分に精液を吸い取ったティッシュをショーツから取りだし、屑箱《くずばこ》に捨てる。

「Rhマイナスの、もう一人は？」

「買い手と交渉中だって。滅多《めった》に出てこない貴重品だからいくらでも値を釣り上げられるって、グレイ・ウォンは強気だよ」

「二度とそんな血液型の子供は選ばないよう、あの医者に忠告しといたほうがいいわね」

放っておくと暴走しかねない男だ。珍しい血液型の子供は高値にはなるが、危険を伴うことも智永は知っている。ドナーにする子供は無作為抽出で選ばないと、医師が介在していることを警察に悟られてしまう。

Rhマイナスの血液型の子供がなぜさらわれたのか。誰かが血液型のデータを見て選んだのではないか。その子供の血液型を知り得る立場にあった者が関係しているのではないか、と疑われる可能性がある。

三ヵ月前、智永たちの最初の犯行は、すべてがうまくいった。

都市にはエアポケットのような時間帯と場所がある。人間の視線が薄まる時。人間の注意力をすり抜けられる時。五官を総動員して町の空気を読めば、捕獲のチャンスを呼び寄せられることを智永は知った。

　この計画を思いついてから一ヵ月、智永は篤志と泉水を連れて、車であらゆる通学路を徘《はい》徊《かい》した。

　下校時刻の子供たちの行動。学校によっては集団下校をするところもあるが、都内の小学校はほとんど自由下校になっている。狙うのは七歳以下と決めた。臓器移植を望む子供たちは六歳前後が多い。六歳の患者に、サイズの大きな十歳のドナーの臓器は移植できないからだ。

　見るからにいじめられっ子のような子供が、一緒に帰る友人もなく、一人でとぼとぼと家路を歩いている姿を見ると、智永はすぐにでも車に引きずりこみたい衝動に駆られた。

　年齢をもう少し下げると、幼稚園は二年保育で充分という主義の親に連れられ、ウィーク・デイにデパートやスーパーをうろついている四歳児が最も狙い目である。親の注意がゆき届かない一瞬が必ずある。問題は防犯カメラの位置だ。変装すればいい、と泉水は言うが、ビデオカメラの画像解析能力をあまく見てはならない。設備が整っていないパチンコ店を物色し、防犯カメラの死角を探した。

　あとは土日で混雑する遊園地。智永たちは三週続けて、ワンダーランドの下見に出かけた。すべてにおいてシステム化されたアミューズメント・パークにも盲点はある。トイレの場所によっては、決まった時刻に閑散となる。近くのステージでショーが始まろうとする頃、五分から十分、特に男子トイレが密室化する法則に篤志が気づいた。親の手がかからなくなって、一人でもトイレにいける年頃の子供が狙い目だ。

問題はどうやってトイレから脱出するか。外には親の目がある。それをどうかわすか。子供の外見を変えてしまえばいい、と智永は思いついた。

五月の第二週、篤志と泉水は続けざまに子供をさらった。川口、入間、千葉、と疾風のように駆け抜けた。三人目の子供だけは、智永たちと共犯関係にある外科医の「紹介」だった。あの子供は金になる、と外科医が皆を焚《た》きつけたのだ。智永は反対したが、多数決で決めるという雰囲気になって抵抗できなかった。

いざ実行に移してみると、予想外なことがいろいろと起こる。何よりも、さらった子供を外国に運ぶことに経費がかさんだ。

グレイ・ウォンの人脈で、台湾の蛇頭《スネーク・ヘッド》の密輸船を抱きこんだまではよかった。彼らは海外からの密入国者を漁船を使って公海から日本近海に運んでくる。そこで日本側の漁船に密航者を積み替える。そのルートを逆に使って、空になる帰りの船倉に子供を積むことにしたのだが、蛇頭は智永たちの足許を見て料金を釣りあげてきた。思った以上の出費を強《し》いられて、一度の密輸で三人の子供というのでは利が薄かった。

まず奴らに年間契約金として大金を握らせれば、操るのは簡単だとグレイ・ウォンは言う。つまり子供の密輸を軌道に乗せるには、多額の「準備資金」が必要ということだ。子供を臓器ドナーとして確保しても、臓器を受ける患者が確定するまで時間がかかる。パーツにして売れるまでに三ヵ月ほど待たなければならない。気の短いことで知られる蛇頭が、それまで「契約金」を悠長に待ってはくれない。とりあえずグレイ・ウォンと智永が自腹を切った。が、もっとよこせと蛇頭は要求している。

確保した子供をいかに高値でさばくか。別の売り方で臓器ドナーよりひとつゼロの多い正札を子供に付けることができた。

商売の相手は小児性愛者《ペドフィリア》だった。小児性愛者はタイで「ワニ男」と呼ばれる。爬虫類《はちゅうるい》のように狙いすまして子供を抱きこみ、弄《もてあそ》ぶことからそう呼ばれている。

いつか六本木の店にやってきたフランス人の宝石商が、明らかにその癖を持っていた。少女のような風貌の若いホステスを横にはべらせ、自分の性癖についての自己弁護を、流暢な日本語で滔々《とうとう》と語っていた。

「私たちは、子供を愛すると犯罪者扱いされる伝統主義的な社会の犠牲者です。小さな女の子や男の子を見ると、むしょうに撫でてやりたくなります。ふわっとした産毛に覆われた、小さな桃のような肌……それが私の指の下で震えるんですよ。大人でこんな感覚を経験させてくれる女なんていませんよ」

そんな趣味の男にとってはタイのパタヤ・ビーチは天国らしい。ゲスト・ハウスに滞在して、バーやビーチをうろつけば、一夜のベッドを手に入れようとうかがっている七歳から十四歳ぐらいの少年が、数珠《じゅず》繋ぎで立っているという。

ヨーロッパでは、このちょっとした火遊びで十年の監獄生活になる。タイのパタヤ・ビーチでは罰せられる心配もなく、子供たちを自由に強姦《ごうかん》できるのだと、その宝石商は夢見るように語った。

強姦しておきながら、それは「愛」なのだと彼らは言う。新しき愛、ヌーヴェラムールなのだと。

小児性愛者相手の商売になれば、臓器を取りだしたらそれで終わりではなく、何年にも亘って減価償却がきく。四歳の子供ならば、男児であれ女児であれ、十年以上はたっぷり使用できるため、それだけ高値をつけられる。臓器を摘出するのはそれからでも遅くない。

実際、入間のパチンコ屋で捕獲した女児は、血液検査によって先天的な腎臓疾患があることが判明し、臓器ドナーとしては利用できなくなったが、グレイ・ウォンの人脈で小児性愛者の道具として売られた。

が、所詮グレイ・ウォンの力では、子供はタイ国内でしかさばくことができない。幼児売春が組織化されているヨーロッパならば高額商品になるが、国外に連れだすためにはビザがいる。偽造パスポートまでは用意できても、子供へのビザ発給は難しい。智永やグレイ・ウォンはタイ在住のある人物に現地でのサポートを期待したが、その人物は、東南アジアでなく日本でドナーを無作為抽出してタイに運びこむ計画を「無茶だ」と一蹴《いっしゅう》した。

捕獲時の危険性。港から公海へ運ぶまでの危険性。そもそも蛇頭のような連中と信頼関係を築こうとすることの危険性。

「これ以上、私をアテにしないでほしい」と最終的な回答がグレイ・ウォン経由で送られてくると、智永は地団太踏《じだんだ》んだ。

つまり、智永たちは今、ふたつの問題に直面している。

蛇頭を完全にコントロールするための多額の「準備金」をどこから捻出《ねんしゅつ》するか。そして、さらった子供をより「金の生る木」にするために、どう足場を築くか。

智永は三日三晩考えに考え抜いて、ふたつの問題を一挙に解決するための方法を思いついた。グレイ・ウォンは「名案だ」と微笑んでくれた。さすが「微笑みの国」で生まれ育った男だった。彼の笑顔は智永に自信を与えてくれる。

「そろそろ泉水が帰る頃ね」

智永は黒いボックス・シーツをベッドから剥ぎ取り、洗濯機に入れる。情事の痕跡《こんせき》を隠すためだった。どう隠しても泉水は気づくだろうが。

テーブルに広げられた世田谷区の地図。縮小は一万三千分の一。子供の住む家は玉川一丁目にあり、地図では手の中にすっぽり納まる大きさだ。

泉水は今日、少女の通学路を調べている。獲物は多摩川を隔てた神奈川県に越境している小学校一年生だ。

泉水が最初の調査で撮ってきたパノラマ写真が、テーブルに広げられている。

二子《ふたこ》玉川園の駅前通りから、右手に富士観会館、左手に東急田園都市線の線路を見て、約五百メートルの二子橋が続く。橋は片側一車線の道路で常に渋滞していて、歩道は異常に狭く、行き交う通行人は徐行しあって歩かなければならない。

この橋での捕獲は無理だ。神奈川県側に入ってから、学校までの徒歩十分。チャンスはその間にある。

智永は大博打《おおばくち》を打とうとしていた。

4

捜査報告書。

報告担当者——警視庁玉川署刑事課巡査部長　中山博次《ひろつぐ》。

【事件発生時の状況】

九月八日火曜日。東京都世田谷区玉川一丁目二十一番地リバーパーク玉川四〇一号室に住む楢崎彰一《ならさきしょういち》さん三十五歳（九条《くじょう》物産勤務）の長女あゆみちゃん七つが、夕方になっても学校から帰らないとの通報があった。

玉川署の外勤警察官・鎌田《かまた》明仁《あきひと》巡査が自宅に向かい、母親の楢崎香澄《かすみ》さん三十歳より事情を聞く。

あゆみちゃんの通う神奈川県高津区《たかつく》二子一丁目の聖徳《しょうとく》女学園初等科に香澄さんが連絡したところ、初等科一年は午後二時に授業を終了し、午後二時四十分の下校時刻までに生徒の居残りはなく、全員が帰宅したはずだという。

また同級生の話によると、あゆみちゃんは授業終了後の掃除当番を終えるとすぐに下校したらしく、一人で校門を出ていく姿を同級生が目撃している。時間は午後二時三十分頃だという。

あゆみちゃんは越境通学者のため、一緒に帰る友人は普段から少ないという。学校から自宅までは、子供の足で三十分はかかる。二子新地駅前から川を渡って二子玉川園駅前へいく東急バスの路線はあるが、二子橋の渋滞で時間がかかるため、あゆみちゃんは徒歩で下校することが多かったという。


【その後の経過】

同日午後九時、家出人捜索願いを玉川署が受理。香澄さんの案内によって、あゆみちゃんが立ち寄りそうな場所を中心に、外勤警察官五名によって捜索を始める。

父親楢崎彰一氏が知らせを受けて午後九時半に帰宅。

日付の変わった九月九日午前二時、楢崎氏の自宅に、あゆみちゃんを拉致《らち》したと思われる人物から電話がある。声はボイス・チェンジャーで電気的に変えられ、性別年齢は不詳。応対に出たのは楢崎彰一氏。

「楢崎さんのお宅ですね。娘さんを預っています。二十四時間以内に一億円の現金を一万円の旧札で用意してください。受け渡し方法はおって連絡します」という内容であった。

玉川署はただちに警視庁捜査一課特殊犯捜査係（以下、特殊班と記す）に出動を要請し、玉川署を捜査本部とする旨を関係各部署に連絡。

午前三時三十分、特殊班の私服警察官が到着。機捜、鑑識、NTT対策も到着するが、第一回の会議は翌日十時とする。

捜査本部長に警視庁捜査一課管理官・益岡謙太郎《ますおかけんたろう》警視正が当たり、玉川署長・山瀬敏郎《やませとしろう》警視を補佐役とし、鑑識課長、機捜副隊長、方面本部班長、玉川署刑事課長の四名を幹部とする仮称『あゆみちゃん誘拐事件捜査本部』が設置される。玉川署から三十名、機捜から三十名、特殊班二十名、第三方面本部から十名、拉致地点が神奈川県高津区内の可能性もあるため、神奈川県警高津署から十名、計百名の態勢。

同日、朝を迎えた時点で、目撃者なし、楢崎宅周辺に不審車両なし、遺留品なし、犯人からの連絡なし。

捜査本部の第一回会議終了後、警視庁捜査一課長により、報道十五社に警察発表。報道協定締結。

同日未明より楢崎宅に入った特殊班三名の私服警察官によって、逆探知をNTTに要請、電話局との直通電話を開設。派遣されたのは曽根加寿男《かずお》巡査部長、持田《もちだ》栄一《えいいち》警部補、そして被害者対策として有働公子巡査部長の三名である。

以下、捜査報告は特殊班に引き継ぐ。


捜査報告書。

報告担当者――警視庁捜査一課・第一特殊犯捜査係巡査部長　有働公子。

【被害者宅、到着時の状況】

九月九日午前三時十五分、玉川一丁目の楢崎宅に、私を含めて三名の特殊班が到着、玉川署刑事課と交代する。

リバーパーク玉川は駒沢《こまざわ》通り沿いの新築マンションだが、賃貸物件である。四〇一号室は二LDKの間取り。十五畳ほどの広間から振り分け式に各部屋があり、六畳を夫婦の部屋、四畳半を子供部屋として使用している。調度品は最低限の物しかないという印象があり、あとで聞くと、楢崎家は神奈川県に自宅購入を控えていて、このマンションは来春までの仮住いだということ。

母親の香澄さんは犯人の第一回の電話以後、ショック状態が続いている。全身の震えが止まらないと訴え、トイレで二度嘔吐《おうと》したという。被害者対策としてあゆみちゃんについての話を聞くのは、朝になってからのほうがよいと判断する。部屋長の曽根巡査部長も了承する。

父親の彰一さんから話を伺うことにする。彰一さんはこうした状況においても冷静に言葉を選び、落ち着いて話すタイプの人である。

九月九日午前十一時までに、被害者宅で知りえたことは以下の通り。補足は随時行なう。

【楢崎家の資産状況】

楢崎彰一氏は大手総合商社・九条物産勤務で、この七月まで海外駐在員を務めていた。本国勤務になったことを契機に、神奈川県高津区に自宅を建築するため、自己資金一千万円ほどが銀行口座にある。彰一さんの父親は広島県で税務職員をしていたが、現在は退官、実家の貯蓄は一千五百万円程度。香澄さんの父親は埼玉県大宮市で飲食店を経営しているが、貯蓄額は五百万円程度である。

【楢崎彰一氏の海外駐在時代について】

彰一さんは三年間、タイの九条物産バンコク支社に勤務。三十五歳で建設部の地域課課長というのは、同期の中でも異例の出世にあたるという。

タイ東部のメコン流域において、ラオス中部を通過してベトナム中部の港まで達するルートを開拓するための第二架橋の建設プロジェクトを、タイ政府の資金援助と現地ゼネコンとの共同出資により軌道に乗せた。

昨今のラオスは貿易と観光に力を入れ始め、長年に亘る鎖国状態からようやく開放されようとしているという。現在、九条物産をはじめとする日本の商社三社が、現地の土地投機家に接触を試みている。ただ、彰一さんの見解によると、ラオスは隣国タイから無秩序に資本が流れこんできて、バーツ経済圏に組みこまれることをひどく警戒しているらしく、両国に橋を架ける開発プロジェクトは、完成まで予想以上の苦戦を強《し》いられるに違いないということ。ともあれ、彰一さんの働きは、難問山積みの計画を軌道に乗せただけでも評価は高く、現地で三年間、彰一さんの片腕として苦労を共にした白石圭二《しらいしけいじ》氏の話によると、すべてにおいて冷静沈着な彰一さんへの信頼感は現地でも厚く、プロジェクトは順調に展開しているという。

　彰一さんと白石さんが本国勤務になったのは、この三年の激務に対しての会社側の配慮で、決して降格人事ではない。仕事絡みで彰一さんに恨みを持つ者については、現地タイやラオスの交渉相手の逆恨みと疑えばきりがないが、白石氏には具体的に心当たりはない。なお、午前四時に連絡がとれた白石氏は、すぐに楢崎宅に駆けつけた。彰一さんとは対照的に、感情を表に出す熱血漢の印象。事件発生時、白石氏は軽井沢へ恋人とドライブにでかけていたという。この日の行動については、軽井沢のホテルに問い合わせ、確認。

【九条物産の対応について】

　同日午前十一時より、九条物産本社で緊急役員会議が開かれる。彰一さんの直属の上司によって誘拐事件の状況について説明があり、身代金一億円を緊急避難的判断によって会社側が用意するべきかどうかが議題にのぼった。

本来ならば楢崎彰一氏への貸し入れという形で処理するところだが、役員の一人が、これは昨年度から設けられた「誘拐保険」を適用する状況ではないかと意見を述べたことにより、この件について二時間の討議があった。

九条物産が海外での誘拐ビジネス対策に保険金を導入することになったのは、一昨年、メキシコのティファナ支社長が地元マフィアに拉致されたという事件がきっかけである。

ティファナ市は、メキシコが輸出振興のために設けている保税加工区の代表的地域で、輸入に税金がかからないうえ、輸出がいずれもドル建てでできるなどの経済的メリットから、六十社に及ぶ日本企業が進出している土地でもある。一方で、この地は麻薬の密輸基地としての裏の顔も持っていて、メキシコの二大麻薬マフィアのひとつ、アレヤーノ・フェリックスの本拠地もここにあり、三千ドル出せば人殺しが雇える街としても名高いという。

地元のゴルフ場からの帰り道で、ロールスロイスに乗った九条物産ティファナ支社長が覆面の三人組によって連れ去られた。

この事件は地元の有力紙にスクープされ、犯人側と水面下で交渉をして極秘に解決するつもりだった九条物産ティファナ支社は、記者会見を開いて誘拐の事実を明らかにするよりなかった。

身代金の運搬車両をスクープ狙いのマスコミが追いかけ回している状況で、現地の警察は囮《おとり》の車を用意して、マスコミの目をそらす作戦をたてたが、本物の現金運搬車が襲撃されて、金を奪われてしまう。手引きをしたのは他でもない、身代金の交渉に当たっていた警察内部の人間だった。

結局、拉致された支社長はそれから二度に亘る身代金要求の末にやっと解放される。危機管理システムの不備のために多大の出費を強いられる結果となった九条物産は、これを教訓とし、誘拐事件が発生した場合には外部の保険会社に対策を委託することになった。

そもそもメキシコには「誘拐保険」というものがある。企業の要人が誘拐された時に、保険会社が身代金を用立ててくれるシステムである。この保険への加入は企業のトップ・シークレットのため、誘拐される危険性のある要人たちは自分が誘拐保険にかけられていることすら知らない。

しかも保険会社は誘拐専門の危機管理コンサルタント会社と提携していて、犯人側との身代金交渉もこのコンサルタント会社が一手に引き受けることになっている。

それ以後も、ペルーで幹部社員が誘拐されるという事件が起こったが、保険会社と提携しているコンサルタント会社が犯人側と橋渡しを行ない、保険金の支払いによって社員を救出することができた。

のちに九条物産は海外にネットワークを広げている外資系の保険会社と契約をし、海外駐在員はそれぞれのサラリーや家族構成に見あった掛け金を保険会社に払うことによって、本人とその家族は誰でも「誘拐保険」の適用を受けることができた。

治安が悪い中南米などでは、誘拐事件が発生しても現地の警察は介入させず、コンサルタント会社が独自に動くことになるが、欧米諸国の一般の地域では警察への通報が義務づけられ、保険会社は身代金として保険金は支払うものの、事件の解決には警察が当たることになる。日本もその例外ではない。つまり、誘拐がビジネスとして横行している地域では金は犯人側に渡るが、それ以外の地域では警察が早期解決にあたり、身代金は無傷のまま保険会社に返るという見通しである。

契約書には、その社員が本国勤務になっても、二年以上、海外駐在で掛け金を支払っていれば誘拐保険の適用を受けられるという条項があるため、あゆみちゃんの身代金も保険会社が用意することになった。日本国内において誘拐保険が適用されることになったのは、もちろん今回の事件が初めてである。

同日午後四時、現金が楢崎家に届けられた。二十四時間以内に用意せよというのが犯人側の要求であったが、それより十時間早く、全額用意される。海外で誘拐事件に幾度となく遭遇している九条物産らしく、対応はすこぶる早かったというのが私の印象である。旧札一万円札で一億は重さ十キロ、ジュラルミン・ケースひと箱分に相当する。

【被害者対策のため両親から聴取した、あゆみちゃんについてのいくつかの事柄】

一九九一年七月四日、あゆみちゃんは埼玉県大宮市の病院で生まれる。母乳で育ち、赤ちゃんの頃から今まで、病気らしい病気はひとつもしたことがないという丈夫な女の子だった。

三歳から六歳まで、両親と共にタイのバンコクで暮らす。現地の幼稚園では、同じ駐在商社マンの子供たちと楽しく遊んだ。現地人との交流はそれほど多くなく、幼稚園の経営者も日本人のため、日本の幼児教育とほとんど変わらない環境だった。

好物はローズ・アップル。これは小型の洋梨のような形で、表面は黄緑またはピンク色の艶がある。果肉は白く、皮ごと食べられるフルーツである。

好きなテレビ番組は『ドラえもん』で、これはタイで日本製のアニメーションに人気が集中しているためである。

休日はバンコクの南にあるリゾート地チャアム・ビーチの貸し別荘で過ごすことが多かった。この海岸は、タイ湾を挟んで対岸のパタヤ・ビーチと向かいあっている。バンコクから車で三時間ほどのこのビーチに行く途中には、ミュージカル『王様と私』のモデルとなったラマ四世の夏の宮殿跡がある。あゆみちゃんは幼稚園の絵日記で、この風景をクレヨンで上手に描いている。

六歳になった頃、父親の彰一さんが一年以内に本国勤務に戻る見通しとなり、あゆみちゃんだけがひと足先に帰国することになる。

帰国子女はどうしても勉強に遅れがでることを香澄さんが心配し、日本の雰囲気に早く慣れさせるためもあって、大宮市にある香澄さんの実家で、あゆみちゃんは暮らすことになる。香澄さんは月に一度は日本に帰って、あゆみちゃんの私立小学校入学のための準備をしてきた。

その年の秋に聖徳女学園初等科に合格して、香澄さんもひと安心となったが、直後、あゆみちゃんは思わぬ事故に遭遇する。祖父母の注意がゆき届かない場所で、十九歳の大学生が運転するオートバイに接触し、あゆみちゃんは右大腿部に全治一ヵ月の大怪我を負う。これは救急病院の担当医師の適切な処置で後遺症も残らず、順調に回復した。

しかし事故のあとは、あゆみちゃんは精神的に不安定になり、祖父母の家で夜中に起きだし、「パパ、ママ、どこ……?」と夢遊病者のような行動をとることが多く、精神カウンセラーにも相談したが、あゆみちゃんの塞ぎ虫はなかなか治らなかった。

が、両親が晴れて帰国してからは精神的にも落ち着いたということ。

以上が、九月九日午後五時までの状況である。

以下、報告日誌として記載。報告担当はいずれも私——有働公子によるものである。

【九月九日】

夕方六時、犯人からの二度目の電話がある。逆探知の要請をし、四コール目で父親彰一さんが受話器を取る。
　会話内容を採録。
彰一「はい、楢崎ですが」
犯人「（ボイス・チェンジャーの声で）金は用意できましたか」
彰一「できました。今、目の前にあります」
犯人「奥さんと代わってください。以後、お話はあゆみちゃんのお母さんとさせていただきます」
（被害者対策として、私——有働公子が母親役として電話にでる）
母親「母です。あゆみはそこにいるんですか。声を聞かせてください」
犯人「本当にお母さんですか」
母親「そうです。お願いします。あゆみを電話にだしてください」
　電話はそこでいったん切れる。犯人は逆探知をひどく警戒している様子。あゆみちゃんは犯人のすぐそばにいないので、呼びにいくために電話を切ったのではないかと思われる。
　三分後、ふたたび電話が鳴る。母親役の私が直接、受話器を取る。
母親「楢崎ですが」
犯人「あゆみちゃんの声をお聞かせします」
　ボイス・チェンジャーが受話器から外れる雑音がし、あゆみちゃんの肉声が聞こえてきた。
あゆみ「ママ、パパ……早くおうちに帰りたい。帰りたいよ」
母親「あゆみ？　あゆみ？　大丈夫なの？　元気なの？」
声によって本物の母親でないことが、あゆみちゃんを通じて犯人に分かってしまう恐れはあったが、会話を続けることにした。
あゆみ「こわいの。こわいの。早く帰りたい」
母親「待っててね。すぐに迎えにいくからね」
ここであゆみちゃんの声は跡切れ、ふたたびボイス・チェンジャーの声となる。
犯人「心配いりません。あゆみちゃんはこの通り生きています」
母親「どうすればいいんですか。お金は用意できました。どうやって届ければいいんですか」
犯人「警察に通報していませんね」
母親「していません」
犯人「本当ですか？」
母親「主人に固く言われています。九条物産は海外でこのような誘拐事件に何度も遭っていて、どれも警察に通報しないで解決しているからと……」
ここで電話が切れる。通話時間は三十五秒。逆探知の結果、東京都西部であることは判明した。逆探知による電話特定は五分が目安とされている。実際は電話局から電話局への中継コースによってもっと早く判明することもあるが、地域を限定するのに二分、下四桁の番号を特定するまでにそれから三分かかる。犯人側がこのシステムについて熟知しているのかどうかは分からないが、用心に用心を重ねている様子。

五分後、ふたたび電話がかかってくる。

母親「楢崎です」

犯人「身代金の受け渡し方法を言います。一度しか言いません」

母親「はい」

犯人「車を用意してください。運転手には白石圭二さんを指名します」

母親「白石さん？　主人の会社の白石さんですか？」

犯人「彼が適任と考えます。翌朝八時にまた電話します。白石さんの車に現金を積んで、待機してください」

母親「待ってください。もっと早くできませんか。あゆみが心配なんです。あとひと晩もあゆみと離れ離れなんて……お願いです、白石さんにはすぐ来ていただきますから……」

犯人「分かりました。一時間後に電話します。お互いのために早く終わらせましょう」

電話は切れた。逆探知の結果、東京都西部が発信源ということしか分からなかったが、電信ルートが移動していることが確認された。これは、犯人側が移動しながら携帯電話で通話をしていることを意味する。たとえ電話番号が判明したとしても、携帯電話が正規に登録されたものではなく闇市場で売買されたものであった場合、持ち主の特定は難しくなる。

楢崎宅にはすでに白石さんもいた。犯人は「運転手は白石さんが適任」と言っていた。どういう意味なのか白石さんに質問した。

まず、楢崎さん夫妻はどちらも運転できないことが挙げられる。また白石さんはタイ駐在時代、交通事情が悪くて渋滞の多いバンコク市内を、巧みなハンドルさばきで走り回っていたという。本人の弁では、ほとんど暴走族なみの運転だというが、抜け道をすぐに覚え、会議の時間と場所に決して遅れることのなかったのは、白石氏の運転技術によるものだと彰一さんは説明した。

つまり、犯人側にとっては白石氏こそ金の運び役にうってつけで、時間と場所に遅れないどころか、あわよくば警察のマークを逃れて金の受け渡しができると期待しているふしさえある。

犯人側は白石氏の運転技術についても熟知している。ならば彼らは楢崎彰一氏と白石氏の駐在時代をよく知っている人物かもしれない。

捜査本部は、楢崎彰一氏のタイ駐在時代の同僚社員名簿を取り寄せ、洗うことになった。三年間で職場をともにし、現在本国勤務になっているのは三名。捜一課員によって事件発生時のアリバイは現在確認中である。

きっかり一時間後の七時十分、犯人からの五度目の電話がある。

母親「もしもし、檜崎です」

犯人「深夜一時、小田急読売ランド前駅のマクドナルドに、白石さんを来させてください」

母親「お店の中ですか？」

犯人「外の路上に車を止めて待っててください。白石さんの携帯電話の番号を教えていただけますか」

白石氏に訊き、それを犯人に伝える。

犯人「以後、この携帯電話に指示をします。ではよろしくお願いします」

電話は切れた。

白石氏の自家用車は四輪駆動のランド・ローバーである。連絡は携帯電話に入るということなので、犯人からの指示を白石氏によって追跡班に伝達してもらう必要がある。白石氏の車にデジタル無線を設置する。

【九月十日】

指定された時間の二時間前から、小田急読売ランド前駅付近に捜査員三百名が投入される。マクドナルド・よみうりランド駅前店は午後十一時にすでに営業を終了している。オダキューOXから横浜銀行前までを直近配備として五十名、駅の反対側の生田《いくた》郵便局前からローソン前までを第一線配備として百名、第二線配備は駅前に至る四本の道路に残り百五十余名を配置、車両の進入路を固める。

特殊班の専門車両と機捜の四〇〇ccのバイクを西の法性寺、東の杉山神社境内に待機させ、これを三班態勢に振り分ける。第一班は偽装車による現金運搬車の先行誘導。第二班は直近追跡。第三班は犯人の車両を特定した際の、追尾と捕捉を担当する。

移動距離が長い場合を想定して、捜査本部は広域手配を警視庁に要請した。

神奈川県警の約百名の捜査員は、捜査本部の指示で県境から南に配置されたが、追跡班や捕捉班の移動が神奈川県下に入った場合の広域手配について、県警側から要望が寄せられた。

県警としては県下に入った場合、追跡と捕捉を引き継ぎたい。一刻を争う状況での持ち場の引き継ぎは捜査態勢の混乱を招き、現実的には不可能である。

なぜこの時期になって、縄張り争いともとれる無茶な要望をつきつけてきたのか、現場の捜一課員も理解に苦しんだ様子。どうやら、駅付近の配備を担当し、現場で指揮に当たる県警高津署の警部補が上司に直訴《じきそ》したと思われる。

午前零時四十五分、現金を載せた白石氏のランド・ローバーが到着する。特殊班の私たち三名は、被害者宅で楢崎夫妻と共に待機する。

彰一さんはソファに座りこんだまま動かない。香澄さんは祈りを捧げるような恰好で電話の前に座っている。被害者一家にとっては緊張の糸を緩めることのできない時間が続いた。

二時間待つが、現場に犯人からの連絡はなかった。捜査本部は今夜中の動きはないと判断し、配備を解き、白石氏の車を楢崎宅に帰す。

夜が明ける午前五時頃から、楢崎夫妻と白石氏はふた部屋に分かれて仮眠をとるが、香澄さんは精神安定剤を借りても睡眠できないため、私が話し相手となる。

特殊班の他の二名をリビングに残し、アコーディオン・カーテンを閉めたダイニングで、コーヒーを飲みながら朝まで語らう。同じ年頃の子供を持つ母親同士として、本音で語りあうことができた。会話内容については、香澄さんとの約束で、この報告書には記載せず。

翌朝八時五分、犯人から六回目の電話がある。

母親「もしもし、楢崎ですが」
犯人「警察に通報しましたね」
母親「……しません」
犯人「マクドナルド前に刑事らしき人影を何人も見ました。交渉は終わります」
母親「待ってください。お願いです、電話を切らないでください」
犯人「正直に言っていただければ交渉は続けましょう。警察に通報しましたか？」
母親「…………」
犯人「どうなんですか？」
母親「申し訳ありません。仕方なかったんです。一億円なんて私たちで用意することはできません。保険会社で用立ててもらう条件として、警察に誘拐事件として通報しなければならなかったんです。お金を作る一心でした。許してください」
犯人「警察に追われるリスクの中で、どうやって私どもは身代金を受け取ればよいのですか？」
母親「すいません」
犯人「訊いているんです。どうやって私たちに金を届けるつもりですか？」
母親「考えさせてください」
犯人「分かりました。しばらく様子を見させてもらいます。警察がどんな動きをするのか、私たちも見てみたい」
母親「何をすればいいんですか」
犯人「町田市の小田急線鶴川駅の前に、午後三時、白石さんと警察の皆さんをお呼びくださ
い」
母親「あゆみの声を聞かせてください。本当にあゆみは生きてるんですか」
犯人「後ほどかけ直します」
　電話は切れる。逆探知の結果、NTTの新宿管内から渋谷管内に移動している携帯電話からかけられていることが判明した。
　収穫はひとつ。通話の中で、犯人は自分のことを「私たち」と言った。相手は複数犯であ

る。
　五分後、七回目の電話がかかる。
犯人「あゆみちゃんの声をお聞かせします」
母親「お願いします」
　ここで無言の間がある。
母親「あゆみ。あゆみ。そこにいるの？　ママよ。あゆみ。お願い、何か言って」
あゆみ「早くコロと遊びたいよ。おばあちゃんちのコロとまた遊びたいよ。早くここを出たいよ」
母親「ごはんはちゃんと食べてる？」
あゆみ「帰りたいよ。帰りたいよ。帰りたいよ」
母親「もうすぐよ。もうすぐだからね」
　ここで通話が切れる。
　あゆみちゃんの声を科学捜査研究所の音響班に分析をさせたところ、新しい事実が判明した。
　前日に聞かされたあゆみちゃんの声と、今回の声は、同じ緊張状態の中で発せられたものだという。ふたつは同じ時間帯に喋《しゃべ》った声であり、犯人は事前にテープに録音したあゆみちゃんの声を少しずつ聞かせただけにすぎないとなると、あゆみちゃんが現在、生存しているかは不明である。この事は彰一さんにだけ告げる。母親の香澄さんにはこれ以上の心労を与えるべきでないという私の判断である。

今回の指定場所も、東京都と神奈川県の境、つまり警視庁管内と神奈川県警の管轄の境界にほぼ位置したため、捜査態勢をめぐって現場に混乱が生じた。

前夜と同様、警視庁は三百名の配備を行なったが、ちょうど境界線上となる鶴川駅東口の矢崎橋付近で、県警の捜査員十名が持ち場を譲らないという子供じみた小競《こぜ》りあいが行なわれた。

午後三時、駅前ロータリーに車を止めた白石氏の許に、犯人からの電話がかかる。十五分後にたまプラーザのイトーヨーカドー前に移動せよとの指示だった。神奈川県警は待機させていた百五十名を一度に現場に投入したため、東急百貨店ショッピング・センターとイトーヨーカドーに挟まれた駅前通りに偽装車が連なるという光景が見られた。捜査本部は県警側を厳重注意、外周配備の調整に一時間かかる。

が、その時すでに、白石氏の携帯電話に次の指示が入っていた。三十分後に世田谷区二子玉川園駅の富士銀行前に来るようにとの指示だった。楢崎宅に最も接近した場所のため、捜査本部はこれまでで最高の四百五十名を現場に投入した。

が、これも空振りに終わる。以後、犯人は午後九時までの間に、中原区武蔵小杉駅前、大田区池上《いけがみ》、高津区溝口《みぞのくち》、稲城市《いなぎし》多摩カントリークラブ前、麻生区《あさおく》東百合丘《ひがしゆりがおか》、町田市つくし野……と移動場所を指示し、白石氏と配備の警官は転々とさせられたが、犯人らしき人物、不審車両は見当たらず。

この場所移動から明らかなように、犯人は、警視庁管内と神奈川県警の管轄を交互に指定しており、捜査現場を混乱させることが目的ではないかと思われる。

白石氏の移動が逐一《ちくいち》楢崎宅に報告される中、香澄さんが緊張状態に耐えられず貧血で倒れる。救急車を呼ぼうとしたが、香澄さんには家から一歩も離れたくないという固い意志があり、マンションに医師と看護婦を呼ぶことにする。

点滴治療でひと晩休んでいただく。

【九月十一日】

彰一さんのバンコク時代の同僚であり、現在、本国勤務となっている三名の九条物産社員の、誘拐事件発生時のアリバイが確認される。三名とも、事件への直接的な関与はないと見られる。ただし犯行には参加していなくても、内部事情を犯人側に流している疑いはあるため、交遊関係を調査する。

犯人側は明らかに、九条物産の内部事情を把握《はあく》している。一億円の身代金が保険会社によって用意されることも計算済みだったと思われる。そうなると、警察が最初から介入することは予想していたわけで、犯人が自ら言っているように、警察に追われるリスクの中で身代金の受け取りをしなければならない。犯人にいかなる勝算があって、このような状況を作りだしたのか、捜査本部で様々な意見があげられた。

まず、身代金目的ではなく、楢崎彰一氏への個人的な恨みによるものではないかという意見が出される。しかし指定場所を転々とさせられているのは楢崎彰一氏ではなく、その部下の白石氏であり、怨恨《えんこん》が理由とは思えないという反対意見が出た。

次に、これまで九条物産が中南米の誘拐ビジネスで警察を介入させずに解決を図ったように、一億円の身代金要求はカモフラージュで、実は犯人側と九条物産の間で裏取引が進行しているのではないかという意見があがる。

が、拉致監禁されたのは会社のトップではなく、一社員の家族である。会社側が警察の目を欺《あざむ》いて、犯人と個別交渉に応じるケースとは考えにくい。

終日、犯人からの電話はなし。

香澄さんは寝室で点滴を受ける。この三日間、ほとんど固形物の食事を摂《と》っていない。消耗は激しく、できる限り私が精神的な支えとなる。お互いの子供のこと、香澄さんのバンコク駐在時代の話などを語らう。

【九月十二日】

午前九時三十五分、かかってきた電話からいきなりあゆみちゃんの声が聞こえた。

「ママ、パパ……。どうしておうちに帰れないの。どうして迎えに来てくれないの」

別の受話器でこの声を聞いていた香澄さんが「あゆみ！」と絶叫し、夫の彰一さんになだめられる。電話はあゆみちゃんの声だけで切れる。おそらく事前に録音したテープの声だと思われる。

三時間後、科捜研から声の分析結果が届く。やはり前二回と同じ時間帯に録音したものだと判明。

あとは終日、犯人からの連絡はなし。

香澄さんが私の付き添いを断わり、「一人にさせてほしい」と願いでる。あゆみちゃんの部屋に閉じこもり、あゆみちゃんが好きだったアニメ番組のCDをかけていた。

【九月十三日】

午前七時十五分、犯人からの電話。

母親「もしもし、楢崎です」

犯人「皆さんお元気ですか?」

母親「あゆみの声を聞かせてください。今の声を聞かせてください。警察の方はテープで録音された声だと言っています。お願いです、この電話にあゆみを……」

犯人「横浜の山下公園、氷川丸に最も近い岸壁に楢崎彰一さんご本人に来ていただきます。現金と白石氏の携帯電話を持たせ、立たせてください。時間は午前十時です」

電話は切れる。

捜査本部は神奈川県警に正式に出動要請をする。現場の指揮は、捜査本部に出向している県警高津署の片野《かたの》坂泰裕《さかやすひろ》警部補が当たり、直近配備と、第一・第二線配備の外周を県警捜査員五百名が担当することになった。

日曜日で、しかも行楽日和《びより》とあって、山下公園付近は多くの家族連れやカップルで賑わっていた。

午前十時、彰一さんがジュラルミン・ケースを持って岸壁に立つ。

携帯電話に犯人からの指示が入る。彰一さんの背広の内側に無線のマイクを仕込んであり、彰一さんが犯人からの指示を復唱して捜査本部に知らせる。

犯人は十分後に外国人墓地までの徒歩の移動を指示した。第二線配備の二百名がただちに移動をして、外国人墓地付近では直近配備となる。一方、山下公園で直近配備をしていた百名は外国人墓地では外周に当たるという連係プレイである。

十分後、指定された外国人墓地と元町公園に挟まれた道に彰一さんが立とうとした時、携帯電話が鳴る。

二十分後に横浜スタジアムの一塁側内野席入口に移動せよとの指示だった。彰一さんは元町に下り、中華街を横断して、横浜スタジアムへとひた走った。

県警の配備は混乱した。咄嗟《とっさ》に移動の対応ができず、中華街を走る彰一さんの前を横切ってしまう加賀町署員を見て、カッとなった片野坂警部補が殴りつけたという話も伝わっている。

ここで片野坂泰裕警部補四十三歳について記す。

神奈川県警本部の暴力団担当四課から、戸部《とべ》署、保土ケ谷《ほどがや》署を経て、高津署の刑事課勤務となった。県警内で起こった拉致監禁事件では三度の現場指揮に当たったことのあるベテランだが、縄張り意識の強さが仇《あだ》となって、各方面で問題を起こしていると聞く。

町田市鶴川駅前やたまプラーザでの混乱も、片野坂警部補の独断が原因と言われていた。これまで再三、捜査本部は県警に厳重注意を促《うなが》してきたが、片野坂警部補に反省の色は見られなかった。

彰一さんは横浜スタジアム前で次の指示を受ける。これ以後、午後一時過ぎまで、馬車道《ばしゃみち》の関内《かんない》ホール前、横浜税関前、ホテルニューグランド前……という移動ルートをとらされる。

当初から予想されたことだが、犯人側は彰一さんを走らせ、配備を混乱させるだけが目的だった。捜査本部では、彰一さんへの怨恨説がふたたび浮上した。

ニューグランド前に到着したのを最後に、犯人からの電話はなく、一時間後、彰一さんを帰宅させ、配備を解く。

重さ十キロのジュラルミン・ケースを持って関内付近を休みなく走らされた彰一さんの体力的消耗も激しく、白石氏の車に乗ったあとはやや脱水症状が見られ、自宅で安静にする。

以後、終日、犯人からの電話はない。

【九月十四日】

事件発生から一週間目。

楢崎夫妻は疲弊《ひへい》しきっている。会話も極端に少なくなり、香澄さんはあゆみちゃんの部屋に閉じこもる時間が多くなる。

夫婦で助けあい、この難局を切り抜けようという雰囲気にはほど遠いが、この一週間、日を追うごとに最悪の結果を覚悟しなければならないという状況では、それも無理はないと思われる。

昼過ぎだったか、彰一さんが開いた家族アルバムに香澄さんが近寄り、二人でページをめくっていた。

交わす言葉はなかったが、過去の幸福を辿《たど》りながら口許に同じ笑みを浮かべる夫婦の姿に、私は不覚にも目頭《めがしら》を熱くした。次の電話があった時、あゆみちゃんの生存をせめて確認しなければ、という意を強くする。

が、終日、犯人からの電話はなし。

事件は膠着《こうちゃく》状態に入った。

5

楢崎あゆみの世界は今日も揺れている。

いつまでが昨日で、いつから今日で、いつから明日になるのかもさだかでない世界だった。

檻《おり》の外の裸電球も揺れているため、鉄格子《てつごうし》の影があゆみの顔の上を踊っている。自分の部屋と比べると半分もない広さ。天井も背伸びをすると届いてしまうほど低い。奥三面が漆喰《しっくい》で覆われた木の壁、前面が鉄格子だが、規則正しい間隔では組まれていない。格子のつなぎ目も雑だった。

揺れの中には常に水音がする。この世界は水に浮いているのだ。おそらく海だ。港だ。船の中だとあゆみは幼心に判断した。

身につけているのはズダ袋だけである。両手と首、三つの穴をあけたものをすっぽりかぶっている。下着はなかった。テレビの漫画で見たことのある原始人のようだ。格子の外から差しだされたステンレスの容器には、缶詰の魚フレークが浮いている冷めた粥《かゆ》。大宮の祖母がコロに同じようなものをあげていたのを、あゆみは見たことがある。犬にやる残飯のような食事だった。

何時間かごとに檻の向こうの扉から「デビル」が現われ、この食事を置き、トイレ用のバケツを持ち去ってゆく。「デビル」とはあゆみがつけた仇名だ。悪魔という意味。たまたま英語を知っていたから、そうつけた。

肌が浅黒い。日本人じゃないことはすぐに分かった。タイにいた頃、こういう顔の人がたくさん町にいたことをあゆみは思いだした。

デビルは日本語が話せる。「残すな。食べろ」とあゆみに命じ、お湯で絞ったタオルを差しだして「体を拭け」と言う。いつも怒っている顔に見えた。デビルは笑ったことがあるのだろうか。笑うということを知っているのだろうか。

あたしは犬になったのかもしれない。あゆみはそんな錯覚に囚《とら》われる。容器から手掴みで食べているが、そのうち、犬のように口だけで食事をするようになるんじゃないだろうか。よつんばいで歩くようになるんだろうかと恐くなる。

学校で習った漢字を、漆喰のかけらで床に書いてみた。「町」「空」「森」……少し前までは書けた「みち」が漢字で書けない。せっかく覚えた漢字も忘れて、平仮名も忘れて、あたしは犬になっていくのだろうかとあゆみは身震いする。

頭の中の巻戻しボタンを押した。記憶の映像。あゆみは再生ボタンを押す。

二子神社前の、多摩川緑地沿いの道だ。学校からの帰り道。しばらく歩いて交番前の通りを渡り、二子橋を渡る。あゆみのいつもの帰り道だった。

白いワゴン車。窓は黒い。きっと自分を待ち構えていたんだろうとあゆみは思う。すぐ横を通り過ぎようとした時、ドアが横に開いて誰かが飛びかかってくる。腕を取られて、ワゴン車の中に引きずりこまれたと思ったら、口と目、両手首と両足首に物凄い勢いでテープを巻かれた。

　男の人が運転をし、女の人が横に座っていた。「パパやママに電話するつもりで何か話してみろ」と男の人があゆみに言う。何を喋っていいのか分からずにいたら、隣の女の人が「ママ、パパ、早くおうちにかえりたい。帰りたいよ……言ってみな」と命令した。

　口のテープだけが剝がされる。あゆみは同じように言ってみたが、「気持ちがこもってないよ」と女の人に叱られた。

　あゆみは頑張って、助けを求める声を発した。そのうち自分らしい言葉で言えるようになった。

「早くコロと遊びたいよ。おばあちゃんちのコロとまた遊びたいよ。早くここを出たいよ」

「そうそう、その調子」と隣の女の人が褒めてくれた。

　途中でどこかに止まる。隣の女の人が「はい、これ」と外にいた誰かに何かを渡した気配。カセットテープを取りだすような音がしたから、自分の声を録音したテープなのだとあゆみは分かった。

　受け取った人は何も言わない。車はまた走りだす。とても長い間、車は走っていた。

　トイレに行くのも許されない。紙オムツをされていた。「そのまましちゃいな」と隣の女の人が言う。そんなのいやだった。おしっこは我慢した。そのうち濡れた布を鼻に当てられた。息をしたらハッカの匂いがして、頭がくらくらした。あとは何も覚えていない。

目が醒《さ》めた時、あゆみは波の音のする場所にいた。目にはテープが貼られたままだったから、音だけでしか分からない。運転していた男の人に抱かれ、あゆみはこの狭い場所に閉じこめられた。

目と口と両手足首のテープを全部剥がされたら、デビルが目の前にいた。

「全部脱いで、これを着ろ」とズダ袋を渡された。蓋《ふた》のついたバケツがトイレだと言われた。そんな所にしたくはなかったけど、あゆみは我慢できず、おしっこをした。頭痛は嗅《か》がされた薬のせいだろうと思った。

床の隅に、子供の字をいくつか見つけた。同じように漆喰のかけらで書いたみたいだった。同じように閉じこめられた子供がいたんだろうか。その子たちはどうなったんだろう。家に帰れたんだろうかとあゆみは考えた。

「ぼく」という落書きがいくつもあった。「ぼく、ぼく、ぼく……」

ぼくはぼくなんだ、ぼくはぜったいぼくなんだ……そう言っているように見えた。あゆみも「わたし」と書いてみた。わたしはわたしなんだ、わたしはぜったいわたしなんだ、動物なんかじゃないんだ……。

足音が聞こえる。デビルがやってくる。あゆみは漆喰の字を慌てて消した。デビルは犬が字を書くなんてきっと許さないだろう。

デビルが男の子を連れて入ってくる。やっぱりズダ袋をかぶっている。目がとろんとして、口がだらんとして、よろよろしながらデビルに連れられてくる。あの薬だ。ハッカの匂いのする眠り薬をその子も嗅がされたのだとあゆみは思った。

デビルは鉄格子の鍵を開け、男の子をあゆみの目の前に倒す。デビルは扉を閉め、鍵をかけ、そのまま部屋を出ていった。

男の子の左手にぐるぐる包帯が巻かれていた。うっすら血が滲んでいる。怪我《けが》をしていた。

「だいじょうぶ？」

あゆみは声をかけてみる。同じ年頃の子に話しかけたのは久しぶりだ。男の子は目の玉を少し動かすだけだった。

またデビルが現われた。いきなりだったから驚いて、あゆみはうしろの壁にあとずさった。デビルは注射器を持っている。鉄格子の間から男の子が怪我している腕を掴み、消毒液がしみこんだ脱脂綿で拭いて、注射をする。男の子は「痛い」とも言わない。まだ夢の中にいる。デビルは注射した場所を何度か揉《も》むと、いなくなった。

部屋を出て、階段を上るデビルの音が遠ざかると、あゆみは男の子の顔をもう一度覗きこんだ。

「怪我したの？」

男の子は答えない。しかし目の玉の動きが止まり、あゆみの顔を捉らえた。

「何年生？」

男の子の口許がちょっぴり動く。あゆみは耳を近づけた。ひからびたソーセージのような唇が音の形になった。

「……い、ち……」

いち。一年生。あたしと同じだ。

あゆみはまだ微笑むことを忘れてはいなかった。

6

膠着《こうちゃく》状態のまま二週目に入った。

楢崎宅の居間は、この一週間の共同生活でそれぞれの座り場所が決められていた。三つの電話機を置いたテーブルを前に、生白い顔に無精髭《ぶしょうひげ》をびっしりと蓄えた楢崎彰一氏。その真向かいに、五キロ体重を落とし、白髪が日に日に目立つ香澄。長いソファのほうに、苔《こけ》むした庭石のように動かない曽根と、大学ノートのメモを繰り返し読むしかない持田。四人とは距離を置いてダイニングのチェアに公子が座っていた。電話が鳴った時に、公子は電話の前に移動して、母親役となって曽根と持田の間に腰を下ろすことになる。

今日は五人の定位置を乱す人間たちがいる。

ダブルのスーツとネクタイがいつ見ても見事にコーディネイトされている捜査一課の管理官——捜査本部長でもある益岡謙太郎だ。玄関の土間には、現場警察官の薄汚れた革靴の中に益岡のウィング・チップが煌々《こうこう》と輝いている。

大蔵と通産を秤《はかり》にかけて、最終的に警察官僚を選んだ際、益岡にはどんな出世の嗅覚が働いたのだろうか。女性的なな で肩。さらっと真ん中から分けた髪と、メタルフレームの眼鏡。理科系の大学院生という風貌は入庁当時から変わらない。

捜査本部での雛壇《ひなだん》でいつも精神集中のためにガムを嚙んでいるが、不謹慎とたしなめる人間はいない。犯人逮捕がままならない状況で被害者一家の慰問《いもん》に訪れた時は、さすがにガムを口から捨てていた。

が、「我々も全力を尽くして犯人の特定を急いでおりますので、どうかお気をしっかり持って」という紋切り型の慰めも、彰一と香澄の耳をすり抜けている。

益岡は捜査本部の幹部三人を取り巻きとして連れてきているが、そのうしろに問題児が控えていた。公子の目の前、ダイニングのテーブルに寄りかかって、益岡の言葉にさっきからせせら笑いを浮かべている神奈川県警高津署の男。

片野坂の身長は百八十センチはあるだろうか。巨体のいたるところから威圧感が滲みでている。毛が密生している拳《こぶし》を落ち着きなく開いたり閉じたりするのが癖だ。その手で殴られた加賀町署員に公子は同情を禁じえない。指の開閉動作を見つめていると、ざわざわした空気がこちらに忍び寄ってくる。半径一メートル以内の人間を不安にさせる天才だと公子は思う。

楢崎彰一氏が繰り広げた関内の徒歩一周について、これまで事情聴取できる時間が限られていたため、三十分前に予告もなく片野坂はやってきた。そこで益岡の慰問とぶつかったため、ややこしい雰囲気になっている。

「例のバンコク時代の同僚三名について、九条物産の総務部の協力を得て内偵を進めている段階です」という益岡の言葉に、片野坂がふんっと鼻で笑う。幹部連中の耳には届かなかったろうが、公子にははっきり聞こえた。

見当違いの方向に踏みこんでいる、と片野坂は言いたいようだ。公子はその点については同感だ。

白石の運転技術をバンコク時代によく知る者、という基準にひっかかった三名の社員だった。彼らにとっては迷惑もはなはだしい。捜査本部はとりあえずそのあたりを嗅ぎ回ることしか、やることがないのだ。

片野坂が公子の視線を感じたのか、ふらっと振り返る。中学生時代にニキビを潰した跡が、頬に無数のクレーターを作っている。ラテン系を思わせる彫りの深い顔立ち。最近の007映画で、こんな暑苦しい顔の悪役を見たような気がする。

「こいつら、馬鹿ヅラ下げてやってきやがって、そう思わないか？」と公子に同意を求めている目だ。

無視して目をそらした。

警視庁の機関誌に、将来を嘱望《しょくぼう》されたエリート警察官僚として益岡のインタビューが載ったのを公子は読んだことがある。

恐れを知らず、歯に衣《きぬ》を着せない語り口は鮮やかだったが、語っている内容は現場警察官の神経を逆なでするものでしかなかった。

大蔵省や通産省はマネーゲームの魅力、警察庁はパワーゲームの魅力だと益岡は公言する。

確かに、キャリア組の出世スピードは早い。二十五歳前後で確実に県警課長のポストが約束される。その際には親と変わらない年齢の者も含めて、三十名から四十名の部下を持つ。

「キャリアとノンキャリアに差がつくのは、備わる格がそれだけ違うからです」

と語る益岡に、インタビュアーは「格?」と訊き返した。この若僧は何を言いだすのだろうか、とさぞかし胸が高鳴ったことだろう。

「格とか徳とか、あるいは器と呼んでもいいですね。同じレベルで物事を見てしまう現場警察官の悪い癖が、巷《ちまた》のキャリア批判を増長させるのです。シャネルやグッチといったブランドに対して、駅前の洋品店の親父が『なんで同じ洋服屋なのにこんなに差があるんだ』と文句をつけても、誰も取りあわないでしょう。なぜか。格が違うからです」

こんな比喩《ひゆ》をそのまま掲載した雑誌も雑誌だと公子は思う。益岡はこうも言った。躁状態でインタビューを受けていたことは明らかだ。

「分かりやすくたとえると、警察庁はマクドナルドと同じです。全国どこで食べても同じ味にしなきゃいけない組織なのです」

これが分かりやすい例だろうかと公子は呆《あき》れた。極めつきは、益岡に調子を合わせて砕けた質問を発したインタビュアーへの返答。

「警察官僚になって私生活で変わったことですか？　そうですね、見合い話と合コンが増えたことぐらいかな」

末尾に（笑）と入っていたことが救いである。

捜査一課の管理官はほとんどが五十代のノンキャリアの警視がつくが、中に一名、若いキャリアが置かれる。何の巡り合わせか、第一特殊犯捜査係にたまたま益岡が管理官としてついた時にこの事件が発生した。

それでも所轄に捜査本部が置かれた場合、捜一課長が雛壇に座って指揮を執るのが通例である。が、沖縄で行なわれている全国都道府県警察幹部会議のために捜一課長は東京を出払っていた。形ばかりの本部長とはいえ、指揮官の椅子に益岡がついたことの不運を、特殊班の全員が溜め息まじりに嚙み締めた。

玉川署に捜査本部が置かれた時、高津署からの県警捜査員十名の中に片野坂がいた。

その後、身代金受け渡し現場における警視庁と県警の軋轢《あつれき》が本部に伝えられると、その元凶である片野坂に対して、「場を乱さないように頼みます」と益岡はやんわりと釘《くぎ》を刺した。戒告《かいこく》めいた調子にならなかったのは、捜査本部に所属していても県警の人間であるから、益岡なりに気を遣ったからだ。当の片野坂はその柔らかな口調から本部長をあまくみたのか、キャリアへの反骨精神をあらわにしだした。

誘拐の通報が警視庁管内にあり、拉致地点が神奈川県だった、というのがそもそも不運の始まりといえる。マスコミは今は報道協定でおとなしくしているが、やがてあいも変わらない警視庁vs.神奈川県警という図式をセンセーショナルに書きたてるだろう。

県警の刑事にとっては、警視庁の庭場を荒らすのが何よりの快感であることは公子も知っている。「東京のホシをとる」ということに異常な執念を燃やすのは、何も片野坂に限ったことではない。それは横綱から金星をあげることに等しい。その対抗意識の現われとして、たとえば全国都道府県警察の柔剣道大会で常勝している警視庁が負けると、客席からとてつもない拍手喝采《かっさい》が起きる。

九一年の九月、県下で起こった警官射殺事件が県警と警視庁の溝を決定的にさせたといわれている。

指名手配の覚醒剤中毒者の男が神奈川県大和《やまと》市のホテルにいることを突きとめ、県警捜査員が逮捕に向かう。ところが男の所持していた拳銃で警官一人が撃たれて死亡。男は近くで遊んでいた三歳の子供を奪って車で逃走し、県警は警官射殺事件として緊急配備を敷いた。男は横浜市緑区の路上で子供と車を放置してさらに逃走する。県警は千三百五十名の捜査員を投入したが、翌日、車を乗り捨てた場所から五百メートル離れた東急田園都市線つくし野駅付近の住宅街に、どうやら男が潜《ひそ》んでいるらしいと判明した。ところがこの地域は神奈川県と東京都町田市の境界線が入り組んだ場所だったため、警視庁も大量の捜査員を投入し、男が潜伏していると分かった住宅を警視庁機動隊員が包囲し、逮捕となった。

問題はこの後の記者会見だった。警視庁の刑事総務課長が「果敢な現場指揮によって危険な犯人を何とか逮捕できた」と、逮捕は警視庁だけの手でやったと言わんばかりの態度だったため、会見に同席していた県警幹部の面目は丸つぶれになった。合同捜査本部の記者会見が終わると、普通なら調書をとるために両者で打ち合わせをするものだが、県警幹部は何の挨拶もせず早々に帰ってしまった。

両者のギクシャクした関係は、以後、多くの事件に影響を及ぼすことになったが、ようやく二年後、警視庁は県警に関係改善を申し入れ、双方の幹部が県境の多摩川に架かる橋の上で握手をしたという。これは警察関係者では有名な話で、実際「橋の上の手打ち式」と呼ばれている。

「本部長殿、もうよろしいでしょうか」

片野坂が苛立ちを嚙み殺し、益岡の背中に言葉をかけた。「聴取の時間がありますので」

益岡は楢崎夫妻にねぎらいの言葉をかけて辞去しようとしていたところだった。片野坂に言われるまでもない。「格」が違う相手から促されたことで、益岡は神経に触ったようだ。

「何の聴取だ」

「関内の件です」

「ばたばたと見苦しいところを見せたそうだな。こっちこそ君らに聴取したいところだよ。中華街で同僚を殴り倒したっていうのは君だろ、片野坂君」

益岡は近寄り、片野坂を見上げた。身長差が十五センチある。小男のコンプレックスが権力志向に向かわせたに違いないと思わせる姿だった。

「我々の問題です、本部長殿」

翻訳すると、関係ないだろ黙ってろ、というところか。

「冗談じゃないぞ。君らの問題じゃない、我々の問題だ」

警視庁の事件であり、県警は応援部隊にすぎないと益岡は言いたいらしい。関内での身代金受け渡しで県警の捜査員が大量動員されたのは、単に土地鑑があるというだけの理由だ。

「本部長」と曽根が立ち上がる。「そういう話は県警の幹部の方々とやっていただいたほうがよいかと思います」

次に片野坂を振り返った。「ご主人には一時間、時間をとってもらった。思う存分やってくれ」

こういう時に頼りになるのが、曽根のようなベテランの部屋長である。日焼けした工事現場の親方という印象。家庭では五人の子供の父親で、その太い猪首《いくび》に子供たちがぶら下がっている図を公子はよく想像する。「ホシは夜露が地面にしみこむように落とせ」というのが曽根の口癖で、今のところ公子の教育係でもある。捜査一課に転属になった時、曽根にまず言われた。「科学捜査、組織捜査だといっても、最後にモノを言うのは人間の心と心だ。ホシのために汗と涙を流せ。心で接して心で話せ」

階級は巡査部長だが、階級が上の人間に対しても遠慮なく意見できるというのが部屋長の特権になっている。鬼軍曹のような存在で、出世に興味のない実務派の刑事が務めることが多い。警察組織における徹底した上下関係の中で、部屋長という立場は唯一の例外として、人間関係の風通しをよくする役目を担う。

片野坂は曽根に促されると、もう益岡に見向きもせず、応接セットで楢崎彰一と向かいあった。楢崎香澄は益岡たち幹部に薄く会釈をすると、隣室に消えた。

あゆみの部屋に閉じこもり、あゆみの持ち物に触れ、あゆみのぬくもりを思いだしているかのようだ。そして涙に暮れる。この一週間繰り返されてきた香澄の行動だ。

公子は男たちの間をすり抜けるようにして、香澄のあとを追って隣室に入る。

「軽い食事でも作りましょうか」

あゆみのベッドに腰かけて崩れ落ちそうな前傾姿勢でいる香澄に声をかけた。

「食べられそうにないですから……」薄い笑みで応えてくれた。今日はまだ余力がある。公子は最近、香澄の笑顔の濃淡でその日の体調を判断できる。

　エリート商社マンの妻としては、釣りあった学歴を持っている女性ではない。短大を卒業後、都内の経理事務所で働いていたが、学生時代の友人の結婚式で楢崎彰一と出逢い、見染められたという。二十二で結婚、二十三であゆみを産み、女性が家庭の幸福に至るコースとしては最短距離を歩いてきた。

　骨張った顔立ちは、この事件の心労以前からだろう。うしろで束ねた髪に白髪が目立つようになった。線の細い目鼻立ちだが、神経質というより、警戒心の強い小動物を思わせる。

「こんなに仕事が続いたら、有働さんのお子さん、きっと寂しがっているわね」

　公子のことを気にかけてくれる。被害者と捜査員という垣根を越えて、二人はこの一週間を過ごしてきた。

「子供も慣れてます」公子はカーペットの床に足を崩して座り、ベッドの香澄を見上げて向かいあう。

「息子さん、ごはんとかは?」

「歩いて十五分の所に、大学時代の友人が住んでいるんです。グラフィックのデザイナーをしていて、時間も自由になるので、頼んでおけば息子に夕飯を食べさせてくれます。最初の三日間はうちに泊まってもらいました」

今頃、貴之は学校の一時間目か。朝はちゃんと食べていっただろうかと公子は思う。一昨日から電話する暇もなかった。昼に電話しても、貴之は学校にいってるか、遊びにいってるかで自宅にはいない。昨夜、二度ほど携帯電話で連絡してみたが、自宅は留守番電話だった。友人の相沢知子《あいざわともこ》の家も留守番電話になっていたから、おそらく二人で外食にでかけていたのだろう。必ず毎晩、電話をしてやろうとするのだが、楢崎宅に詰めていると、時間ができるのは決まって夜十一時過ぎだった。眠ってる息子を起こしたくない。

「寂しかったらいつでも携帯にかけなさいって言ってあります。伝言サービスに何も入ってなかったし、元気でやってるんだろうと思います」

「強いのね。お母さん似かしら」

「我が家でただ一人の男って自覚があるみたいです。仕事を引きずって家で辛そうにしてると、しっかりしろってよく言われます。新学期から学級委員に選ばれたみたいで、クラスのまとめ役としてはりきってるみたいです」

香澄に何か訊かれたら、公子は饒舌《じょうぜつ》なくらい言葉を返してやることにしている。空間を言葉で埋めてやれば、とりあえず香澄は落ち着く。だから公子は、息子のこと、死んだ亭主のこと、住んでいる町のこと、いつも買物に行くスーパーのことまで、自分の生活をさらけだして香澄と会話をしてきた。その甲斐あってこの家に詰めかける警察官の中で、香澄は公子のことを最も信用してくれる。

三日前、こんな会話があった。

「……もし、有働さんが私の立場で」

この部屋であゆみのアルバムをめくっていた香澄が、淡く浮かんでいた笑みを消し去り、いきなり公子に質問した。「もし子供が殺されて帰ってきたら、有働さんだったらどうしますか？」

何と答えたらいいのか、公子は口ごもった。

「息もしてなくて、冷たくなっていて、目は二度と開かなくて……。そんな姿で帰ってきたら」

「よしましょう、そんな想像」

「聞きたいの。有働さんだったらどうする？」

にじり寄るように詰め寄ってくる。答えはあったが、口にしていいものかと公子は躊躇《ためら》った。それは掛け値なしの本音だった。下手な慰めを口にするよりはいいかもしれないと思った。

「犯人を見つけだします。見つけだして、この手で殺してやります」

「刑事さんなのに？」

「犯人が逃げていたら、どこまでも追いかけて、子供が味わったと同じ苦しみを与えてやります」

それは嘘ではない。あの子の命が奪われた時に自分の人生も終わる。

「私も、そうすると思う」安堵に似た表情で香澄が言った。

この会話内容については公子は報告書に記載しなかった。

あれから三日たって、香澄はそろそろ最悪の事態を覚悟しなければならない時にきている。もしあゆみが変わり果てた姿で帰ってきて、香澄がやみくもに報復へ走りだしたとしたら、それは自分のせいかもしれないと公子は思う。

「きっと逞《たくま》しい男の子なのね」

「逞しいっていっても、まだ七歳ですから」

「今度、うちの娘……有働さんの息子さんと遊んでもらおうかしら」

そうだ。そういう想像でしのげばいいのだ。「多摩川の河原でバーベキューでもしましょう。そろそろいい季節になりますから」と公子も調子を合わせた。

秋晴れの河原でふた家族がバーベキュー・グリルを囲んでいる風景。公子はうまく想像できなかった。

緊張の糸が緩んだのだろうか、不眠で消耗しきっている香澄が「ちょっと眠ってみようかな」と言った。今のうちに休んでおくべきだと公子は思い、あゆみのベッドに横たわる彼女に布団をかけてやった。

子供の話題になったせいか、公子は貴之に今すぐ電話したい衝動に駆られた。学校に電話して呼びだしてもらおうか。いや、楽しく勉強している息子を邪魔してはならないと思い直し、電話するのは今夜まで我慢しろと公子は自分を諌《いさ》めた。

香澄の寝息を聞き届けてからリビングに出てくると、片野坂は楢崎彰一への事情聴取を終えたところだった。メモ用の小型ノートを閉じて、立ち上がっている。益岡たち幹部はとうの昔に帰ったようだ。

「ご面倒かけました。今夜にでも例のビデオを届けます」

関内を移動する楢崎彰一の周辺を撮影したビデオだ。映っている通行人に見覚えのある人物がいないか、彰一本人に見てもらうためだった。犯人が右往左往している彰一と警察を嘲《あざ》笑《わら》っているのだとしたら、現場周辺に出没しているかもしれない。県警はビデオを使ったが、警視庁はこれまでの配備ではスチール・カメラを使っている。

「お気をしっかり持って、頑張ってください」

片野坂がありふれた慰めの言葉を彰一に投げかけ、廊下へ去ろうとした時、あゆみの部屋から出てきた公子と出会い頭で目が合った。この男は自分に何か言いたいに違いないと公子が思った時、言葉が飛んできた。

「なりきってるそうじゃないか、母親に」

見上げると、あばたの残る頬が皮肉っぽく歪《ゆが》んでいる。被害者対策なのだから当たり前だと公子は言い返そうとしたが、曽根の表情が見えた。相手にするな、と目顔で言っている。

　公子は無視してやり過ごした。片野坂はまだ何か言いたげだったが、頭がぶつかりそうな鴨居をくぐり、玄関へと歩いていく。

「片野坂さん」

　曽根が呼び止めた。靴をはいていた片野坂が眠たげな顔で振り返る。曽根は公子に「扉を閉めろ」と言った。リビングと廊下を隔てる扉。奥にいる檜崎彰一に聞かれたくない話のようだ。公子はそっと扉を閉めた。

「何ですか」片野坂はふてぶてしく、近寄ってくる曽根を見下ろした。

「あんた、そんなに自分の手でホシを取りたいか」

　責めるのではなく、諭《さと》す口調だった。捜査本部の問題児と話しあう機会を窺っていたようだ。

「そんな気はさらさらないと言えば、嘘になりますが」

「現場を掻《か》き乱しているのはあんただ。俺たちは県警本部があんたを処分してくれるより、早く子供の顔を拝みたいんだ」

「こっちだって早くヤマを済ませたい。警視庁の尻ぬぐいのようなこんな仕事は早く終えて、家で晩酌《ばんしゃく》にありつきたいですよ」

「尻ぬぐい……？」

「おい、母親」

片野坂は曽根から顔をそらし、公子を狙いすましたように見た。

「何でしょう」

こちらに矛先《ほこさき》が向かっているようだ。公子は身構える。

「なぜ、母親は警察の介入を認めた。警察に通報したかとホシに訊かれて、なぜあっさりと認めた」

九月十日、朝の電話のことを言っている。その数時間前の深夜、捜査本部は駅前に白石に金を持たせて待機させ、犯人が現われるのを待った。肩透かしを食らわされた夜があけ、かかってきた電話である。犯人は現場付近で警官らしき姿を見たと言い、母親役の公子にそのことで問い詰めたのだった。

「ホシは九条物産の内情に詳しい人間です。会社が警察に誘拐事件として通報しなければ一億円が出ないことを知っている。隠しだてをしても仕方がないと思いました」

しかも日本における誘拐事件では、ほぼ百パーセント、被害者は警察に通報するという現実がある。シラを切り、警察には知らせていませんと嘘をつき続けることは、犯人を余計に苛立たせて事態の悪化を招くというデータもある。

「腹芸で切り抜けろとは教えてもらわなかったのか」

公子を見る片野坂の目に、くっきりと敵意が浮かんでいる。

「いいか母親、よく聞け。ホシには一縷《いちる》の望みというものがあるんだ。ひょっとしたら相手は警察に知らせていないかもしれない。金をぶんどれるかもしれない。一世一代のヤマを踏もうとしている人間は、裏腹で恐れおののいてる。そんな人間から希望の芽を摘んじまったんだ。警察には通報していないとなぜ言い通さなかった」

「見えすいています」

「だから腹芸をしろと言ってるんだ」

「片野坂さん……」曽根が公子の楯《たて》になろうと口を挟もうとしたが、「お宅は黙っててくれ」と片野坂が遮った。

「いいか母親、その結果がこれなんだ。ホシは親と警察を電話一本で動かして、そのバタバタぶりをどこかで見物して嘲笑うしかない。最初は愉快だろう。自分のひと言で何百人がマラソンで汗をかく。だがそのうち、どうあがいたってこの包囲網から金はとれないと絶望する。で、最後はどうなる。子供が死体で見つかるんだ」

一理あるような気がしてくる。警察に知らせたと認めたあの時が、この事件の分岐点になるのかもしれない。楢崎あゆみは死体で見つかるのか。どう責任を取ればいいのか。じめついた悪寒が公子の背中を這い回る。

「片野坂さん、あんたの言うことはもっともらしく聞こえるが、読みをひとつ間違えてる」曽根が噛んでふくむように言い返す。「ホシは金の運び役に親ではなく、部下の白石を指名してるんだ。親との直接交渉で金をとろうと本気で考えているホシが、親以外の人間まで巻きこむか？」

　そうだ、それが正しいんだ、と公子は自分を納得させようとする。楢崎夫婦に「君に協力してほしい」と頼みこまれた白石が、「僕には無理です。警察に通報しましょう」と言いだす可能性だってある。親との直接交渉で身代金を奪取しようとするならば、極力、第三者は介入させないはずだ。

「ホシは最初から警察が動くことを見越している。直接出向いて金を受け取れるあまい期待など抱いてはいない。有働の対応は間違っちゃいなかったんだ」

「なら、ホシはどうやって金を掴むつもりだ。びっしり捜査員に固められて蟻《あり》の這いでる隙間もないところで、どう勝負をかけようってんだ」

　片野坂はその上背で威圧する。

「……分からん」曽根は正直に首を振った。

　身代金目的ではなく、楢崎彰一への怨恨。その説にすがれたらどんなに楽かと公子も思う。もう気が済んだろう、子供を返してくれ、と泣いて願いが叶うのであれば……。

「ホシがこちらの庭場で遊ぶなら、こちらでその首をとるだけだ」

　片野坂は捨て台詞を残し、騒々しく玄関を出ていった。巨体の存在感が消えてくれたおかげで、廊下から息苦しさが消えた。

「気にするな。あれでよかったんだ」

曽根がくしゃっと顔を崩し、こともなげに言う。公子は薄く苦笑を洩らして、曽根とともにリビングに戻った。

楢崎彰一は置物のように座っていた。向かいあっている持田は、心を開いてくれない相手を前にしてほとほと困りはてて、特殊班一の聞き上手、という得意技を発揮できないでいた。犯人への取調べでは曽根が「鞭《むち》」となり、持田が「飴《あめ》」を演ずるという役回りになっている。度の厚い眼鏡をかけた区役所の出納係《すいとうがかり》のような風貌の刑事だが、彰一と同様にソファに尻を貼りつかせていた。

この静寂が心地好いのなら彰一をそっとしておいてやろう、と公子は思う。感情の起伏をあらわにする香澄とは対照的に、楢崎彰一はどんな状況でも声を荒らげたり、涙を見せたりはしない。苦しみや悲しみはひたすら内向する。そうやって問題を一人で抱えこむことで、このエリート商社マンは海外駐在の激務もこなしてきたのだろうと思わせるものがあった。

香澄が公子と二人きりの時、「あの人は取り乱した姿を人に見せたことがありません」と語った。自分の夫を皮肉ったのではない。そういう人間と理解して接してやってください、と公子に頼んだのだ。優しい言葉をかけあうわけでもなく、抱きあって辛苦《しんく》をともにするわけでもないが、沈黙の中で気持ちの繋がっている夫婦だった。こういう夫婦関係も世の中にあるのだな、と公子は感心した。

が、感情の回路が断たれたような彰一の姿を見るにつけ、むしろ精神的に危ないのは、精神安定剤を常用している香澄より、一見冷静沈着に見えるこの亭主のほうではないか、と公子は思えてならない。この男が負荷に耐えられなくなって破裂する時が、すなわち楢崎家の終末のような気がする。

その夜、県警捜査員からビデオが届き、公子たちも外野としてテレビを遠巻きにした。関内一帯を奔走させられる彰一の姿。カメラはしきりに周りの風景へパンする。目が疲れる映像だった。

並んで画面に目を凝らしていた彰一と香澄は、見終わって首を振る。見覚えのある人物はどこにも映っていないと答えた。

県警の捜査員と入れ違いに、特殊班の人間が膨大な写真の束を持ってやってきた。九月十日、読売ランド前駅に始まって、町田市つくし野までを白石が移動させられた一日、現場の周囲を撮影したスチール写真だ。深夜に帰宅するサラリーマンがタクシー乗り場に列を作っている写真。たまプラーザのショッピング・センターに買物にやってくる中年女性の写真。二子玉川の銀行に現金の引出しにやってきたらしい大学生の写真。カントリークラブから出てくる素人ゴルファーの写真。ファーストフード店の前でだらんと座りこんでいる高校生の写真。

彰一と香澄は見せられる写真に首を振るばかりだった。

ビデオと写真の確認でその夜は過ぎていった。ひと段落ついたところで自宅の息子に電話するはずだったが、もう深夜だ。壁の時計を見上げて公子は溜め息がでる。明日の朝こそは電話しなければ。

犯人からの連絡は今日もなかった。こんな状態が二日続いている。

誘拐事件では、犯人から連絡があるうちはまだ脈があるといわれる。どうしても身代金が欲しいからこそ電話をしてくる。人質を殺してしまえばあとは逃げるだけだ。だから長時間電話がないと捜査陣にも不安が走る。

鳴らない電話に見切りをつけて、曽根が「今夜は休みましょう」と楢崎夫婦に告げた。

彰一と香澄はこっくりと首を動かしただけで、それぞれの寝室に消えていく。彰一は夫婦の部屋。香澄は相変わらずあゆみのベッドで寝る。

翌朝七時まで、公子たちも交代で仮眠をとることにした。まず公子が電話番。残りの二人はマンションを出て、駒沢通りに路上駐車してある二台のワゴン車に入る。うしろの座席を倒すと横になるスペースができる。そこがこの一週間の、特殊班三名の仮眠場所である。

深夜三時、鳴らない電話から壁時計を見上げて、公子は立ち上がる。車で寝ている持田に無線で「交代です」と告げて、彼が目をこすりながら部屋にやってくると持ち場を交代した。

エレベーターを下り、エントランスから通りに出て、二台並んでいるうしろの車両に向かう。前に止めてある車両を覗くと、曽根がワイシャツの胸をはだけ、高いびきをかいている。吠える庭石、と仇名をつけてやろうかと公子は笑った。

仮眠場所に入り、毛布をかぶり、シャツの胸ポケットにあった携帯電話を枕元に置き、体の緊張を解いて眠る体勢になった。駒沢通りを行き交う車の音も次第に気にならなくなる。四時間は眠れるという安心感が、疲れの溜まった公子の体を隅々までほぐしてくれる。

公子は何かの夢を見ようとしていた。その曖昧《あいまい》な睡眠空間に心と体を許し、浮遊しようとした時だった。

枕元の携帯電話が鳴った。

7

公子の世界に亀裂が走った。

都市の闇を切り裂く雷鳴。稲妻さえも見えた気がする。携帯電話が鳴っているのだ。慌てて起き上がったらワゴンの屋根に頭をぶつけた。何時だろうと見回す。外はまだ暗い。

貴之からだ。夜中にトイレに起きた時、寂しくなって電話をかけたのだろうか。あるいは相沢知子か。彼女からだとしたら、貴之に何かあったということか。この番号を教えているのは二人しかいないと思い、公子は携帯電話の通話ボタンを押し、アンテナを立てた。

「はい、もしもし」

網膜に稲妻の残像がある。電話のコール音が引き起こした幻なのだと言い聞かせ、公子は目をしばたたく。

「もしもし……?」

相手は無言。電波がうまくつながっていないのだろうか。

「貴之……?」

いや、つながっていた。クリアな沈黙。相手が公子を品定めしているような沈黙だった。

「知子? 誰なの」

「息子さんを預ってます」

言葉の意味より、聞き慣れたボイス・チェンジャーの声だったことが公子に衝撃をもたらした。

「誰なの……誰」

相手は誘拐犯だ。何度も聞いた声ではないか。相手を確かめるより、今言われたことを吟味しろ。相手は何と言った。息子を預っている? 娘の間違いだろう。お前がさらったのは楢崎あゆみのはずだろう。

「有働公子さんですね」

「ええ」

「お宅の息子さんを預っています。分かりますか。有働貴之君です」

息子のフルネームが鋭い爪となって食いこんでくる。鳥肌が全身を駆けめぐる恐慌状態の中で、こういうことだ有働公子、と自分の中の誰かが懇切丁寧に説明しようとしていた。楢崎あゆみの誘拐犯が、お前の息子までさらったということだ。

何のために、と公子は叫びたかった。

「あなたの携帯電話の番号はあなたの息子さんしか知らないはずです。私が息子さんから聞きだしたのです。貴之君は私が預っているということを信じてもらえますね」

「どうして、そんなことを……」

どうして他でもない貴之を、と言葉を続けようとした時、

「お金がいただきたいのです」

電話の相手は冷徹に言い放った。

「あゆみちゃんの他に、私の息子も誘拐したという意味ですか」

「そうです、お金を手に入れたいんです」

公子の体は血流に耐えきれずふらついていた。貴之をこの手に抱きしめるためならいくらでも惜しくない。

「いくら……いくらで貴之を」

「そうではありません」

電気音の声が公子の誤解を嘲笑っていた。「あなたからいただこうとは思っていません。九条物産と保険会社が楢崎あゆみのために用立てた一億円を、あなたの手で、こちらに届けていただければ結構です」

噛みあわせの悪かった頭の歯車が、今や大車輪のように回転している。公子は犯人の狙いが読めてきた。

「そこに他の警官はいますか?」

「いない……私一人」

「上司にこのことを報告したいでしょうが、それだけはやめたほうがいい。あなたが他言すればすぐ私に伝わるようになっている。あなたの身近な人間があなたを見張っています」

身近な人間? 捜査本部の人間か。犯人と通じている警官がいるのかと公子は咄嗟に考える。

「リビングのテーブルに電話機が三台。それを取り囲むようにして娘の両親が座り、警視庁の特殊犯捜査係の人間が三名いる。父親と母親は別々の部屋で睡眠をとる。母親は娘の部屋に入り浸って、あなたはつきっきりで慰めている。昨日の午後、捜査本部長が取り巻きを連れて慰問に訪れた。神奈川県警は身代金受け渡し現場をビデオ撮影し、警視庁は周辺の様子を写真におさめたが、楢崎彰一に見覚えのある人物は写っていなかった。どうですか、間違いないでしょう？」

　間違いない。内部の人間でしか知ることのできないことばかりだ。すぐ身近に犯人の一味がいるのだという事実が公子を激しく揺さぶる。

「慎重に事を運ばないと、貴之君の命はありませんよ。私たちが大切にしなければならないのは楢崎あゆみの命であって、貴之君のではない。あなたが裏切れば、他にお金を届けてくれる人を探すだけです。分かりますね、私の言っていることが。あなたのお子さんは単なる消耗品になるのです」

「信じられない」

　公子は猛烈な勢いで被害者対策マニュアルのページを頭の中でめくる。「貴之の声を聞かせてくれなければ信じられない。貴之を電話にだして」

「ここにはいません」

「どこでこの電話番号を聞きだしたの。貴之の声を聞かせなければ、交渉には応じられない」

「どうしても信じられませんか」

　落胆めいた溜め息。公子の反応を予想していたような狡猾《こうかつ》な響きがある。

「なら信じさせてあげます」

　何をするのか。公子は口から悲鳴が飛びだしそうになった。

「繰り返しますが、周りの人間に打ち明けたりはしないように。貴之君は少なくとも半年は見つからないでしょう。土の中に半年埋もれた人間の体がどうなるか、警察官ならよくご存じでしょう?」

知っている。死後一ヵ月の腐乱死体を一度見ただけだが、公子は想像できる。あの酸鼻《さんび》。あの匂い。所轄時代、行方不明の女子高生の死体を団地内の雑木林から発見した。その時の光景に貴之の笑顔がダブり、公子は嘔吐感に襲われた。

「また電話します」

待って、と絶叫しそうになった時、通話は切れた。あとはおろおろと携帯電話を見つめるだけだった。ワゴン車の仮眠スペースで公子は膝を抱える。次に取るべき行動が箇条書きになる。公子はふたたび携帯電話のアンテナを伸ばし、登録番号を液晶画面に送りだしてプッシュする。

つながったが、二回目のコールで留守番電話の応答メッセージになった。自宅に貴之はいない。

別の電話番号をプッシュする。それも登録番号のひとつだった。三回、四回、五回目のコールで相手が取った。

「もしもし……」

相沢知子は寝ているところを起こされたのか不機嫌な声だった。午前三時二十分。夜型生活の友人もさすがに寝入る時間だ。

「私。公子。ごめん起こして」

「どうしたの?」

「貴之と今日会った?」

「え?」

「貴之、今日はどうしてた?」

「だって公子、家にいるんでしょ、仕事がやっと終わったんでしょう?」

「誰がそう言ったの」

「タカちゃんからファクスが届いた。いつだっけ。あっそうそう、月曜日よ。お母さんは仕事が終わって帰ってくるからって。カレー作ってあげようかと思って、肉と野菜、買っておいたのに」

十四日の月曜日。三日前だ。犯人が貴之にそういうファクスを書かせたのだろうか。

「今どこよ公子。タカちゃん、アパートにいないの?」知子は異変の芽を嗅ぎ取ったようだ。

「ううん、目の前で寝てる」

公子は慌てて取り繕う。「今日も一日、留守にしてたから、貴之は何してたんだろうって思って……ごめんね、起こしちゃって。まだ仕事してるんじゃないかと思って」

「本当に大丈夫なのね」

「うん」

「ならいいけど」

「おやすみ。ごめんね」

「今度飲もうよ」

「うん。じゃあ……」

　電話を切り、シャツのポケットに放りこむ。最初の確認事項に×印をつける。次にすべき事に体がすでに動いていた。公子はワゴン車の中のカーテンをしっかりと閉め、着替えのバッグを毛布の中に入れて寝床を膨らます。毛布にくるまっているように見せるカモフラージュだった。

　靴をはく。交代時間は五時だが、次に起こされるのは公子ではない。持田は前のワゴン車で眠っている曽根と交代することになる。公子は静かにドアを開け、路上に出た。もう熱帯夜ではない。深夜の風に秋の気配がする。マンションが闇の中にそそり立っていた。檜崎香澄は今夜も娘のベッドで、夢うつつを繰り返しているのだろうかという思いが、混乱した公子の頭によぎる。

　足音に注意してワゴン車の列から離れ、公子は駒沢通りを二子玉川方面へと足早に歩いた。

百メートルも行かないうちに、運よく空車のタクシーがやってきた。乗車拒否は許さず、公子は大手を振って止めた。

「練馬《ねりま》の氷川台まで」

環八《かんぱち》を北上し、千川通《せんかわどお》りに入って東へ進み、桜台駅前から踏切を渡って氷川台へ入る。深夜ならば一時間もかからない。行き交う車のライトと信号の光が公子の顔をあぶっていた。今の公子には闇から次の闇へと滑り落ちていく感覚しかなかった。

どうしても思考がさだまらない。公子は惚《ほう》けたように車窓の風景に目を走らせるだけだった。最後の確認が済むまでは白紙にしておきたい。そんな馬鹿なことが、という思いがまだ勝っていた。貴之は留守番電話にしたまま眠っていると公子は思いたかった。

タクシーは氷川台駅の前を通り過ぎ、城北公園通りから氷川神社に通じる路地に入った。

「ここでいいです」

公子は釣り銭ももらわず、タクシーの外に飛びだした。ゆるい坂道の向こうに官舎のアパートが見えてくる。膝の蝶《ちょう》番《つがい》が外れるほどの全力疾走で坂道をのぼりきり、官舎の敷地内から外階段を駆け上がった。

鍵をねじこみ、扉を開けた。

闇だった。すえた匂いのする闇。一瞬、貴之の死臭ではないかというおぞましい思いがよぎった。台所で何かが腐っているだけだ。電灯のスイッチをひねる。蛍光灯に照らされたのは白々とした無人の部屋。靴を脱いで上がった時、板の間に転がっていた紙袋に気づいた。ハンドバッグほどの大きさの袋には、英字新聞からの切り抜きでアルファベットが並んでいる。ひと目見ただけで誘拐犯からのメッセージと分かる文字の羅列だ。

『PRESENT　FROM　YOUR　SON』

お前の息子からのプレゼント。

中身をとりだす。ドコモの携帯電話だった。傷や剝げた塗装もめだつ中古品。犯人は公子が息子の不在を確かめにアパートに戻ることを予想してここに置いた。公子の行動は読まれている。

プレゼントの意味を考えるのはあと回しにして、公子はダイニングから二段ベッドのある部屋へと突っ切った。

もぬけの殻だった。

上のベッドは布団がはね上がり、遅刻しそうで慌てて起きだしたという有り様だった。脱ぎ捨てたパジャマがベッドの柵にひっかかっている。落ち着け。落ち着け。悲嘆《ひたん》に暮れるのはまだ早いと、公子は注意力を総動員して部屋の隅々にまで目を走らせる。ここで貴之は拉致されたのか。犯人はこの部屋を襲撃したのか。ならば手がかりが残っているはずだと見回す。

ない。ランドセルがなかった。公子はダイニングに戻る。腐った匂いの元は流しの三角ポケットに捨てられているコンビニのおにぎりだった。ラベルを見る。製造が十三日の午後。賞味期限は十四日の深夜。十三日のうちに齧《かじ》って捨てたおにぎりだ。つまり十三日は貴之はここで生活をしていた。公子は想像する。十四日の月曜日、ランドセルを背負って学校に行った。そしてこの部屋には帰ってこれなかった。登校途中で拉致されたのか。いや、それは考えにくい。息子の学校は集団登校ではないが、官舎の住人で同じ学校に通う上級生と、自然と道で会い、一緒に登校することが多いからだ。

学校の門をくぐれば、貴之は同級生と先生によって守られる。「お母さんが怪我したのですぐに病院に」と呼びだされて子供が誘拐されてしまうケースが過去にあったが、呼びだす者がいたら自宅の電話に確認の連絡を入れてくれるはずだ。留守番電話には何も入っていない。

残るは下校途中か。一人きりになる可能性は高い。徒歩十分の道のりのどこかで、魔の手が貴之を襲ったのか。

壁に貼った学校の時間表。月曜日は五時間まで授業がある。拉致されたのは十四日の午後二時半以降とみた。

なぜ、自分と貴之に白羽の矢が立ったのだろうかと公子は思わずにはいられない。警察に包囲され、行き詰まった末、特殊班の刑事に金の運び役をやらせようと犯人は考えた。被害者に最も近い場所に一人、婦人警官がいた。有働公子という刑事には七歳の息子がいる。男性刑事の子供を——たとえば、曽根の子供をさらって脅迫するより、母一人子一人の生活で、息子の存在だけが命と考えている婦人警官を脅すほうが効果的と犯人は考えたに違いない。

警察関係者に内通している者がいる、と犯人は匂わせた。特殊班の有働公子は小学生の息子と二人暮らし、その程度の個人情報なら、特に公子に近い警官でなくても知っている。「なら信じさせてあげます」犯人はそう言って電話を切った。楢崎あゆみのように、貴之の声をテープに録音し、電話で聞かせるのだろうか。

ふたたび手元の中古ドコモを見やる。これからこの携帯電話で連絡する、という意味か。犯人は公子が携帯電話を持っていることを知っていて、電話をかけてきた。すでにホットラインは通じているのに、なぜご丁寧にも携帯電話を用意したのか。

中古ドコモを袋に入れて、電灯を消し、靴をはき、公子は外廊下に出て扉に鍵をかけた。階段を下り、路地を抜けて城北公園通りに出る。靴底の感覚が失われ、浮遊している足どりだった。

通りの彼方、東の空がうっすら光を帯びている。あと三十分もすれば、持田が曽根を無線で起こし、場所を交代する。マンションから離れた場所でタクシーを下りて、現場まで歩いて帰れば、いくらでも外出の言い訳はできる。

あの稲妻の幻がまた甦った。目蓋の裏で同時に点滅する貴之の笑顔。不意に涙腺がちりちりと痛んだ。この涙は何だ、と公子は自分に問う。これまで楢崎香澄が幾度となく流した涙と同じだ。魂が暗礁にのりあげ、絶望が肉体を挫きにかかっていた。

空車のランプが板橋方面から接近してきた。公子の潤んだ瞳に光が滲む。手を上げて止めた。

「二子玉川へ」

公子は職場へ戻るしかなかった。

8

午前七時過ぎ、公子が四〇一号室に入る頃、捜査本部の人間が食事を届けにやってきた。サンドイッチとミルク。その半分以上が、これまでと同様、生ごみになる。楢崎夫婦にとっては物が喉を通らない拷問《ごうもん》の一日が、また始まる。

一時的にリビングが捜査員たちで埋まる。昨夜見た写真の束を受け取りにやってくる捜一課員。捜査本部の昨夜一日の動きを曽根に報告する特殊班の同僚。曽根と持田を含めた捜査員七人の姿を、公子は順ぐりに見つめた。

この中に内通者がいるのかと目を凝らす。楢崎夫妻の消耗ぶりと警察の手の内を犯人側に伝え、公子を身代金の届け役として「推薦」した人間が……。

曽根が声をかけてきた。皆には聞こえないように公子の様子を心配する。

「今お前に倒れられたら、奥さんの世話はお手上げだ。眠れる時にちゃんと眠るんだぞ」

「はい……」

この部屋長が犯行に関与しているという可能性はあるだろうかと公子は考える。五人の子供の教育費か。競馬の借金の穴埋めか。

「みんなに一杯ずつ、出してやってくれ」

持田が新しいコーヒー豆の袋を公子に差しだした。公子は台所で人数分のカップを出す。持田がフィルターを湿《しめ》らせ、コーヒーメーカーに装着する。

コーヒーの淹《い》れ方にはやたらとうるさいこの警部補が、犯人と通じているとは考えられるか。何が原因だ、長年連れ添った奥さんとの離婚は時間の問題だという噂が流れている。慰謝料か。女にみつぐ金欲しさか。

所轄にも捜一にも、叩けば埃《ほこり》のたつ警察官は多い。拝命をして十年もたてば、金をたかる場所は事欠かないと言われるのが警察社会だ。犯罪者にとってもつけ入る隙には事欠かない。

午前八時半、公子はトイレにいくふりをして、携帯電話のアンテナを伸ばした。登録してある番号。貴之が通う小学校の番号だった。朝のホームルームが終わった時間を見計らい、担任教師を呼びだしてもらった。

「貴之は風邪気味なので、休ませます」

「そうでしたか。今日も連絡がなかったので、さきほどお電話したところなんです」

今日も、ということは、やはり祝日のあとの十六日と今日、貴之は登校していないということが分かった。

「昨日は高熱で慌ててしまい、連絡するのを忘れていました。今日は朝から病院に行っていたので遅れました。ご心配かけて申し訳ありません」

「ではお大事に」

貴之は学校の友達のところに泊まっているのではないかという、最後の希望の糸も断たれた。

公子はトイレの扉にもたれ、暗い水に引きずりこまれるような脱力感を覚えた。そのままずるずるとトイレの床にしゃがみこもうとした時だった。

ドアチャイムが鳴り、壁が震えた。

速達郵便の配達だった。曽根や持田たちが見守る中、楢崎彰一が玄関で受けとった。

保護素材の入った茶色の封筒。大きさは小型の辞書程度。定規で線を引いたような文字で宛て先が書かれている。筆跡を特定されない書体だ。裏を見ても差出人の住所氏名はない。

曽根が手袋をはめて彰一から譲り受ける。

「開けます」

カッターを使い、封をしてあるガムテープを丁寧に切り裂く。香澄が夫のうしろにやってきた。飲みかけのコーヒーを置いた捜一と所轄の刑事たちが輪になる。持田がすでに直通電話で捜査本部と連絡をとっていた。

「速達で小包が届きました。おそらく犯人です。部屋長が今開けています」

電話の向こうで、捜査本部は中身の報告を待っている。

公子も曽根の手元を見守った。「信じさせてあげます」という犯人の声がこめかみで渦を巻いていた。これは楢崎彰一宛の物ではない、と確信めいた思いが吹き荒れていた。

曽根が封筒の中から取りだしたのは洋菓子の箱だった。さほど重そうではない。箱は上に開けるようになっている。蓋を取ると、ティッシュが敷きつめられて、真ん中に赤いハンカチでくるまれた物が納まっている。曽根は目に近づけて子細《しさい》に見る。赤いハンカチの隅に同系色の汚れがこびりついている。血だ。

小指大の大きさだった。曽根は摘《つま》み上げて自分のてのひらに載せ、ハンカチの包みをほどいた。

すでに予感をしていたのだろうか、香澄の反応が最も早かった。中身があらわになった瞬間に、香澄の嗄《しゃが》れた悲鳴が部屋を席捲《せっけん》した。小指ほどの大きさの正体は、小指そのものだった。

第一関節から切断された子供の小指。切断面から変色が始まっていた。公子のうしろで、持田が「子供の指です。鑑識を至急お願いします」とうわずった声で報告をする。

楢崎彰一は妻の悲鳴を背にして、蒼白《そうはく》の面持ちと血を吹きそうな充血の眼差しでそれを見下ろしている。がたんと音がした。香澄が椅子にぶつかって倒れた。卒倒した妻を助けあげようとする彰一の動きは、壊れたブリキの人形を思わせた。公子が駆け寄って香澄を抱き起こす。香澄は白目を見せて反り返り、わななく声を断続的に洩らしている。

「医者もお願いします」と持田が電話に言っている。所轄の刑事と二人がかりで、香澄をあゆみの部屋に運んだ。

香澄の介抱もそこそこに公子はリビングにとって返し、曽根が箱に戻した小指を改めて見下ろす。

小指の爪。五ミリほど白く伸び、微かに黒い土が詰まっているのが見える。「何この汚い爪は、切らなきゃ駄目じゃない」と注意をしなければ貴之は切ろうとしなかった。その小指を公子は思いだしていた。

「なら信じさせてあげます」

犯人の声が耳元にまた甦る。ぴりぴりと張りつめる現場の中で、公子は自分の音を聞いていた。体内の大通りを轟々《ごうごう》と流れていく血の音。恐怖の音だった。

十五分もしないうちに、二名の鑑識が小指を受けとりにやってきた。子供部屋で指紋の採取が始まる。送られてきた小指が本当にあゆみの小指なのか確認するためだ。仕事の邪魔になるので、あゆみのベッドで寝ていた香澄は夫婦の寝室に移動した。

「妻が、私と二人きりになりたいと言っています。お願いします」と彰一が扉を閉めて、公子たちとの間を遮断した。子供が傷つけられたという事実を突きつけられ、この夫婦にもやっと寄り添う時が訪れたのか。ならば、自分は誰に寄り添えばいいのか。公子は強烈な孤独感に押し潰されようとしていた。

鑑識班は勉強机の色鉛筆の箱、ＣＤのケース、子供が日常的に触れそうなものにアルミニウムの黒い粉末を刷毛でふりかける。浮きでた指紋は写真に撮り、ゼラチンの紙に転写してラベルをつけ、保管をする。

その作業をうしろで見守っていた公子は、皆の死角に立ち、自分の財布をそっと取りだした。ポケット・モンスターの絵柄の入ったテレホン・カードを抜きだし、アニメ本が整然と並べられている本棚に置いた。貴之がテレビ番組のプレゼントで当てて、「僕、テレカなんて使わないし、お母さんにやるよ」とくれたものだった。

「これも調べてもらえますか」

公子は本棚のテレカを指差す。若い鑑識員は「分かりました」と素直に答え、テレカの表面に黒い粉末をかけ始めた。

「ごめんなさい、今うっかり触ってしまって。私の指紋も転写しておきます」

若い鑑識員は嫌な顔ひとつせず、「じゃお願いします」とゼラチン紙を差しだした。

結果は一時間もしないうちに判明するという。絶望するのは香澄か自分か。公子はこんな苦しみに駆り立てる犯人に激烈な憎しみを覚えた。


爪を噛み、公子は待った。

深爪から血が滲んでいるのにようやく気づいた。公子は風呂場の脱衣所に棒立ちでいる。四〇一号室で一人になれるスペースはここしかない。

彰一は依然として香澄と二人きりで寝室にいる。曽根が心配になって「大丈夫ですか?」と声をかけると、

「大丈夫です。もうしばらく、ここにいます」懸命に平静を装った彰一の声が返ってきた。

玄関ドアの開く音がした。マンションのエントランス前には歩哨《ほしょう》のように所轄の刑事が立って来訪者を厳しくチェックをするから、捜査本部の誰かだ。

片野坂だった。ビデオの回収にやってきたようだ。昨夜、県警の捜査員を通じて、見覚えのある人物は映っていないという楢崎夫妻の返答は伝わっているはずである。

「旦那は?」と曽根に尋ねる。

「奥さんと部屋にいる。ビデオの件なら聞いている。思いだしたことはやっぱりないそうだ」

片野坂は「そうですか」とあっさり引き下がったが、テープを受け取ったものの立ち去り難い様子だった。

「他に用事か?」と曽根。

「速達の消印は横浜西局でしたよ」

「だから何だ」

曽根の目にも、片野坂は獲物が自分の縄張りにいて満足そうに映った。

「横浜在住の人に知りあいはいないか、旦那さんに訊きたいんですが」

「こっちで訊いておくよ」

「横浜に住んでいる九条物産社員の中で、アリバイのはっきりしない人間をリストアップしています。今夜にでもリストを見ていただきますのでよろしく、と伝えてもらえますか」

「分かった」

脱衣所のドアの陰で会話を聞いていた公子は、玄関を出ていこうとする片野坂に見つかった。

何か言いたげな片野坂の目にぶつかり、胸がむかついた。この男の皮肉はもうたくさんだった。

「報復だ」

言われた意味が咄嗟に分からない。

「どういう意味ですか」

「警察が介入していたことへの、犯人の報復処置だ」

片野坂はまだこだわっている。子供の指が送られてきたことも、公子の失点に結びつけたいらしい。「夫婦をよく見張ってろよ。次にくるのが裏取引だ。あの旦那は携帯電話を持っているのか」

「持っています。でも使った様子はありません」

トイレや自室に閉じこもっている時に、公子たちに聞かれず電話をすることはできるかもしれない。しかしこれまで、個室から出てきた彰一には表情の変化はなかった。公子たちの注意を他にそらして、おかしな素振りを見せることもなかった。

が、片野坂の言うように、これからは分からない。夫婦はどんな要求にも応えるだろう。もう一本指を送ってやろうかと言われたら、どんな犠牲を払ってでも犯人側の指示に従うだろう。送られてきた小指があゆみのものであればの話だが。

「あの母親の気持ちがよく分かるだろう」

片野坂が投げつけたその言葉が、公子の心臓に矢を突き立てる。見開いた目で片野坂を見返す。

「……何が言いたいの」

公子の過剰な反応に片野坂は少々ひるんだ。

「同じ年頃の子供を持つ母親なんだろ、あんた」

公子は見つめる。本当にただそれだけの意味か。我が身に同じことが振りかかって、誘拐された親の気持ちがやっと分かっただろう。そう言いたかったのではないか。

縄張り意識を持ちだして、現場に混乱を招いた男。その気になれば、現場をどこまでも混乱させることができる男。公子の中で疑惑が上げ潮のように高まった。

「何だその顔は」

熱を帯びたままそらさない公子の眼光に、片野坂は息苦しさを感じ始めたようだ。視線を外して玄関に向かい、瞬《また》く間にいなくなった。

誰だ。誰が私を監視している。一人で脱衣所に立っていても、公子の警戒心の糸はちぎれんばかりに張り詰めたままだった。

リビングの電話が鳴った。捜査本部との直通電話だった。コール音の種類で分かるようになっている。

公子は脱衣所を出て、リビングの扉をくぐる。曽根が受話器を取ったのが見えた。小指の指紋の鑑定結果が出たに違いない。奥の部屋から、彰一と香澄が揃って亡霊の如き風貌で現われた。この一時間、部屋に閉じこもってどんな会話をしていたのか、その顔色から想像するのは難しい。

「……え？　もう一度言ってください」

曽根は相手の話を聞き直す。不審な点に眉をひそめる。香澄と彰一は曽根の表情から読み取れるものはないかと目を凝らしている。「はい……はい……は？　何ですか、それは」

曽根は何に驚いているのか。公子だけはおおよそ理解できた。

「はい……なるほど、はい……分かりました。そうお伝えしていいですね。では、すぐにリストを作ってもらいます」

電話を切ると、彰一と香澄に目線を送った。落ち着いて聞いてくださいよ、と念を押すような表情から曽根が告げたのは、公子以外の者にとっては驚くべきことだった。

「鑑識からです。あゆみさんの持ち物のほとんどから、小指と一致する指紋は出てきませんでした」

彰一と香澄はぽかんと口を半開きにしている。うろうろした眼差しで夫婦は顔を見あわせる。

「どういうことですか」と彰一がそろりと訊き返した。

「送られてきたのはあゆみさんの小指ではない、ということです」

彰一と香澄は一瞬、安堵の面持ちになり、笑みさえ浮かんだ。しかしすぐに混乱状態に戻った。

「他の誰かの小指だっていうんですか？　なぜそんなものをうちに……」香澄が素朴な疑問を投げかけた。

一方、公子には衝撃の波が襲いかかっていた。覚悟していたことだったが、公子はその波を受け止め、おたけびをあげた。外に放たれることのない絶叫だった。

貴之の小指だった。貴之は傷つけられたのだ。公子はぎゅっと目を閉じ、眩暈《めまい》が遠ざかるのを待つ。

彰一が理路整然たる返答を求めるように、座り位置を変えて曽根と向かいあった。

「ほとんどの持ち物から指紋は出なかったって言いましたね。ほとんどとはどういう意味ですか。全部ではないんですか」

「あゆみさんの部屋から六ヵ所の指紋を採取しましたが、一ヵ所、小指と該当する指紋が出ています。テレホン・カードだそうです、漫画の絵が入った」

それは貴之が私にくれたテレカだ、と公子は喉の奥で金切り声をあげる。

「あゆみさんの友達が、あゆみさんの部屋に忘れていった物かもしれない。だとすると、その子の小指だと考えられます。学校の同級生であゆみちゃんが親しく遊んでいたのは誰か、名前を挙げていただけますか。その子が同様の事件に遭遇していないか、あるいは、何らかの危害を加えられていないか至急調べます」

「あゆみの小指ではなかったんですね」香澄が曽根にすがり、念を押している。

「違うと鑑識は判断しました」

香澄は腰が砕けたように座りこんだ。彰一の横だった。香澄が夫の手に自分の手を重ねる。彰一がやがて握り返す。胸を撫でおろす夫婦の姿だったが、彰一の表情がぎこちなかった。あまりに様々な出来事に翻弄《ほんろう》されて、感覚がすり減っているような面持ちだった。

公子以外の全員は、この出来事がどうしても論理立った思考につながらない。持田が大学ノートに要点を書きながらも、「どうして他人の小指を……」と呟いていた。

曽根も「あゆみちゃんだけでなく、犯人は別の子供も拉致監禁しているということか……」と狐《きつね》につままれた顔だ。「そんな通報は入っていない。今の日本では、子供がいなくなれば、親は百パーセント警察を頼りにする。監察医の話だと、切断されて三日はたっている小指だそうだ。自分の子供がいなくなって三日も気づかない親がいるか……」

ここにいる。他人の子供を見つけるために、自分の子供から目を離した親がここにいる。公子は棒立ちで俯《うつむ》き、唇を噛み、鋭い自虐《じぎゃく》の切っ先で自分を痛めつけた。

香澄は持田に促され、小学校の学級名簿を棚の引出しから取りだした。あゆみが家に呼んだ子供を列挙するためだった。

そんなことをしても無駄だ。あゆみが一度も会ったことのない子供が、あゆみを金に替えるために犠牲となり、血を流したのだから、と公子は言ってやりたかった。

貴之の苦痛のイメージを辿る。傷を抱えてのたうち回る姿が目蓋の裏で点滅し始めた時、公子の心臓が外から打ち鳴らされた。ポロシャツの胸ポケットに入れている携帯電話が、バイブレーション機能でコールを始めたのだ。

犯人からの電話に違いない。

「失礼します……」とトイレに行く素振りで公子はリビングを出る。携帯電話の振動は胸を打ち続けている。犯人がせせら笑いを浮かべながらこの胸を叩いているのだと感じた。

廊下からトイレに入って鍵をかける。携帯電話を取りだし、アンテナを口でくわえて伸ばし、着信状態にした。

「もしもし。有働です」

敢然と挑みかかる声音で、公子は第一声を放つ。

「お前の息子の小指だ」

ボイス・チェンジャーの声が凶悪に響いた。相手は面白がっている。片手に血塗られたナイフを持つピエロの姿を公子は想像した。

「貴之はどうなってるの……」

「麻酔をかけて手術をしてやった。傷跡は私の仲間がケアをしている。今は安静にしている。心配無用だ」

犯人たちに無理やり押さえつけられ、刃物を突き立てられ、激痛にのたうち回ったわけではないと分かり、公子はいくらか安堵した。

「これで信じたな、お前の息子は私たちが預っている」

「で、何をすればいいの」

叫びだしたいほどの憤怒《ふんぬ》を冷静な声に閉じこめる。

「一時間後に楢崎家に電話をする。電話に出るのは母親、つまりお前だ。私はそこで言う。下手な芝居はもうよせ。お前が母親ではないことはもう分かっている。それは母親の声ではないと、あゆみが私たちに教えてくれた、と」

「あゆみちゃんの声はテープでしょ。私と直接会話をしたわけではない」

「お前の声はこちらでも録音しているんだ。聞かせれば、母親の声でないことぐらいあゆみはすぐ分かる」

「……分かった。あんたは警察の人間が母親を演じていたと見破った。それで？」

「警察の責任者に替われ、と言う」

「曽根という特殊班の刑事が出る」

その名前を聞いた時に犯人がどんな反応をするかと公子は期待した。曽根が内通者かどうか確かめようとしたのだが、電話の相手は何の反応も示さず、ただ聞き流した。

「そこで要求をする。今まで電話に出ていた婦人警官を、次の運び役に指名をする。車の運転はできるな？」

「できる」

「これまで白石とやってきた形だ。場所は携帯電話に指示する。ただし、お前の携帯電話では駄目だ」

「あのプレゼントね」

「そうだ。お前が個人的に加入している携帯電話でも、警察は番号を調べあげる。携帯電話は通話していなくても、スイッチを切っていなければ、場所を特定できることを我々は知っている」

確かにあるメーカーのＰＨＳでは、電話機の持ち主の居場所を地図で教えるというファクス・サービスもしている。もともとは幼児や徘徊老人のために開発された機能だが、たとえば帰りの遅い亭主がどこで道草を食っているか女房が知りたい時、このサービスを使えば、電話を持っている亭主の現在位置を知ることができる。亭主は夜遊びができないように監視されているわけだ。

「お前にプレゼントしたのは、番号も加入者も知られることのない携帯電話だ」

闇市場に流れているもの。番号が分からない以上、居場所を突き止めることもできない。

「車で走ってもらうが、これまでのように警察車両がついてきたら取引は中止する」

「そうは言っても、追跡班や捕捉班はついて回る。車には発信器も取りつけられて、移動はすべてマークされるわよ」

「あとはお前の腕次第ってわけだ」

「無理よ」

「いや、できる。自分の子供の命がかかっているんだ。配備の盲点を突いて、あんたは必ずこちらの期待に応えてくれる」

うすら笑いを浮かべている声だった。

「受け渡し場所には、楢崎あゆみとうちの息子、二人ともちゃんと現われるのね？」

「お前が変な気を起こさなければ」

「教えて。どうして私を利用するの。警察内部にあんたの協力者がいるんなら、どうしてその人間を使わないの」

「この役目にはふさわしくない」

「私がどうしてふさわしいの」

「母親だからだ。母親は我が子のためなら何だってするからだ」

真理をついている。ひょっとしたらこの犯人は女かもしれない、という思いが公子によぎった。

「電話は昼ちょうどにかける」

「ちょっと待って。まだ私は引き受けたわけじゃない」

「お前は引き受ける。こちらの言う通りに行動する」

「じっくり考えさせてもらうわ」と返答を保留した。公子は事実、考える時間が欲しかった。

「ご自由に」

公子の胸中を見透かすような声を最後に、電話は切れた。

　トイレを出た公子はリビングの方をうかがう。香澄は持田とリストを作っている。彰一は相変わらずソファで彫像のように固くなっている。曽根は捜査本部と電話をしていた。長く中座していた公子には誰も注意を払っていなかった。

　玄関ドアが開いて、白石が現われた。エントランスでチェックを受けたうえで通された。

「何か進展があったと聞きまして……」

　最初の運び屋役に指名され、都内と神奈川県下を行ったり来たりさせられた白石は、役目が終わっても、楢崎夫婦を気遣って時折現われる。タイの駐在時代に苦楽をともにし、職場の上下関係を超えた絆《きずな》で結ばれているのだろう。

　百七十センチにも満たない背丈、さっぱりしたクルー・カットで猪突猛進のやんちゃ坊主という風貌をしている。感情の裏表がはっきりしない彰一とはいいコンビだった。リビングに白石が入ってくると、香澄も、あの彰一でさえもほっとしたような表情を浮かべる。

　公子の頭の片隅でもう一人の自分が囁《ささや》いた。犯人は警察内部の人間が共犯だと言ったか？言わなかった。公子の周囲にいる人間が監視している、と言っただけだ。警察に内通者がいると考えたのは、公子の思いこみにすぎない。

　白石。見るからに正義漢の白石。あの男は金の運び役をやった。警察の配備状況や、警視庁と県警の縄張り争いも目に焼きつけている。彰一と香澄が日に日に消耗していく姿も知っている。被害者対策として母親役をやっている公子にはあゆみと同じ年頃の子供がいることも、おそらく小耳に挟んでいるだろう。

公子は頭を振って、疑惑だらけの器を攪拌《かくはん》する。誰でも疑えて、誰も信じられない状況では、貴之が犯人の毒牙にかかっていることは到底打ち明けられない。これが犯人の狙いなのだろう。犯人の張りめぐらせた罠《わな》に全身がからめとられていた。

自分の携帯電話はワゴン車のバッグにしまい、紙袋の中古ドコモを胸ポケットに入れた。すると、これが貴之からのプレゼントだという意味が実感できた。ここから発せられる電波が自分と貴之をつなぐ命の綱なのだと公子は思った。


午前十一時。リストアップされたあゆみの友人たちに、三日前から行方が分からない子がいないか、体を傷つけられた者がいないか、確認作業が始まった。

学校の同級生については、リストに挙げる前にすでに確認を済ませた。学校に電話して、あゆみ以外の学友は全員、無事に登校をしていることが分かった。あとは学校は違うが、幼稚園時代の友人だったり、同じ町内で行き来のある子供が残されたが、たった二人だった。楢崎家は日本を長く離れていたから、家族ぐるみで交流のある知人友人は少ない。

連絡の取れない家庭があった。大宮の幼稚園時代の友達が、夏休みに一度、親に連れられてこのマンションにやってきたことがある。父親は赤羽の不動産会社勤務ということしか分からない。捜査本部では埼玉県警の協力も仰いで、連絡の取れないその家庭に異変が起こってないか、確認を急ぐという。

そんな作業は無駄なのだと、声を大にして公子は言いたかった。

曽根を風呂場の脱衣所に呼んだ。そこは捜査員が一人になれる場所であると同時に、楢崎夫婦に聞かれたくない話をする時の密談場所でもあった。

「教えていただきたいことがあって……」

「何だ」

曽根を信じられるのであれば助けを求めたかった。貴之が犯人一味に誘拐されたと打ち明けられたらどんなに楽か。喉元まで出かかっていた。駄目だ。やはり話せないと思い直す。曽根を信じることができても、警察の手が回ったと分かれば必ず貴之は殺される。貴之は単なる消耗品にすぎない。犯人は容赦しないはずだと公子は自分に言い聞かせた。

「あの……過去の営利目的の誘拐事件で、身代金の運搬を命じられた親が自力で子供を連れ戻したという例はあるんでしょうか」

せめて過去の成功例が欲しい。

「本当の親が身代金受け渡し役を務めた例か？」

「はい」

「この三十年では一件もない。なぜか分かるな？」曽根は煙草に火をつけて話し始めた。へビー・スモーカーだが、煙草を嫌う香澄のいるところでは吸えない。風呂場の脱衣所は、曽根にとっては喫煙場所でもある。

「犯人の要求に対して冷静に動けないからです」

「ある事件を教訓としてそうなった。一九六三年の吉展ちゃん事件だ」

犯人が身代金奪取に成功した数少ない例だ。「あの事件まで、警察の誘拐捜査はお粗末極まりなかった。当時はまだ、電信電話公社には通信の守秘義務があって、逆探知も許可されなかった。事件解決のために、少数の捜査員で専従捜査をするという発想が生まれたのも、営利誘拐犯の罰則を強化したのも、吉展ちゃん事件のあとだ」

警察の包囲網の隙をついて小原保は身代金五十万を奪取した。指定した場所に母親が金を置き、あとから現われた小原がそれを奪って逃げた。警察は五分後に到着して現場を遠巻きにしているだけだった。金をとられたと気づいたのは一時間後。今では信じられないような警察の失敗だった。

「お前が言うのは、親と犯人が金を間にして向かいあったという例か？」

「ええ」

曽根は思いだそうとしたが、「ないな」と首を振った。「あったとしても、親の周囲には警察が張りついている」

それは自分には期待できない。

「どうした」

俯き加減の公子を覗きこんで言った。「何か気になることでもあるのか？」

「いえ」

「朝から様子が変だぞ」

「疲れてます。それだけです」

「頑張れ。膠着状態というのが一番辛いが、そろそろ犯人も動きだす」

その通りです。あと一時間もしないうちに電話がきますという言葉を飲みこみ、公子はただ頷く。

「俺たちよりも、追われている犯人のほうが先に焦りだす。一週間以上も取引がままならない状態が続くと、必ず奴らは一か八《ばち》かという考え方をする。それまでの狡猾ぶりが嘘のように、受け取り現場にひょっこり顔を出したりするんだ」

現われます。私と取引をするために。

「今日か明日がヤマだ。もう少しの辛抱だ」

「はい」

「たまには子供と電話で話してやれ。奥さんもようやく落ち着いた。お前が持ち場を離れても、俺たちでいくらでもフォローできる」

「ありがとうございます」

曽根はリビングに戻った。

その時、公子の決心は固まった。親が犯人に対峙《たいじ》するという前人未到の状況に挑む覚悟が腹に据わった。

犯人の指示に従う。仲間の目を欺いて、犯人に一億円を届ける。その段階まで犯人の手先になったとしても、自分にはまだチャンスがある。犯人がたとえ貴之を受け取り現場に連れてこなくても、たとえ味方の援護がなくても、身代金を届けた瞬間に犯人と接触できる。犯人の姿を見ることができ、肉声を聞くことができるという最高の状況が待っている。逮捕のチャンスもあるかもしれない。主犯が現われず、捕まえたのが共犯の雑魚《ざこ》であっても、犯人側の核心に大きく踏みこめるではないか。


十二時ジャスト、楢崎家の電話が鳴った。

持田が電話会社との直通電話をとって逆探知を要請し、公子が受話器を取りあげた。

「もしもし、楢崎です」

視線が公子を取り巻いていた。録音機をスタートさせた持田、ヘッドホンで聞く曽根、凍りついたように電話機を凝視している彰一、口の前に手を組んだ祈りの姿勢で身を乗りだしている香澄。ふと気配に目をやると、リビングのドア口にいつの間にか片野坂もいた。

公子の視線は片野坂の顔に貼りついたまま、受話器を握りしめていた。

電気的な犯人の声が聞こえてきた。「警察の責任者に替わってください。そこにいますね？　もうあなたの下手な芝居は聞きたくない。どうせ警察官が電話に出てくるならば、責任者をだしてください」

公子は曽根に受話器を差しだした。頷いた曽根がヘッドホンを外して、公子の持つ受話器と交換する。

「私が話を聞こう」

「では要求します。これまで電話で母親役を演じて、私たちを欺いてきた婦人警官に金を持たせ、車で運んでもらいます。行く先を指示するための携帯電話を一台用意してください」

表向きはその携帯電話に指示をするが、本当の行く先は例の中古ドコモにかけて知らせるつもりだ。

曽根は、特殊班の携帯電話の番号を告げた。

「午後四時、窓にシールを貼っていない車に婦人警官が乗り、こちらの指示を待ってください。車の後部座席に警官を潜ませたりしないように。また、車の前方や後方に追跡車両を見かけた時は、その時点で取引を中止します。運転するのは自分たちの仲間なんですから、前回や前々回のようにことさら神経質になる必要はないでしょう。その婦人警官は信頼に値する同僚ですか？」

「信頼している」曽根が憮然《ぶぜん》と答える。

「なら、まかせなさい。受け取り現場に現われた犯人の特徴が知りたければ、あとで婦人警官から聞けばいいんです。お互いのため、あゆみちゃんのため、受け渡しを何とか成功させましょう。では後ほど」

電話は切れた。電話局との直通電話を取っていた持田が、探索結果を聞いた。「世田谷局内を移動中。また携帯電話だ」

逆探知には何の期待もしていなかった。今の会話を録音したテープを巻戻して、全員で内容を聞く。

片野坂も輪に加わってくる。犯人の要求を受けて特殊班がどういう動きをするのか、つぶさに確かめるためにやってきたのか。電話が鳴った時に都合よく片野坂がいるという状況が、公子にはうさん臭くてたまらなかった。

身代金の運搬役に公子が指名されたあたりで、全員の視線が公子に突き刺さった。テープを聞き終わり、曽根は捜査本部に報告を入れる。公子が運搬役をすること、携帯電話と内部の見える車両を用意することは、すぐに捜査本部の了解事項になった。

事態はもう公子の意志に無関係で進んでいた。

「どうしてあんたが指名された」

片野坂が猜疑《さいぎ》心《しん》で凝り固まった眼差しを向ける。

「どうしてあなたがここにいるの」と公子は切り返した。

「関内の件でご主人に訊きたいことがでてきた。答えろ。どうして自分が指名されたと思う」

「母親役として長い間犯人を騙《だま》してきたからでしょ。腹いせに私を指名したのよ」

「本当にそれだけだと思うか？」

「他にどういう理由があるって言うの？」

曽根も会話に加わってきた。

「犯人に信用されたのかもしれない。母親役を演じながら、有働は警察に通報したことを正直に教えた。警察の面子《メンツ》よりも、被害者の子供の命を第一に考える婦人警官がいることは、奴らにとっては好都合なんだ」

曽根は犯人側の狙いを逆手に取ってひと泡吹かせようと考えているようだが、無駄だ。あなたたちは信頼していた同僚によって裏切られる。私はあなたたちの目を盗んで身代金を犯人に渡さなければならないのだから、と公子は心で叫んだ。

片野坂は釈然としない表情だった。もっとマシな人間を選べよ、と言いたげな顔で舌打ちをする。

「お願いします、有働さん」

香澄は哀願の面持ちだった。「あゆみのためにお金を届けてやってください」

「お願いします」と彰一も深々と頭を下げた。

両親の気持ちは痛いほど分かる。警察に通報したために、金がなかなか犯人側に届かない状況を作ってしまった。しかし警察沙汰にしなければ、一億という金を用意することはできなかった。九条物産は、誘拐されたのが会社のトップならいざしらず、一社員の娘を助けるために裏取引はしない。警察と、その先で報道協定解除を待っているマスコミの注目を浴びて、九条物産と保険会社は重い腰を上げて一億円の放出を決めたのだ。

今はただ、金が届いてあゆみが帰ってくるまで犯人が包囲網に引っ掛からないことを祈るしかないというのが、彰一と香澄の正直な気持ちだろう。

公子は頷いた。やらせてもらいます、という返答だった。香澄が公子の手を握りしめた。

リビングの片隅にある一億円入りのジュラルミン・ケース。これと引き換えに子供たちを確保できなかったら終わりだ。犯人がふたたび子供を楯にして二度目の身代金を要求しない限り、子供の存在価値はない。特に貴之の場合はそうだ。九条物産と保険会社がバックについているあゆみはともかく、貴之のうしろには金づるはいないという事実が公子の胸をえぐる。

接触する時が、ただ一度きりのチャンスだ。そのためにどうやって仲間の裏をかくか、同僚たちが慌ただしく動きだす姿を眺めながら、公子は火に追われた者のように思考力を駆りたてた。

9

捜査本部が用意したのはベンツ190Eだった。

警察車両の購入は基本的には税金でまかなわれていて、入札制で様々なメーカーからできるだけ安く買うのが原則となっている。

ボディの頑丈さ、加速の安定度でベンツが選ばれた。先導や追跡の車両が接近することはできない。監視の目の外でどんな事故が起こるか分からないことに備え、捜査本部は偽装車両の中で最も高価な車を惜しげもなく現場に投入した。

現金のジュラルミン・ケースに発信器が仕込まれた。探知装置を持つ追跡車両は一キロ以内で電波を捕捉できる。

午後三時五十分、祈るような面持ちの楢崎夫妻に見送られて部屋を出た公子は、マンション前に止められたベンツに乗りこんだ。曽根や持田だけでなく、捜査本部の顔見知りが何人か見送りに現われた。これが犯人逮捕の最大のチャンスだと誰もが考えている。

「頑張れよ」と声をかけてくれる者もいた。これから裏切ろうとしている同僚たちに公子は頷き返す。人垣の向こうには片野坂の姿も見えた。片野坂は皮肉のひとつでも言わないと見送れない顔つきだ。

ジュラルミン・ケースが後部座席に入った。公子はその横に自分のボストンバッグを置いた。中が大きく膨らんでいる。

「何が入ってる」と曽根に訊かれた。

「家から持ってきたタオルケットです。地獄の果てまで引きずり回されても、仮眠の時間ぐらい与えてもらえるかもしれません」と冗談めかして答えたら、捜査員たちが「どうだろうな、それは」と笑い、公子の緊張をほぐそうとする。

ボストンバッグの中身。公子はそれを作るのに二時間かかった。警察のワゴン車に入って同僚たちの目を避け、裁縫道具を手に作業に没頭した。

助手席に、追跡班と交信するための無線器が設置されている。通常のデジタル信号にスクランブルを加えた、一般には傍受できない警察無線だった。公子はそれに加えて、外勤の警察官が日常的に聞いている署活系の無線を携帯した。左耳にイヤホンをはめて聞けば、付近の配備が手にとるように分かる。味方を欺《あざむ》くためにこれが必要だった。

公子は昼に犯人から運搬役に指名された直後、捜査本部に拳銃携帯を願いでた。ところが益岡のひと声で却下された。

拳銃を手にして犯人を逮捕することが運搬役の任務ではない、金だけでなく拳銃まで強奪される恐れもあるではないか、というもっともらしい理由だった。息子を奪った犯人と、丸腰でどうやって立ち向かえばいいというのか、と公子は言い返したい衝動に駆られた。

警視庁と神奈川県警はこれまで以上の人数を配備するという。そんなものは頼りにならない。現場における警視庁と県警の対立関係はいまだ根強く残っている。

午後四時ジャスト、特殊班の携帯電話が鳴った。オンにするなりあの電気的な声が耳に届いた。

「環八から世田谷通りに入り、西へ走れ」

すぐに切れた。公子は窓の外に集まっている曽根たちに今の命令を復唱した。

「よし行こう」と曽根のひと声で皆が散り、追跡車両に次々と乗りこむ。楢崎家には持田だけが残り、曽根は公子の後方支援をしてくれる。

公子がエンジンをかけた時だった。車窓の外から「おい」と顔を近づける者がいた。

片野坂だった。

「……何ですか」公子は錐《きり》のような眼差しで見上げる。

「納得がいかない、どうして犯人がお前を指名したのか」

「まだそんなこと言ってるんですか。どいてください」

「犯人が金を自分のところに持ってこさせようとするなら、場数を踏んだベテランを使うはずだ」

「母親の気持ちが分かる子持ちの婦人警官で、あわよくば自分の手足になりそうな警官だと犯人はタカをくってるんです。発車します。どいてください」

「調書や報告書を書くぐらいしか能のない女だろ」

「私についてよくご存じですね」と公子は薄笑いを浮かべた。私についての情報は全部犯人に筒抜けなんですか、と言ってやりたかった。

運搬役に指名されたことの疑問をこれほどしつこく口にするのは、ひょっとしたら罠かもしれないと公子は警戒した。追及に屈して「実は私の子供までも犯人側に……」と告白したら、片野坂はただちに「この婦警は使い物にならない」と犯人側に報告するのではないか。公子が身代金の届け役としてふさわしい人物なのか、一味はまだ値踏みをしているのではないか。

片野坂の手を振りきるように発車させた。ミラーに映る片野坂は、なかなか追跡車両に乗ろうとせず、いつまでも公子のうしろ姿に目を凝らしている。

世田谷通りを西に進み、元和泉《もといずみ》から川を越えて神奈川県下に入った時から、片野坂の執拗《しつよう》な追跡が始まる。犯人側の内通者としての追跡なのかまださだかではないが、自分にとって最も出し抜かなくてはならない相手になるのは間違いない。

片側一車線の駒沢通りにベンツは出た。住宅街の間の勾配を上りきると環状八号線の交差点にさしかかり、公子は左にウィンカーを出す。

多摩美大の前にも追跡班の偽装車が待機していて、公子のベンツが見えたと同時にゆっくりと発進した。曽根の追跡車両を加えて三台が追尾するが、少なくとも車間は二百メートルとることが捜査本部で徹底されている。

肉眼でベンツを捕捉できなくても、発信器があれば見失うことはない。運転しているのは特殊班の人間だから、捕捉されやすいように運転をしてくれるだろうと捜査本部は考えている。この油断に公子はつけこまなくてはならない。

瀬田から砧《きぬた》までが渋滞になっていた。夕方前の時間は道路状況が読みにくい。公子はミラーを見上げた。かろうじて追跡班の黒い車体が見える。

前方を見る。打ち合わせ通り、先導の偽装車はない。フロントガラスに身を乗りだして上空を見上げる。警察のヘリは出動していない。後方の追跡車両だけを気にしていればいいという状況だった。

イヤホンの署活系の無線が間断なく、配備の進行状態を伝えていた。

「用賀《ようが》中町通《なかまちどお》り、馬事《ばじ》公苑《こうえん》裏に待機」

「岡本三丁目より大蔵通り、配備完了」

「成城署前に第二線配備、到着」

所轄の私服警察官が公子の車を遠巻きにする形で、びっしり外周を固めている。

公子は大きく息を吐いた。喉の骨が異物に感じられるほどうねった。これからしようとしている職務逸脱行為を、警察上層部はどう判断するだろうか。逸脱などというあまいものではない。公子は自分のクビがどうなろうとかまわなかった。亡き夫と子供のために警官を続けてきた。子供のために費やされ、燃えつきる警察官人生ならば本望だ。

「待ってて、今行くから……」

貴之に呟きかける。

砧を抜けたあたりから車が流れだした。三本杉《さんぼんすぎ》陸橋の下で世田谷通りとの交差点にぶつかって左折すると、白い追跡車両が止まっている。運転席には特殊班の同僚がいる。公子はミラーを見上げる。これまで後方をついてきた追跡車両から曽根が下り立ち、待機していた車に急いで乗り替える姿が映る。特殊班の同僚たちはマニュアル通り、用心に用心をかさねている。

世田谷通りをどこまで西進するのか。正面からカッと西陽が差しこんだので、公子はサンバイザーを下ろした。

電話が鳴った。車内に響き渡った音でびくっと公子の体が躍る。特殊班が用意した携帯電話ではなく、中古ドコモのほうだった。左手で持って通話ボタンを押した。

「世田谷通りには入ったか？」

「とっくに。見ていなかったの？」

相手が一瞬黙った。犯人は肉眼でこの車を捉えてはいないということだ。近くにはいない。時間を見計らってこの電話をかけてきたのだろう。

「取引の場所を言う。厚木市上古沢。山の中だ。順礼峠の手前に採石工場の跡地がある。日が完全に暮れきった頃に到着するように」

公子は言われた地名を繰り返し口の中で呟いて、頭に叩きこんだ。

「ゲートから工場まで産業用の道路が二百メートルほど続いている。警察の車があとをついてくればライトで分かる」

だから夜になる頃に到着しろと犯人は言っている。

「仲間を引き連れて現われた時は取引中止だ。工場に連れてきた子供二人のうち、一人は連れさり、一人は変わり果てた姿で残される」

金づるのあゆみは連れさられ、消耗品の貴之は死体で残されるという意味だ。

「連絡はもうしない。工場跡で会おう。これからお前の敵は、うしろにいる連中だ。子供を助けたかったら必死で振りきれ」

「言われなくても分かってる」

「幸運を祈ってる」

その言葉を最後に通話が切れると、公子はダッシュボードから関東道路地図を取りだし、信号待ちの間に急いでページをめくった。

厚木市上古沢。場所を確認した。そこに辿りつくためのコースを考えるが、すぐには思いつかない。とにかくこのまま走って神奈川県に入り、県警の反応を見てみようと決めた。

小田急線の線路を越えて元和泉に入った。橋が見えてくる。イヤホンから聞こえる警察無線が慌ただしくなる。警視庁管内から神奈川県警の管轄に車が入ろうとしているため、配備の徹底に口を酸《す》っぱくしている。運搬車が移動すると、外周配備も常に移動しなければならないという慌ただしい状況に、現場は震えたつほど緊張している。

公子は追跡班との直通無線を取りあげた。芝居の幕が開く時だ。

「こちら運搬車。たった今、連絡がありました。登戸《のぼりと》から川崎府中《ふちゆう》線《せん》を右折して、稲城市まで走れとの指示です。どうぞ」

「了解」と曽根の声。

賽《さい》は投げられた。もうあと戻りはきかないのだという思いが公子を引き締める。それでも虚偽の報告を一度したら気が楽になった。あとは一点突破だけを考えればいい。公子に雑念は必要なかった。

多摩水道橋に入った。西へ傾く太陽が多摩川の水面にぎらぎらと跳ね返っている。

玉川署の捜査本部に詰めている益岡は、ベンツが神奈川県警の庭場に入ったという報告を曽根の追跡車から受け取った。

会議室の真ん中には、机をいくつも足して、その上に広げた関東一円地図に運搬車の位置がマーキングされている。今のところ、多摩川を渡って北上するコースにあった。警視庁と県警の合同配備の混乱に乗ずる、というのが犯人の意図であることはすでに分かっている。

が、白石が運搬役をやった時は、受け取り場所があらかじめ犯人に指定されていたから、曲がりなりにも配備は間にあった。今回はただ移動コースを指示されるだけだ。外周配備そのものがぞろぞろと移動しなくてはならなくなる。運搬車のさしかかる場所の所轄署がその管轄区域だけを配備すればいいという考え方をしても、必ず混乱は起きる。運搬車の進行につられた移動配備が、次に待っている配備とぶつかり、円滑な引き継ぎなどできるはずがない。現場警察官の馬鹿どもが右往左往するのが目に見えるようだ、と益岡は鼻で笑った。

となると、あてにできるのは追跡班だけだが、車間をあけて捕捉するという方針をとった以上、運搬車の位置確認は発信器の電波だけが頼りということになりかねないことも予想がついた。

捜査本部の命令よりも現場の裁量にまかせるという状況では、現金の運搬車を操《あやつ》る者が神経を凝《こ》らし、追跡班を常に後方に従えたうえで犯人の指示に対応してくれなくてはならない。そんな芸当があの婦人警官にできるのかと、益岡は不安になった。

名前すらも思いだせない。特殊班の婦警と覚えるだけで事足りた。益岡にとって現場警察官は、記号化した存在で充分だった。

「県警の配備を抜けると稲城市です。方面本部から増員を出して、稲城署管内を固めてください」

益岡が命令する相手ははるか年上の部下。丁寧語だが有無を言わさぬ響きがあった。

三日前の県警との合同幹部会議で、紛糾《ふんきゅう》の末、それぞれのテリトリーを責任持って守るという方針で意見の一致を見た。つまり、所轄がその領域を固め、他に手出しさせないという、融通の利かない配備計画だった。

しかも、益岡にとってはひとついやな条件もついた。捜査本部に出向している県警の捜査員だけは、境界を越え、両方の管内を行き来できるようにすべきだと県警幹部が強硬に主張したのである。

出向している県警の捜査員とはすなわち、あの片野坂のこと。

なぜ、県警本部があの問題児を性懲りもなく前線に配置しているのか理解に苦しんだ。片野坂を出向させたのは、警視庁へのいやがらせとしか益岡には思えない。

警電が鳴った。運搬車の位置が五分ごとに知らされる。

「運搬車は京王稲田堤《けいおういなだづつみ》駅の踏切を越えました。そのまま北へ進んでいます」

地図上で車のマーキングが移動させられた。あと数分で川崎市多摩区を抜けて警視庁管内に戻るはずだと、益岡は手ぐすね引いて待っていた。運搬車周辺の配備を手薄に見せかけて犯人を誘いだす。身代金奪取に焦っている犯人は、必ず運搬車に接近するはずだと益岡は確信している。

片野坂は多摩署前の路上で待機していた。

高津署の後輩に偽装車を運転させ、助手席にふんぞり返り、拳を開いたり握ったりするいつもの仕草を繰り返している。

つい十五分前、片野坂の目の前を有働公子の運搬車が通過していった。世田谷通りから川崎府中線を右に折れ、多摩署の建物を尻目に去っていった。そのまま稲城市に入り、警視庁管内で受け渡しの場所が指示されるのは間違いないように思われる。

「追いかけなくて、いいんですか」と、高津署の後輩が片野坂の顔色を窺う。

「慌てるな。車は必ず戻ってくる」

白石の時と同様に、犯人の指示によって運搬車は警視庁と県警との境界をうろうろし始める。犯人の攻め手は今のところそれしかないと、捜査本部の誰もが考えていた。

稲城市にいったん入るが、矢野口の交差点を左折し、鶴川街道から国道124号線を南下してよみうりランドを越えて神奈川県に入るというのが、県警本部が期待するコースだった。

捜査本部に配属された県警捜査員のみ境界を越えることができるという条件が、警視庁との幹部会議で決められた。益岡が「それは、あの片野坂警部補も例外ではないということですね?」と嫌味ったらしく念を押したが、県警幹部は「そうだ」と答え、それ以上の反論を許さなかったらしい。ところが当人の片野坂には厳しい命令が下っていた。

境界を越えるな。県警の庭場だけで動け。つまり県警幹部は、警視庁の人間を前に「例外なし」を主張しながら、片野坂の首ねっこを摑んで抑えようとしていた。これ以上の問題が起きると警察庁が介入すると危惧《きぐ》しているのは明らかだ。

「どいつもこいつも……」

片野坂は小声で吐き捨てる。どういう意味かと、高津署の後輩刑事が振り返った。

ベンツが川崎市多摩区を抜けて稲城市に入ろうとした時、追尾する偽装車両に公子から無線連絡が入った。

コールする無線器を曽根が取りあげると、息せききった公子の声が届いた。

「こちら運搬車。指示がありました。このまま府中街道に入って多摩川を渡り、府中市内に入るようにとのことです。どうぞ」

「了解。どうやら市内で受け渡しがありそうか？　どうぞ」

「分かりません。でもこれまでのような警視庁と県警の境界を攪乱《かくらん》するという作戦ではなさそうです。どうぞ」

いよいよか、と曽根は直感した。今の連絡内容を携帯電話で捜査本部へ伝えた。警視庁管内で身代金受け渡しの現場が設定されようとしている気配に、益岡本部長はどんな反応を示すだろうかと、曽根は期待が半分、恐れが半分だった。

冷静に対処してくれ、と曽根は祈らずにはいられなかった。

捜査本部の益岡は確信した。

ベンツは二度と神奈川県には入らない、府中市以北の場所で受け渡し場所が指定されるであろう、と。

「第九方面本部の増員を府中市に回してください」

益岡は関東一円地図の上にのしかかり、指揮棒で外周配備の地域を部下に示す。「府中市の北から小金井市《こがねい》、国分寺市《こくぶんじ》にまで念のため後退させて配備をしましょう。車が府中市に入っても場所が指定されない場合は、外周をさらに北へ移動して運搬車の北進に備えます」

広域手配の連絡員となっている捜一課員が警電に走り、所轄署と方面本部へ連絡を始めた。

方面本部とは、ある事件において ふたつ以上の警察署が合同で捜査にあたる場合、その調整と管理にあたる上部組織のことである。今回の広域捜査においては、各方面本部に予備隊として人員が集められ、配備の手薄な場所に迅速《じんそく》に派遣させるシステムがとられた。その判断も捜査本部長の益岡の手に委《ゆだ》ねられている。

益岡は地図を俯瞰《ふかん》し、考えた。どこを指定するつもりだ。たとえば東京競馬場のゲート前というのはどうだ。見晴らしがきいて、警察の追跡車両がいるかどうか、確認しやすいではないか。何なら金を掴ませてやってもいい。一億円のぬくもりを胸の中でたっぷり感じるがいい。ただし五分後には包囲されて手錠がかかることになる。益岡は指揮棒で東京競馬場をコツコツと叩いてから、府中市一帯に大きく円を描いた。

ベンツが府中市へ移動することは、捜査本部を経由して署活系無線で各車に伝えられた。

「読みが外れたな……」と片野坂が呟いた。

公子は北へ進むばかりだった。警視庁と境界を持つのは神奈川県警だけではないという当たり前の事実がそこにある。東村山市《ひがしむらやま》を越えたら所沢《ところざわ》、埼玉県警のエリアに入る。警視庁との広域捜査態勢でまだ「勉強」を積んでいない埼玉県警は、犯人側の目論見《もくろみ》通り、数々の失態を繰り広げるであろうことは容易に想像がつく。

「もう俺たちに出る幕はないか」

片野坂は独りごちた。北へ去る有働公子の運搬車を、県警本部の人間たちは指をくわえて見送るしかない。

あの婦警を捉えたい。そんな思いに駆られたことを片野坂は我ながら不思議に思う。捉らえなければならないのは運搬車ではなく、金を奪いにくる連中だと思い直した。有働公子の存在と、薄ぼんやりとした犯人像が、なぜか片野坂の中でダブっていた。

なぜ、犯人は運搬役にあの婦警を指名したのか、どうしてあの女でなければならなかったのかという疑問が、片野坂の中で渦巻いていた。

公子のベンツ190Eは南武線の線路を越え、多摩川の是政橋《これまさばし》にさしかかろうとしていた。川面《かわも》は夕暮れの色を蓄え始めている。

情報操作は効いているだろうか、と公子は捜査本部の光景を想像する。キャリア組の捜査本部長として現場に疎《うと》まれている益岡は、ここぞ腕の見せどころと腹をくった時、周囲が呆気《あっけ》にとられるほど思いきった決断をする。石橋を叩いても渡らない官僚の体質が、勝機と見るや、大胆な勝負に打ってでるのは、この時とばかりに威厳を誇示するためだった。

増員配備の中心的存在である方面本部の捜査員が、益岡の号令によって府中市を北側で取り囲む形で投入されるだろう。益岡は神奈川県警との縄張り争いを二度としなくていいと安心しきっている。今、南は完全に手薄だろう。もうひと押しだ。公子は無線を取りあげ、トークボタンを押した。

「こちら運搬車。指示がありました。多磨霊園に入れ、とのことです。どうぞ」

「了解」曽根の声が高ぶった。

この報告を聞いた益岡は、意気揚々と多磨霊園の外周に大量の捜査員を投入するだろう。静寂に包まれた墓地の外側を、所轄と方面本部の応援が十重《とえ》二十重《はたえ》に取り囲む光景を公子は想像した。

橋を渡り、東京競馬場を右手に見た。信号待ちに入ったところで、助手席の道路地図を引き寄せページをめくり、これからの進路を確認する。よし、と公子は呟き、四つ先の信号を指で叩いて、左に車線変更をした。曽根は異変を見ただろうか。多磨霊園はまだ先。それに左折ではなく右折のはずだと怪訝に思うだろう。

無線でコールした。「どうした」と、曽根のほうから第一声を放ってきた。

「旧《きゅう》甲州《こうしゅう》街道《かいどう》を左折しろとの指示です。どうぞ」

「多磨霊園に入るんじゃなかったのか。どうぞ」

「変更です」

無線を慌ただしく切って、旧甲州街道を左折した。曽根は配備が間にあえばいいがと案じながら、捜査本部への連絡を急いでいることだろう。

捜査本部を経由した連絡は、片野坂の待機車両にも届いた。

運搬車は多磨霊園から離れ、旧甲州街道に入って国立《くにたち》方面へ進んでいるという。片野坂は署活系無線に聞き耳をたてた。

十分後、運搬車が本宿交番前を左折して鎌倉街道に入ったことが告げられた。

南下を始めたとすると、運搬車はまだしばらくは東京都内だが、その先には神奈川県相模《さがみ》原《はら》市との境界が待っている。

「鎌倉街道を南下した場合に、県下に再接近する場所はどこだ」

高津署の後輩が道路地図を猛然とめくっている。

「町田市森野。橋を越えて百メートルほどで相模原市鵜野森《うのもり》です」

「先回りできるか」

「やってみます」

赤色灯を出して多摩署前から走りだす。世田谷通りを町田方面へひた走る。先回りし、待機し、相模原市に入る運搬車を目の前で見送ることになれば、直近の追跡班は警視庁から引き継がれる。

片野坂が猟犬のように動き始めた。


捜査本部の益岡は部下の注目の中、虚勢の張り方に苦労をしていた。

所轄と方面本部の応援による配備は、すでに多磨霊園の外周に投入されていた。運搬車がコース変更したことですべて無駄になった。

運搬車は南下を始めている。引き返してくれ、という益岡の祈りが通じるはずはなかった。

「本部長、多摩中央署と町田署に配備を通達しておくべきでは……」

捜一課員が恐る恐る投げかけた言葉に我に返ると、益岡は昂然《こうぜん》と言い返した。

「当たり前だろう。言われなきゃ何もできないのか！」

第八方面本部だけでなく、多摩市と町田市も管轄する第九方面本部まで府中市の応援に充当してしまった。すでに南下を始めた運搬車より先に多摩市と町田市を固めることはすでに不可能だ。警視庁の人員だけでどれだけの配備ができるか自信がなかった。多摩や町田の見通しのきく丘陵地帯を受け渡し場所に選んだ場合、外周配備は半径数キロに及ぶだろうと予想できる。それだけの範囲を固めるのは到底無理だ。

現金受け渡しに成功した犯人が、ザルと化した包囲網をかいくぐって逃走に成功する。残されたのは空《から》のジュラルミン・ケース。益岡は想像するほどに、全身が足許から溶けだしそうな恐怖にかられた。

電話を取り、神奈川県警本部への直通番号を押す。窮状《きゅうじょう》を打開するにはこれ以外の方法はない。人にものを頼むのが最も苦手だが、そんなことを言っている場合ではないと、益岡は精一杯、殊勝な態度で出た。

「益岡です。すでにお聞きの通りです。運搬車は南下を続けて、県警との境界に近づいていますが、こちらの管内で受け渡し場所が決まった場合、多摩署と町田署の捜査員では対応できません。つきましては、神奈川県警の相模原、座間《ざま》、大和各署の捜査員を是非ともこちらに……」

相手に冷たく遮られた。ノンキャリアでは異例の出世と言われる県警の刑事部長だった。それは予想していた返答だった。

「我々は南下に備えて配備を始めている。そちらに応援を差し上げるほどの余裕はない」

要するに、神奈川県警は警視庁の尻ぬぐい役ではないと言いたいのだ。下手《したて》に出ればいい気になりやがって、という罵声《ばせい》を押し殺すのに益岡は必死だった。

「分かりました。我々で対処します」と電話を切ったあと、関東一円地図が載る机を蹴りつけた。


公子の車は、十五分前に片野坂が通過した袋橋の三叉路《さんさろ》にさしかかろうとしていた。左に折れると、町田市を縦断して相模原市に入る。

道路は夕方の帰宅ラッシュに入ろうとしている。公子は追跡班との距離を確かめたかった。

「こちら運搬車。今どこにいますか。どうぞ」

「鶴川集会所の信号にさしかかった。これから右折するところだ。どうぞ」

「気をつけてください。犯人は追跡車両に気づいたようです。最後の警告だと言っています。もっと離れなければ取引は中止だそうです。どうぞ」

「犯人が周辺にいるということか。どうぞ」

「ブラフかもしれませんが、可能性はあります。どうぞ」

「了解。もう百メートル距離をあける」

これで曽根の車は離れたはずだ。行く手には信号前の一時的渋滞。今がチャンスだ。ブレーキを踏んで渋滞の列に倣《なら》ったと同時に、振り返って後部座席に身を乗りだす。ジュラルミン・ケースを開ける。ぎっしり詰まった旧札の一万円。ケースの内側に磁石で装着された無線発信器がある。断続的に赤いランプを点滅させ、この場所を三百メートル後方の追跡班に教えている。

公子はそれをもぎ取った。渋滞の列に目を向けると、ちょうど目の前に止まっているプレリュードが左にウィンカーを出している。相模原市方面へ行く横浜ナンバーだ。公子はドアを開けて外に躍りでた。夕方になっても残暑は続いている。汗が噴きだす。公子は身をかがめてプレリュードの運転手に気づかれぬよう、その後部ボンネット下に接近し、アイドリング中の排気口の上、バンパーの裏に発信器をつける。磁石が金属に吸いついて固定される。

ベンツの運転席に戻った。信号が青になる。渋滞の列が宵闇《よいやみ》の中、ゆっくりと前進を始める。公子は警察から支給された携帯電話を窓から放り投げて捨てた。携帯電話による場所特定もそれでできなくなった。

プレリュードが左折して鎌倉街道に入った。公子のベンツは直進して世田谷町田線を西へ進んだ。

発信器をバンパー裏につけたプレリュードが左後方へ遠ざかってゆくのが見える。三百メートル後方の追跡班もやがて左折し、常に後方で見守っていてくれた曽根が去っていく。公子は曽根が共犯だと疑った自分を恥じた。寂しさと心細さが突き上げて公子の喉元をつまらせる。もうこの先、後方支援はないのだと自分に言い聞かせた。鎌倉街道をいく車のほうが多く、世田谷町田線は順調に流れ始めた。公子はアクセルを踏みこむ。あとは署活系無線に気を配っていれば、配備をすり抜けられる自信はあった。曽根に別れを告げた感傷。そのあと、公子にめぐってきた感情は、自分でも不思議なものだった。

遂に包囲網を突破したのだと公子は快哉《かいさい》を叫んだ。キャリア本部長のだらんと弛緩《しかん》した青ざめた顔、片野坂の悔やしがる顔を想像するだけで愉快だった。犯人の心理に一脈通じたということかと、公子は自分の奥底を覗き見る。身も心も共犯者になったということか。いや、そうではない。公子は雑念をかき消そうと首を振った。

これは息子との再会に一歩近づいたという喜び、それだけにすぎないのだと、公子は己れの奥底から目をそらした。

曽根の目の前では、カー・ナビゲーション画面に電波の発信地点が映しだされていた。追跡車両は確実に三百メートルの車間を保って追尾している。鎌倉街道をこのまま南下すれば神奈川県下。追跡班は県警に引き継がれる。あとは運搬車が都内に戻ってくる時に備え、曽根たちは境界線上に待機するしかない。

南下を続ける運搬車はいよいよ町田市を縦断しようとしているが、曽根は釈然としなかった。

なぜ、県警の潤沢《じゅんたく》な配備が待ち構えている神奈川県下に車を入れようとするのか。多摩市と町田市の配備は、あの本部長殿の「英断」のあおりを食って完全に手薄の状態にある。警視庁管内にいる間に金の受け渡しをするべきなのだ。金を受け取ることより、警視庁と県警を翻弄することが目的のようなこの移動が、曽根にはどうしても理解できない。

有働、お前は何か感じなかったか。犯人との会話の中で、奴らの狙いは何なのか感じとれなかったか。曽根はカー・ナビ画面から消えようとしている光の点に呟きかけた。

片野坂は森野橋のたもとにすでに到着していた。運搬車は鎌倉街道を時速四十キロで南下していた。そろそろ片野坂の目の前のカー・ナビ画面に発信地点が映しだされるはずである。

「来ます」

高津署の後輩が指差した。画面の上から黄色いマークが出現し、点滅しながら下りてくる。夕暮れ迫る道の彼方から、運搬車が接近している印だ。運転する有働公子の姿を拝むことができたら、片野坂の車は直近の追跡班として走り始める。

光の点は町田第四小学校前を通過する。あとひとつ信号を越せば、肉眼で見える距離になる。

「見えるか?」

「いえ、まだ」双眼鏡を覗いている後輩が答えた。

もう見えてもいい頃だ。光点は森野交番前を通過する。偽装車両のベンツ190Eはまだ見えない。軽トラックと国産車が連なって走ってくるだけだ。カー・ナビの地図画面の黄色い光点はこちらに向かっているのに、肉眼ではベンツが見えない。

「います。いるはずです」双眼鏡を外し、後輩は目を凝らす。

「どこだ」

「すぐ目の前です」

「だからどこだ!」

後輩は画面で確かめる。

「……通り過ぎました」

画面上ではたった今、目の前を通過したことになっていた。視界に目を転じると、国産車がのんびりと通り過ぎただけだった。

有働公子は忽然《こつぜん》と消えた。

「やられた……」

片野坂は失笑まじりに呟いた。何が起こったのか、どんな策略にはまったのか今は確かめようがないが、運搬車が網の目をくぐったことには間違いない。片野坂の脳裏に有働公子の得意げな表情がちらついた。

三十分後、現金運搬車の行方不明が神奈川県警によって確認され、捜査本部に伝えられた。

発信は続けるもののベンツの姿はなかったため、片野坂が発信元の車を止めて確認をしたところ、それは横浜ナンバーの国産車で、現金運搬車は婦人警官ごと消えたという。

「特殊班の婦警が金を持ち逃げしたっていうのか？」

益岡は裏声になった。その驚愕から立ち直ったあと、県警に責任転嫁する論理展開は可能か、とすぐに考え始めた。

特殊班の婦警は発信器を別の車につけ替えた。それが犯人の要求にせよ、とるべき行動について捜査本部に判断を仰ごうとしなかったことは責任重大だ。「楢崎あゆみの命を助けたかったら、上司に報告せず、発信器を別の車につけろ」という犯人の要求に素直に従ったということか。それが誘拐事件のエキスパートと言われる特殊犯捜査係の行動かと、益岡は何度も首を振った。

非は警視庁にあるという論調は受け入れよう。そのあとが肝心だ。配備の判断ミスを責められるより、一婦人警官の資質に問題を言及されるほうが傷は浅いと益岡は計算した。

「本部長、警察庁からお電話が……」

報告はすでに伝わっている。益岡は気を引き締めるようにネクタイの結び目を上げ、保留状態の電話に手を伸ばした。

益岡が保身の回路に身を委《ゆだ》ねている頃、公子の車は神奈川県警の緊急配備を大きく迂回して、厚木市郊外に入っていた。

警察無線のランプが点滅し続けている。捜査本部が自分を呼んでいる。公子は同僚たちの困惑しきった顔を思い浮かべた。

幹線道路を避け、裏道を選び、イヤホンから流れる付近の配備状況に耳を澄ませ、公子はパトカーの目をくぐり抜けた。

丹沢《たんざわ》山地の稜線は青く黒い空に消え失せようとしている。闘いの夜が迫っていた。濃度を増していく闇路を走るのは、一億円の現金を搭載したベンツ190E。一縷《いちる》の望みにすがろうとする運転手に操られた、援護なき一台の警察車両だった。

10

暗視双眼鏡の視界に、強烈に増幅されたヘッドライトの光と、車内に滲む人影が見える。

澤松智永は笑みを洩らした。午後八時五十五分。ベンツの到着は思ったより早かった。雑木林と赤土に覆われた荒れ野を縫って作られた道が、智永の眼下、彼方まで延びている。現金運搬車のベンツはその悪路に揺れながら接近していた。

智永は工場の廃墟を見下ろす高台の岩陰に身を潜めていた。五年前に閉鎖をし、解体工事にさえ見捨てられている採石工場は、暮れきった空の下に黒々とそびえている。町はまだ夏の余熱を含んでいたが、丹沢山地の麓《ふもと》までくると、この時間、冷気がひんやりと肌をなでる。

智永は黒いポロシャツに黒いベストを着て、ふたつの通信機器と小型のMD再生機をポケットに突っこんでいる。この日のために購入したトレッキング・シューズは、土くれだらけの高台を上りきった頃、やっと足に馴染んだ。

運搬車は工場前の、雑草が伸び放題の広場に入ってくる。智永は車がやってきた道に双眼鏡を戻し、工場のゲートの方角から後続する車はないかと見つめる。暗視双眼鏡の視界はどこも緑、闇だった。警察車両のライトはない。婦人警官は味方を完全にまいてやってきた。

よくやったと褒めてやりたかった。智永はハンド・トーキーのトークボタンを押して、眼下の工場内に潜んでいる篤志に告げた。

「見える？　ご到着よ」

携帯電話に持ち替えた。秋葉原の電気街で公然と売られているボイス・チェンジャーを送話口に装着する。

登録済みの番号を液晶画面に出し、智永はプッシュした。

公子は車を止めた。エンジンを切って、シートに深く沈みこんだ。警察無線のコール・ランプがこの三時間以上、点滅し続けているが、公子は無視した。

フロントガラスの彼方に採石工場の廃墟。四階建てのマンションほどの大きさの建物に、砂利《じゃり》を運ぶパイプがところどころ破れながらも斜めに伸びている。総攻撃を受けて満身創痍《まんしんそうい》の砦《とりで》を思わせた。正面の扉が半開きになっている。

あの扉をくぐれば子供たちに会えるという希望は、口を開けた闇を見つめるうち萎《な》えてきた。ここには貴之もあゆみもいない。取引は犯人側有利のまま始まるのだと、公子は絶望的な先行きに暗澹《あんたん》たる思いがこみ上げる。

ドコモが鳴った。公子は通話ボタンを押し、車を取り巻く漆黒《しっこく》の闇に犯人の姿を求めた。

「着いたわよ。見えるでしょう?」

「金をそこに置いて工場に入れ。お前の子供は工場内の突き当たりの部屋にいる」

「嘘よ」

「なぜ嘘だと思う」

「私だったら、子供は連れてこない」

「悲観的だな。子供の名前を叫んで、早く駆けつけたらどうだ」

「子供が先よ。外に連れてきて。子供二人を引き取って車に乗せる。そのあとに金を置いて去る」

「駄目だ。金を車に置いて子供を引き取りにこい。取引は中止だぞ」

「中止すればいい。指先が届くところに金があるのよ。欲しくないのこれが」

綱の引きあいをするうち激情が喉を這い上がってきた。抑えきれない。

「子供を連れてきて!」

公子のその声に応えるかのように、工場内から振り絞った声が聞こえてきた。かすれ、闇に尾を引く、貴之の泣き声だった。

「痛いよ、痛いよ、お母さん痛いよ」

工場の破れたガラス窓から、半開きの正面扉から、その声は夜気《やき》を震わせて洩れてくる。

「指がなくなっちゃったよ、痛いよ、お母さん、すごく痛いよ」

公子はドアを蹴って車を飛びだした。貴之の命乞いが腹の底に火をつけた。あとさきが考えられなくなった。公子はドコモを切ってポケットに入れると、後部座席からずしりと重いグラウンド・コートを取りだす。ボストンバッグに入っていたものはタオルケットではなかった。ジュラルミン・ケースを後部座席に置いて、膝下まで丈のあるコートに全身をくるみ、公子は声のする方角へ歩きだした。

車のエンジンが切られてライトが消えると、智永の暗視双眼鏡の視界は一面の緑になった。車を出てくる婦人警官の姿を捉らえて智永はほくそ笑む。

やはり母親は反応した。子供の声を聞かせただけで動きだす。まるでパブロフの犬だ。

何だあの姿は、と智永は目を凝らす。婦人警官は長く厚ぼったいグラウンド・コートを着ている。いくら町中《まちなか》と気温差があっても、あれでは真冬の恰好だ。警察が新しく採用した防弾チョッキの一種だろうか。

工場内から洩れてくる有働貴之の声は、夜風に乗って鈴虫の囁きのように智永がいるところまで聞こえてくる。

「痛いよ、痛いよ、痛いよ……」

もっと痛がれ、母親を呼び寄せろと智永は念じた。


塩屋篤志は別の角度からその動きを見つめていた。

やけに肩幅のある女が車を出て、声のする方向へ引き寄せられていく。篤志が身を隠している資材置場から、建物の正面扉まで二十メートルの位置だった。雨ざらしにされて固くなっているセメント袋の向こうには、白いハイエースが止まっている。

篤志の腰のホルスターにはスミス&ウェッソンのリボルバー、名器と謳われるM10ミリタリー&ポリスが差しこまれている。開発されたのは一八九九年。M19が登場するまで、アメリカの軍や警察関係で最もポピュラーな拳銃だった。ボニーとクライドが警官隊との銃撃戦で使っていた。クライド役のウォーレン・ビーティが両手に持って撃ちまくっている姿に、篤志はシビレた。今では骨董品になっているこの銃がどうしても欲しくて、グレイ・ウォンに無理を言って取り寄せてもらった。タイ国軍の払い下げだと聞いた。

婦人警官が内部に入ったら、篤志がベンツに駆け寄り、金を確保するという手筈だった。婦人警官が子供の声に辿りついて、その正体に愕然《がくぜん》として引き返した時には、すでに金は篤志の車に積み替えられている。あとは智永と泉水に合流し、追いすがる婦人警官を振りきって走り去るだけだ。

グラウンド・コートの婦人警官が扉をくぐったのを見届け、篤志は腰をかがめてベンツへと走った。

公子は工場内に入ると、逸《はや》る気持ちを抑え、ゆっくりと暗闇に目を慣れさせた。こういう状況では極力、ハンディ・ライトを使わないほうがいいと教則本に書いてある。敵に位置が悟られてしまうし、何かの拍子にライトが手から離れた時、すぐに目が慣れず立ち往生してしまう。公子は黴臭《かびくさ》い闇の奥へと体をくぐらせた。

「お母さん、お母さん……」

うわごとを繰り返していた。ぱきぱきとガラス片を踏む音が、貴之の声の隙間で響き渡る。

かつては工場の事務所だったに違いない部屋を通り抜け、枠しか残っていない扉をくぐった。廊下の壁紙は剝がれ、暴走族の落書きが虚《むな》しく雄叫《おたけ》びを上げている。

廊下の先が目的地だ。しかし貴之の声に近づくにつれ、声自体がひずんだような割れ方をしていることに公子は気づいた。

「お母さん、痛いよ、痛くてたまらないよ」

機械を通した声だ。やはり読みは当たっていた。

最後の部屋に足を踏み入れて声の正体を目にした時、グラウンド・コートによって加重された十キロが公子の肩にのしかかってきた。

脱力感に立ち尽くしている暇はない。

篤志はベンツに辿りついて後部ドアを開けた。ジュラルミン・ケースが、鎮座《ちんざ》している。

一億はこれっぽっちの大きさか。九条物産にはもっとふっかけてやるべきだったと篤志は悔やんだ。

メキシコで誘拐ビジネスの餌食《えじき》にされた時は、九条物産は少なくてもその数倍は支払っていると言われている。智永は「個人に対する脅迫に企業が金をだすことは背任にあたるので、保険金以外に要求しても無駄だ」と言い、高望みをすると墓穴《ぼけつ》を掘るのだと篤志を諭した。だが、金を摑むまで一週間も遠回りをさせられたことを考えると、やはり少なすぎる気がする。

ケースに手をかけた瞬間、篤志は婦人警官の策略に気がついた。ケースに重みはまるでなかった。蓋を開けると中身は空っぽだった。

「くそっ」

頭が混乱してくる。篤志は突発的な事態にはからっきし弱い。視界がグラグラしだしたらパニックの印。論理的思考は入りこめなくなって、ただ毒づくばかりだった。篤志はハンド・トーキーを尻ポケットから取りだす。どれがトークボタンなのかもすぐに思いだせない。

公子が入った大広間は、社員食堂のようだった。

寒々しいほどだだっ広く、部屋の一面は破れ放題のサッシの窓で、厨房《ちゅうぼう》に通じる窓口には食器が散乱している。月明かりが差しこんでいる床から、耳を聾するほどの貴之の声が機械から放たれている。

「助けて、痛いよ、助けて……」

ラジカセにつながれた外部スピーカーが二基。電源は工業用のバッテリーだった。小型でも大音量を誇るメーカーの物だが、最大限にボリュームを上げると音はひずむ。貴之の声はやはりテープに録音されたものだった。

指を切り取ったあと、麻酔のさめた貴之になくなった指の跡を見せ、「母親に助けを求めろ。きっと助けにきてくれるぞ」と暗示をかけ、恐怖と痛みに震える貴之がこの声を絞りだしたのかと思うと、公子は全身の血が沸騰する。

ラジカセとスピーカーに歩み寄り、感情のおもむくままに蹴り倒した。コードがバッテリーから外れ、貴之の声はぶつりと跡切れた。

世界が一挙に転落したかのような静寂に、丹沢山地から吹き下ろす風が窓からひゅうひゅうと音をたてている。

ドコモが鳴った。ここからが本当の取引だと公子は電話と対峙した。

「金はどこだ」

ボイス・チェンジャーでも犯人の苛立ちは隠しきれない。

「子供はどこ」公子はすぐに切り返した。

「金はどこだ。言わなければ、この場でもう一本、小指を切り取ってやるわよ。もちろん麻酔なんかかけない」

「あなた女ね」

相手は語尾に女言葉を洩らした。犯人側の初めての失策だった。相手も動揺しているのだ。

智永は思わず「素」が出てしまい、舌打ちした。送話口からボイス・チェンジャーを外すと、秋葉原で買ったコンバーターでポータブルMD機と携帯電話をラインでつなぎ、再生ボタンを押した。

この声でどうだ。パブロフの犬はどんな涎《よだれ》を流す。智永は次のショーを開演した。

「やめて、やめて、何するの、何するんだよ」

今ここで、お前の息子を痛めつけているんだ。そう聞こえるだろう。智永は婦人警官の顔面蒼白を想像し、闇に微笑んだ。

「やめろ、いやだ、いやだ、いやだァァァァァ」

局部麻酔で指を切り取る際、智永は有働貴之の目を開かせ、無理やり見させてやった。命乞いの声をテープに録音するためだった。聞けば母親はたまらず言うことをきく、という類《たぐい》の声を。

「テープでしょ、どうせまた」

と婦人警官の反応が聞こえた。虚勢の殻をまだ脱ぎ捨てていない。そう思うか？　智永は子供の金切り声を送り続ける。

「いやだよ、いやだよ、あー、あー、あー」

「そこには貴之はいない。連れてくるはずがない。金だけ受け取って逃げるつもりなのよ、あんたたちは」

指を切断してやった。付け根にはタコ糸を巻きつけて止血してやった。切られて転がった指は切断面から充満している血を吐きだし、みるみる真っ白になった。智永が何日か前に目に焼きつけた光景だった。

「痛い、痛い、あー、あー」

痛いはずがないだろうと智永はその時思った。麻酔は充分だった。貴之は視覚で痛みを感じとったらしい。自分の肉体から一部分が切り離されたという光景がそんなに痛いかと、貴之の絶叫を前にして智永は笑った。

「やめて、やめてお願い」

婦人警官が崩れ始めた。信じている。この場で我が子が悶《もだ》え苦しんでいると信じている。

智永はテープの声を送り続けた。

「あー、あー、あー」

貴之はあとはむせび泣くだけだった。うしろから押さえつけていた篤志が薬品を嗅がせると、貴之はぐったりと眠りこんだ。

智永はふたたびボイス・チェンジャーを取りつけて言った。

「子供は失神している。今のうちにもう一本、ちぎってやろうか」

「やめて……やめて」

公子の涙が岩肌に落ちる滝のように頰を濡らしている。騙されてはいけない、それもテープなんだと頭の片隅で叫ぶ者。分かっている。貴之はこの周辺にはいない。そんなことも分かっている。もう貴之のそんな声を聞きたくなかった。自分が金を渡さなければ、貴之はふたたび今のような声をあげなければならないのだ。取引不成立がもたらすものは、貴之の肉体的損傷でしかない。いや、死だ。公子の戦闘意欲はみるみる瓦解《がかい》した。

「金はここ。持っている」

観念した公子はグラウンド・コートを脱ぎ捨てた。中綿のダウンの替わりに、肩から裾《すそ》までびっしりと一万円の札束百個が詰めこまれていた。ここにやってくる途中、車を止めて、あらかじめ中綿を抜き取っておいたコートに金を詰めこんだ。

「そこに置け」

「置いた」

「工場を離れろ。ベンツに乗ってそのまま去れ。この一帯から遠ざかったのを確認したら電話をしてやる。子供は約束通り、返してやる」

それも嘘だと公子は思った。指の切断を本人に無理やり見させる冷酷無比な犯人が、金を受け取ったあとに義理固く約束を守るとは到底思えない。

貴之は帰らない。血を流しながらどこかに放りだされる。公子はがたがたと震えを抑えきれず、食堂跡から踵《きびす》を返した。貴之の最期の姿を想像すると、体の中心に手を差しこまれて内臓を揺さぶられるような感覚に襲われた。

公子は廊下を進み、事務室を抜ける。暗黒にぱっくりと口を開けている扉。それをくぐったら、公子には敗残の道程しかない。

内臓を食い尽くそうとしている恐怖に怒りが芽生えた。怒りとは殺意。息子を傷つけた人間たちを残らず殺してやる。警察官としての自制はどこかに消え、激烈な闘争本能が公子の体内で熱を発していた。

智永は暗視双眼鏡で、すごすごと工場跡から出てくる婦人警官の姿を見た。グラウンド・コートを脱ぎ捨てた華奢《きやしゃ》な体。表情までは分からないが、まさに負け犬の足どりだった。

智永は通信機器一式をベストのポケットにしまい、高台の向こう側へとトレッキング・シューズで下りていく。採石場の小径《こみち》を下る間は、工場跡の風景は視界から消える。確認する必要はなかった。婦人警官はそのままベンツに乗って道を下っていくに違いない。

「今から子供を返す」という電話だけを婦人警官は心待ちにする。可哀そうだが、願いを叶えてやることはできない。心臓が百二十三グラム。腎臓が百十七グラム。肝臓が七百グラム。まだ計ってはいないが、それが七歳男児の内臓の平均的な重量だ。小指が一本ぐらいなくても売り物になる。お前の息子の臓器は他の子供の体内で生き続けるのだ。それだけが救いとは思えないか？

智永は小径を下りきった。空き地にセルシオを止めてある。工場裏へと通じる迂回路《うかいろ》があった。


婦人警官が憔悴《しょうすい》しきった足どりでベンツに戻ったのを見届けると、篤志は破れた資材倉庫の窓から侵入し、奥の広間へ急いだ。

蹴倒されたラジカセとスピーカー。その前の床に、グラウンド・コートが死体のように転がっている。触れてみると感触があった。裏地がすべてポケットになっていて、中綿代わりの札束が顔を覗かせる。おそらく百万ずつの束が百個。数えている暇はない。

「あった。俺たちのもんだ」

篤志はハンド・トーキーに報告をした。笑いが止まらない。「今向かってる」と、運転中らしき智永からの返答。篤志はコートごと金を持ち上げ、ワゴン車へと運びこもうとした。

車の走行音が聞こえた。やけに早いセルシオの到着だった。裏に止まるはずのヘッドライトが、食堂跡のサッシ窓全面を燃えたたせる。そもそもやってくる方向が違っていた。高台を迂回するセルシオは裏の通用門から現われるはずだ。

ヘッドライトの正体はすぐに判明した。車のボンネットがサッシのガラスを吹き飛ばして突入してきた。きらきらとガラスの破片の吹雪。最初に見たのは鼻先のベンツのマーク。一億入りのグラウンド・コートを後生大事に抱えていた篤志は、突然の乱入者を前にして足が止まった。迫りくるボンネットをよけようと、両足でジャンプするのが精一杯だった。背中に衝撃を食らう。一億円が手からふっ飛ぶ。篤志はベンツのボンネット上をトランポリンのように跳ね、地面に叩きつけられた。何が起こったのだ。何がやってきたのだ。分かりきっている答えは、やがて目の前に現われた。車から飛びだしてきた婦人警官がのしかかり、篤志の喉を締めつける。その手に拳銃が握られる。篤志のホルスターから奪い取ったミリタリー&ポリスだった。俺の銃に触るなと篤志は叫びたかった。

「子供はどこ」

婦人警官は鬼の形相《ぎょうそう》だ。俺を心底憎んでいる。これほど他人に憎まれたのはいつ以来だろう。怒れる婦人警官は左手で喉を締めつけ、右手にミリタリー&ポリスをかざしている。やはり女だ。締めつける力が弱い。お前は握力いくつだ？　そんな非力で警察官が勤まるのか？　篤志は嘲笑った。

「言いなさい。子供はどこ」

婦人警官が撃鉄に指をかける。これには篤志も参った。この古い銃は引き金があまい。撃鉄が上がったら最後、いつ暴発してもおかしくないような銃だ、すげえ恐い、篤志は恐怖しながら笑っていた。

「何をへらへら笑ってるの」

公子は撃鉄にかけた指に力をこめた。一発威嚇《いかく》してやろう。この金髪男の度胆を抜いてやる。公子は銃口を天に向けて引き金を絞る。轟音《ごうおん》。銃火があたりをカッと照らし、衝撃が公子の腕から全身にゆき渡り、二人は硝煙《しょうえん》に包まれた。

「なあ、あんた」

銃声にいくらか体をビクッとさせた金髪男は、今や甲高く裏声で笑っていた。「知ってるか？　ボニーとクライド」

こんな時に何の話だ。「言いなさい、子供はどこ」と、公子は無視して喉を締め上げる。

「一人じゃないんだよ、分かるか？」

公子がその意味に気づき、背後に迫る気配に振り返った時だった。手にしているのと同じ拳銃が目の前に横一閃、公子の額に食いこんだ。額を傷つけたのは銃弾ではなく、拳銃そのものの衝撃だった。

公子はふっ飛んだ。金髪男の横にごろんと転がる。朦朧《もうろう》とする公子の視界に、もう一人の若者がいた。悪党は一人じゃない、コンビで存在するという法則を言いたかったのか。公子はもう一人の悪党の、タンクトップからあらわになっている肩口に凶悪な紋章を見た。白く濁った視界になぜかそれだけが浮きでている。公子が見たのは一匹のサソリだった。

胸の隆起。女だ。もう一人の実行犯は女。ボイス・チェンジャーで声を誤魔化《ごまか》し続けたのはこの女だろうか。

サソリを刺青《いれずみ》にしている女が、銃口を公子に向ける。「てめえ殺してやる」と高らかに絶叫、引き金を絞ろうとした。

金切り声が公子の耳に届く。確かに女で、年齢は二十代前半。髪はショート。公子は記憶に刻みつけたが、その記憶自体が吹き飛ばされる運命にあった。サソリの女は公子の頭部に狙いをつけて撃とうとしている。黒々とした銃口はやがて閃光を放つ。

貴之、先にいくわね。公子は瞑目《めいもく》した。

「馬鹿、よせって」

金髪男が女に飛びかかった。と同時に発砲。銃弾はあらぬ方角へ飛んでいった。生きていた。その安堵で公子の意識が急速に暗黒へ向かってゆく。が、失神するのはまだ早いと公子は踏みとどまる。

体を動かす。起き上がって女の腰にしがみつく。こんな反撃に何の意味があるのかと公子は自分でも呆れる。ただ動物的なだけの闘争本能。右手が何かに触れた。女の腰にぶら下がっていた物を公子は咄嗟に摑んだ。

蹴りつける女の足が顎に入った。公子はもんどり打ってうしろに倒れた拍子に、摑んだ物を女の体から引きちぎっていた。意識の白濁が増して右手の感覚も急速に失われていたが、何かを握っていることだけは確認できた。

「何やってるの、行くわよ」

もう一人、ぼんやりした人影が公子の視界に現われた。第三の声も女だった。この声にボイス・チェンジャーの隠れ蓑《みの》を与えたら、あの聞き慣れた声になるような気がする。主犯の女だ。公子は地面に叩きつけられた後頭部を微かに持ち上げ、女の全貌を見ようとした。サソリの女と、彼女をうしろから羽がい締めにしていた金髪男、もう一人はベンツのヘッドライトでシルエットになっている。背の高さ。顔の輪郭。覚えようとしたが駄目だった。

三人の姿がみるみる輪郭をなくしていく。金髪男が両手に抱いているのは一億の現金の入ったグラウンド・コート。三人が公子の前から遠ざかっていく。

サソリの女が一人だけ戻ってきて、公子を見下ろした。赤い唇が開く。

「ポリ女」

そんな俗称があったとは知らなかった。靴底が見えたと思ったら、公子は顔を蹴りつけられた。楽になる。あとは溶けていく意識に身をまかせていればいい。


公子は暗い水の中を漂っていた。投網《とあみ》が投げこまれて、全身がからめとられ、水面に浮かび上がってゆく。網を握っているのは自分。引きずり上げられたのは自分の意識だった。

公子は覚醒した。汚れたリノリウムの床に大の字になっていた。窓を破って食堂に突入したベンツはヘッドライトが点いたままになっている。エンジン音が唸り声をあげている。

そろそろと上体を起こす。顔のあらゆる部分がずきずきした。銃身で殴られた跡はぷっくりと腫《は》れている。こめかみから出血している。唇を切っている。前歯も一本ぐらついた。

時計を見る。午後九時三十五分。ここに到着した時間を公子は思いだす。格闘の末に意識を失ってから、三十分もたっていないことが分かった。

立ち上がり、周囲を見渡し、自分以外の人間の気配がないことを確認すると、公子は凍るような思いに駆られた。金は奪われた。貴之は戻らない。最悪の結果だった。

右手が何かを固く握っていた。指が白くなるほど握りしめている。強《こわ》ばった筋肉を解いて手を開く。キーホルダーだった。ゴム製の怪獣がマスコットについている。

ワンダーランドのキャラクター・グッズだとすぐに分かった。つい最近公開された映画に出てきた怪獣だ。貴之に「見に連れてってよ」とせがまれていたが、約束を叶えてやることはできなかった。たまの休みも公子にとっては睡眠が先決だった。貴之は寂しかったに違いない。公子の涙腺がつんとなる。涙を流す時かと誰かに怒鳴られた。亡き夫の声だった。

どうしてこんな物が自分の手の中にあるのだろう。公子は思いだそうとしてみる。サソリの刺青を入れた若い女に飛びかかった。すぐに蹴り倒されたが、その時、女の腰から掴み取った物だと思いだした。

犯人の遺留品。周りを見渡す。他に何も見当たらない。貴之の声を垂れ流しにしていたラジカセやスピーカーも撤収されている。このキーホルダーだけが手がかりかと公子は絶望した。

確かこれは……カスピ海の海賊が闘った怪獣だ。イグアナに似た風貌から牙をむき、緑色の目をむいた顔が愛嬌《あいきょう》をたたえている。

どこかで見たことがある、と改めて思った。だからワンダーランドのキャラクターだ。映画のチラシにも出ていたし、デパートの売場にも陳列されていたから何度も見ているのだと、公子は内なる疑問に返答する。

いや違う。職業上の記憶として、おぼろげながら焼きついていた。

頭が痛む。公子はそれ以上考えることができなかった。キーホルダーをポケットにねじこんで、座る場所を求めてベンツの運転席に入った。シートに寄りかかると、額と顎と唇の痛みがほぐされていく。エンジンを切って冷たい闇と生気のない静寂にさらされると、公子の全身に敗北感がしみ渡る。自分の非力が呪われてならない。片野坂の言うように、調書をとるしか能のない婦人警官だと思った。

そして全身にのしかかってくる貴之の死の可能性。どうすればいいのだと自分を急《せ》きたてても、答えは見つからない。惚けた表情からみるみる血の気が引いていく。

その時、視界の右隅に点滅する光を見た。警察無線のコール・ランプだった。まだ誰かが自分を呼んでいる。

公子は助けを求めたくて手を伸ばした。無線の相手は裏切った組織。誰が救いの手を差し伸べてくれるだろうか。しかし涙で乞いたかった。

子供を奪われました。だからあなたたちを騙して犯人に金を届けました。だけど金をとられ、子供は返りませんでした。助けてください。

こう詫びれば許してくれるだろうかと、公子は無線器を手にしてボタンを押してみた。相手とつながった。

「つながりました。無線を取ってます」という若い警官の声が聞こえた。相手側の慌てぶりが音だけで分かる。

若い警官に呼ばれて駆けつけた誰かが無線器を取りあげた。

「有働か。有働だな。どこにいる」

研《と》ぎ澄《す》ました刃を隠し持つ声。誰だろう。公子には聞き覚えのある声だった。

「何か弁解することはあるか。お前は捜査を攪乱した。金を奪って犯人に届けた。認めるな」

平静を装った言葉。片野坂の巨体とあばたの頬が思い浮かぶ。「最初から犯人とグルだったんだな。特殊班の婦警を味方に引き入れて、奴らは身代金強奪に成功した。そういうことだな？　いくらずつ山分けするつもりだ」

それは捜査本部の総意なのだろうか。あるいは片野坂だからそう考えるのか。公子は計りきれないまま、無線のボタンから指を離して仲間に助けを求めようとする弱気を追いやった。交信が断たれる間際に聞こえた片野坂の声は、まさに牙をむいた肉食獣だった。

「お前を見つけてやる」

公子は無線器を放りやると、ふたたびシートに後頭部を預け、考えを整理しようと試みる。

片野坂だけでなく、神奈川県警の人間全員の興奮が想像できた。そもそもが警視庁のヤマであり、しかも警視庁の警官が共犯だったとなれば、公子に手錠をかけることに全精力を傾けてくる。警視庁に対する長年の屈辱を晴らす時だ。

ならば警視庁に駆けこめば助けてくれるのか。同僚たちは誘拐された貴之を発見するためにどれだけ迅速に動いてくれるだろうか。おそらく逮捕されれば事情聴取が繰り返され、ようやく自分の話を信じてくれたとしても、広域捜査網は後手に回って貴之は死体で発見されるに違いない。官僚主義の権化《ごんげ》のような益岡が捜査本部に君臨している限り、迅速かつ正確な捜査態勢など期待できない。

公子は警察組織そのものに見切りをつけるように、ドアを開け、警察で最も高価な偽装車両から外に出た。

これまでだって組織に恨みはあった。夫の死を殉職と認めなかった警察。公子は「恨み」を「意地」という言葉に変えて腹の底に沈め、一心不乱に仕事をしてきた。息子のためでもあった。その息子がさらわれたのだから、もう誰に義理立てをする必要もなかった。

このベンツは手配されていて使えない。ならばこの二本の足。しかしどこを目指せばいいのかと公子は途方に暮れる。貴之を目指すのだ。貴之の許に早く駆けつけるのだ。傷つき、あとは消耗品の運命しかない貴之はどこにいる。公子は焦燥感に全身を焼かれた。

ガラスの破片を踏みしめて工場の外に出ると、赤い輝きが視界に滲んだ。丹沢山系の稜線付近に、満月に近い月が赤い光を放っている。大気の状態でそんな色に見えるだけだが、公子の目には、月が放つ炎のように映った。

月は子宮を意味する。何かの本でそう読んだことを、公子はふと思いだした。

ああ、と腹の底から呻《うめ》く。公子は組織から飛びだしても立ち尽くすばかりだった。

11

デビルが貴之の左腕に注射をした。汚れた包帯を取って、小指のない断面に膿《うみ》がないかと注意深く見て、新しい包帯と交換する。それが一日の最後に決まってすることだった。

その間、あゆみは牢屋《ろうや》の奥で縮こまっている。「決して喋るな、二人が喋っているのを聞いたら晩飯は抜きだ」とデビルは上手な日本語でそう言う。

一日一回の注射だとしたら、あれは三日前かと貴之は考える。三日前、麻酔から醒めた貴之は、目の前にいた女の子と恐る恐る言葉を交わし、自己紹介をした。

同じ小学校一年生だった。あゆみと名のった女の子は川崎の私立学校に通っているという。お父さんとお母さんと三人家族で、タイという外国で長い間暮らしていたとひそひそ声で語った。

二人ともズダ袋に穴を開けたものを身につけているだけだった。トイレは蓋のついたバケツで、トイレット・ペーパーが脇に置かれている。それをあゆみの前で使うのは最初は恥ずかしかった。どちらかが使いたい時は、もう一人は目をつぶり、耳をふさぐことに決めた。匂いだけは仕方なかった。

デビルはこまめにバケツを交換してくれる。これで体を拭け、とぬるま湯でしぼったタオルをくれる。だから牢屋の中は意外と清潔だった。

夕飯は残飯をごった煮にした粥。犬が食べるようなものを食べさせられている。

二人は壁から欠け落ちた漆喰で床に字を書いた。お互いの名前から始まって、知っている漢字を替わりばんこに披露した。貴之のほうが多く知っていたのは、毎日たっぷり宿題が出る公立小学校だからだった。あゆみの学校は勉強についてはのんびりしているらしい。

切りとられたのが左手の指でまだよかったけど、この一本がなくなったことでいろんな不自由があるんだろうな、と貴之は思う。きっと学校のみんなには気味悪がられて、仲間はずれにされるだろう。

テレビのドラマで小指のない男の人が出ていたのを貴之は思いだした。黒いサングラスをかけて、頬っぺたにも傷があって、恐い男の人だった。小指がなくなるとみんなああいう大人になるんだろうかと思ったものだ。

切られた時のことを思いだす。金髪の男と、肩に落書きをしている女の人に貴之は押さえつけられた。車の中だったと思う。もう一人、母親と同じ年ぐらいの女の人がいた。「ママにあなたの声が届いたら、助けにきてくれるかもしれないわよ」と言われた。すごく綺麗な笑い方をする人だと思った。が、目に光が多すぎるのか、ふたつの瞳がやたらとギラギラしていて、貴之は恐かった。

小指のつけ根に注射をされると、だんだん感覚がなくなっていった。そのあとにタコ糸をきつく巻かれ、指が真っ白になっていくのがさらに恐くて、貴之は叫び始めた。

目が光りすぎている女が、片手にメスを持った。大きな炎のでるライターで何度も刃先をあぶってから、貴之の小指に刃を入れた。

貴之が顔をそむけて叫んだら、金髪の男に顔を戻された。切られるところをちゃんと見てろ、と言われた。だから貴之は全部見た。痛くはなかった。だが白い指が転がって血がしたたると、吐きたい気分になった。いろんなことを叫んだような気がする。そのうち、またハッカの匂いのする濡れたタオルを口に当てられて、体が宙に浮くような感じで貴之は眠ってしまった。

「もう痛くない？」

あゆみが囁き声で訊く。

「ありがとう。大丈夫」と、貴之も囁き声。あんな食事でも抜かれるのはいやだから、小声で喋ることにしている。

最初の夜は痛くて痛くてたまらなかった。あゆみは流れ落ちる貴之の涙をトイレット・ペーパーで拭いてくれた。三日の間でだんだん包帯も薄くなって、痛みも和らいでいった。しかし今でも小指があるような感じがする。動かしてみても、そこには何もないというのが変な気分だった。体がまだ小指のことを覚えているんだろう。

世界は常に揺れている。片側に揺れると、どこかに「がつん、がつん」とこすれる音がする。あゆみが言うように、ここはどこかの船着き場だと貴之は思う。海の上に浮いているのだ。揺れが昨日より大きくなっているのは気のせいだろうかと思ったら、あゆみもそんな気がすると言う。

波が高くなっているということは、天気がだんだん悪くなっているということだ。自然の本にそう書いてあったことを思いだす。

あゆみが漆喰のかけらで平仮名を書き始めた。喋るのはやめて、字で会話をしようという。

「おとうさんはなにやってるの？」

貴之も漆喰のかけらを持って答える。

「おとうさんはいない」

あゆみが貴之の家族について訊くのは初めてだった。あゆみの家のことならこれまでたくさん聞いた。貴之のほうは、指の痛みにうなされて、身の上話どころではなかった。

「しんだの？　それともりこん？」

「しんだ」

「おかあさんがはたらいてるの？」

貴之は頷く。

「なにしてるの？」

母親の職業は、親友の子にしか喋らないようにしてきた。幼稚園の頃、「タカユキの前で悪さをすると、タカユキのお母さんに捕まるぞ」とからかわれたことで懲《こ》りていた。

でも、あゆみにはそろそろ教えてやろうかと貴之は思う。お母さんの仕事を聞いたら安心するかもしれない。あゆみを安心させてやりたかった。

「けいさつかん」

あゆみは「えっ」と声を発してから、漆喰で書く。

「女のけいさつかん？」

貴之は頷いてみせた。あゆみの口許に、少し震え気味だったが、笑みが浮かんだ。少しは僕と、僕のお母さんを頼りにしてくれたようだ。

「お母さんって、強いの？」

字ではなく、あゆみは囁き声で問いかけてきた。貴之は一瞬、考えにつまってしまった。あゆみの期待している強さではないかもしれない。でもお母さんはいつも強い心で僕と暮らしてきた。貴之は力強く頷いた。


揺れる甲板《かんぱん》にカンテラをぶら下げて、グレイ・ウォンはラジオの天気概況を聞いていた。台風は太平洋の南からやってくるというのに、日本海も時化《しけ》模様になっていた。九三〇ヘクトパスカルの大型台風はまだフィリピン沖だが、このままでは確実に本州直撃コース。明後日には暴風雨圏内だった。

グレイ・ウォンは早く船を出したかったが、智永にストップをかけられている。取引に時間がかかると彼女は言う。次の蛇頭とのコンタクトは二日後、三十キロ先の近海で行なうことになっているが、取引もままならず、天気も悪くなる一方では出港は延期しなければならない。

甲板で月夜を見上げながら、グレイ・ウォンはインスタント麵《めん》で食事を作った。コンロで湯を沸かし、乾麵を入れ、スープを入れ、唐辛子をふたつ投げこみ、最後にナンプラーで仕上げの味つけをする。

払い下げになった烏賊《いか》釣り漁船を改造した密航船だった。

篤志たちと苦労して、船倉に手製の檻を組みこんだ。操舵室《そうだしつ》には贅《ぜい》を尽くし、最新のナビゲーション・システムを入れた。

砂浜から百メートルのボード・ウォークがあり、その先に造られた即席の船着き場に係留していた。砂浜は「建設予定地」の札をつけた柵で囲ってある。蛇頭とつき合いもある地元暴力団の息がかかった場所で、来年、ヨットハーバーが建てられる予定だった。

カリフォルニアのベイ・エリアを思わせるような白木のボード・ウォークだけが、殺風景な砂浜で際立っていた。ヨットハーバー建設に燃える地元水産加工物センターの社長は気が早く、砂浜に高々と旗を掲げている。知り合いのデザイナーが描いたというヨットハーバーのロゴ・マークだそうだ。鯨《くじら》の親子が潮を吹いている絵柄だった。

目立つといえば目立つ場所だが、町の人間は暴力団とヨットハーバー建設との結びつきを知っているから、決して近づこうとしない。このボード・ウォークで二週間に一度、深夜の洋上から不法入国者や密輸品が運ばれてくる。日本各地から集まってくるブローカーが、砂浜にワゴン車を止めて、人や物を積みこんで走り去る。時間にして五分もかからない。地元警察の課長クラスを抱きこんでいる暴力団は、摘発されないことに絶対的な自信があった。

かつてグレイ・ウォンも、人気《ひとけ》のない深夜の船着き場で、長旅で薄汚れた福建省《ふっけんしょう》の男たちを車に乗せる仕事をしていた。密入国ブローカーと呼ばれるグレイ・ウォンは、安い人間にどこまで高値の正札をつけることができるかという仕事に長年知恵を絞ってきた。

チャイニーズ系のタイ人。父は浙江省《せっこうしょう》から国境を越えてタイにやってきて、プランチンブリに流れついた密入国者だった。母はプランチンブリ県クロン・ナムサイ村の女で、その土地は長年、隣国カンボジアの内乱に巻きこまれて被害を受けていた。

クメール・ルージュやヘン・サムリン軍の放つ銃弾や砲弾が村にも飛んできて、多くの村人たちが流れ弾を食らって障害者となった。村の周辺には相当数の地雷が埋められていて、村人がそれを踏むことも日常茶飯事だった。村には一軒にひとつの防空壕がある。戦争の余波をもろに受けても、この過疎の村に人々が留まる理由は、そこが故郷であり、他にどこにも行くあてがなかったからにすぎない。

グレイ・ウォンの妹は、川で行水をしている時、砲弾の破片で死んだ。

林の彼方から真っ赤に燃えながら飛来した鉄片は、すぐ横にいたグレイ・ウォンの鼻先をかすめ、四歳の妹の頭をぐちゃぐちゃに潰した。右脳を全部なくしてもまだ生に執着するように、妹はグレイ・ウォンにすがってきた。宙をさまよう両手は兄に届かず、そのまま川に没した。妹の脳漿《のうしょう》を浴び、今あったことが嘘のような静寂にグレイ・ウォンはしばらく茫然と立ち尽くし、緑の川面がみるみる赤黒く染まる様を見続けた。

国境を守るために村のはずれにタイ軍基地があることが、かえって村人に危険を与えていることを、タイ政府は知ろうとしなかった。母と出会ってこの地に骨を埋めようと決心したグレイ・ウォンの父親は、村近くの基地にいるタイ人将校に「なぜ、我々を疎開させてくれないんだ」と詰め寄ったことがある。

将校は「わが国のために、君たち村人は弾よけの役を果たさなければならないのだ」と当然のように答えた。

村の多くの女たちは、夫が地雷や砲撃で身障者になったあと、一家の生計を支える役目を担わされた。逆に、義足をつけた男たちが子供の面倒をみたり、食事を作るといったような男女の逆転現象がそこかしこに見られた。グレイ・ウォンの家はまだ恵まれたほうで、妹を亡くした以外は、六人家族は全員、五体満足だった。

村人たちは戦争地帯での「人間の壁」役にはもう懲《こ》り懲《ご》りだった。十四歳になったグレイ・ウォンは、半ズボンとサンダル姿で故郷を旅立った。父がこの危険地帯から逃げることができなかったのは、バンコクの麻薬密売でヘマをしでかして逃げてきたからだと知ったのも、家出のきっかけだった。父の逃亡人生につき合わされて、こんな砲弾飛び交う村に一生縛られるのはごめんだと思った。

片田舎から都会に辿りついた。タイ人がクルンテープ（天使の都）と呼ぶバンコク。都会の喧噪《けんそう》にまみれた少年は、路上商売で一宿一飯にありつくしかなかった。

街で知り合った兄貴分にさそわれ、まず体を身綺麗にした。夕方まで子供たちは、捨てられた段ボールで束の間の眠りをとる。ロビンソン・デパートのショー・ウィンドーに明かりがともる頃になると、子供たちはもぞもぞと寝床から這いでてくる。シーロム通りとヘンリー・デュナン通りの交差点、ルンピニー公園の向かい側にある繁華街は、少年たちをつけ狙う小児性愛者《ペドフィリア》たちのメッカである。

最初の客には「ハンバーガーを一個やるから」と誘われた。グレイ・ウォンは食い物にありつくと、言われた通り、男の膝の下に跪《ひざまず》いた。デパートのネオンを背中にして、まだケチャップのついた口でフェラチオをさせられた。

やがてベルギー人が経営しているパッポン・ストリートの売春バーに連れていかれ、同じ年頃の男娼の中に放りこまれた。

タイの売春婦のショー・ウィンドーと呼ばれるパッポンには、ヨーロッパ人が経営するバーも数多くある。そのベルギー人はタイ人の女と結婚して店を持つことができた。外国人は会社の株を四十九パーセント以上は所有できないという法律は、タイ人と結婚してダミーを立てることで簡単にすり抜けることができる。しかも店は、売上げの一パーセントをピンはねしていく警察に保護されていた。

グレイ・ウォンにとっては、肛門に丹念にワセリンを塗っておけば苦痛な仕事ではなかった。

地獄とはこんなことではない。鼻先をかすめた砲弾が妹の頭を石榴《ざくろ》のように割り、その脳漿を顔一面に浴びる世界に比べたら、そこは天国とは言わないまでも、グレイ・ウォンには耐えられる世界だった。ハーブ・エキスのキャンディーを舐《な》めてから一物《いちもつ》をしゃぶってやると、客の男たちは高らかな声で喜んだ。

やがてグレイ・ウォンは、十七歳の兄貴分とコンビを組み、自分の体を売る仕事から、他人の体を売る仕事——人さらいに「昇格」した。二人をスカウトしたのは中国人マフィアだった。

闇の水田地帯をトラックで走り、カンボジア国境の難民キャンプから十歳未満の少年と少女を十二人さらってきて、バンコクの売春宿に送りこむ。手引きをしたのは、難民キャンプの警備に当たっているタイ国軍の兵士である。

小児性愛者《ペドフィリア》はもともと基地売春から始まっていた。ベトナム戦争時代、タイやフィリピンで作られたＲ＆Ｒ（レスト・アンド・レクリエーション）の慰安施設で、疲れた兵士たちが年に何度か休暇を取った。そこで彼らは少女を抱いた。九〇年代に入ってもタイは相変わらず児童売春の供給基地で、エイズの蔓延《まんえん》はそれに拍車をかけた。性的経験がない若い子ならばエイズの心配はないという馬鹿な考え方が、世界各国から小児性愛者を呼び寄せることになった。

古くからタイ北部の山間地帯で女を漁っているブローカーは、農村に育つ四歳から五歳の子供を予約して回り、その子が十一歳になった頃に迎えにやってくる。妊娠している女性に「生まれてくる子供が女の子ならいくら」と手つけ金を払うことをタイ語で「トック・キアウ」と呼ぶ。これは青田を質屋に入れるという意味で、借金漬けの農民の辛さを表した隠語である。

トック・キアウの生娘たちがブローカーによって最初に送りこまれるのは、バンコクの中華街ヤワラートだった。その界隈《かいわい》の冷気茶室《ティーハウス》には、生理が始まる前の処女とのセックスで若返ろうとする華僑《かきょう》の金持ちが多く集まる。

この華僑ビジネスに対抗して、新世代のグレイ・ウォンは別の供給ルートを開拓した。二十歳《はたち》になるかならないかの頃に、すでにいっぱしの密入国ブローカーとして頭角を現わしたグレイ・ウォンが思いついたのは、中国娘の密入国ビジネスだった。

タイの中国系マフィアと密接なコネクションを持つマレーシア側のマフィアにとって、中国娘は「グリーン・ドラゴン」と呼ばれて重宝されていた。経済が不安定で貧しい中国と、繁栄するタイ、そしてタイよりも豊かなマレーシアという三国の差益と、イスラム教の厳しい戒律を利用して、中国雲南省《うんなんしょう》から運びこんだ女たちを高値でマレーシア側に売りつけた。「グリーン・ドラゴン」は一人あたり十万バーツ（五十万円）以上で飛ぶように買い手がついた。

グレイ・ウォンは売春クラブの会員からメンバー料として一万バーツ（五万円）を徴収し、女が警察に捕まった時の保釈金にあてることを考えた。もちろんこの金は女たちの借金に上乗せする。

人身売買の三国間コネクションにこうしたシステムを持ちこんだことで、マフィアの信用を勝ちとった。タイ経由でマレーシア側に中国娘を送りこむ場合は、従来のようなスンガイコロクからの陸路は避けて、海岸沿いを夜に紛《まぎ》れてボートで運んだ。水も漏らさぬ連係プレイによってグレイ・ウォンとその仲間たちは着実に利幅《りはば》を広げた。

中にはアジトから逃げようとする女もいる。グレイ・ウォンは容赦せず、部下に青龍刀《せいりゅうとう》を持たせて女の手首を切り落とし、見せしめにした。

一人無駄にしてしまうことになるが、残りの女たちに恐怖政治を敷くことができた。手首のない売春婦は、異常性癖の客がやってくる巣窟《そうくつ》に放り込めば、それなりに金を生む。

恐怖政治。意識操作。これが女たちを操るコツだった。

あゆみや貴之を檻の中に閉じこめ、ズダ袋だけをかぶせ、犬の餌のような食事を与えることにも同じ意味がある。人間から理性を奪い、動物的生存本能だけを剝きだしにしてやれば、やがて何でも言うことをきくことをグレイ・ウォンは知っている。

三国間ビジネスに成功したのも早かったが、撤退するのも早かった。若い女の失踪事件が頻発《ひんぱつ》し、エイズの脅威が広がるにつれて、中国雲南省の警察要人がタイ警察に協力を要請し、三国間に根を張り巡らす売春コネクションにメスが入ることになった。法規制も強化されると見ると、グレイ・ウォンは長年の兄貴分に商売の権利をあっさり譲った。

次に狙いをつけたのが、日本への不法就労者密入国の仲介だった。

バブル経済時代は、日本にアジアから大量の出稼ぎ労働者が流れこんだ。人手不足にあえぎ、3K仕事を若者たちが嫌う日本の肉体労働市場では、観光ビザで来日して働く不法就労者を半《なか》ば黙認していた。ところがバブルが崩壊してからはてのひらを返したように、不法就労者の締めだしと流入阻止に当局は動いた。まずバングラデシュやパキスタンなどとのビザ相互免除協定を停止して、ビザ発給を厳格なルールで行なった。アジア諸国の航空会社には日本の入国ビザがないと乗客に搭乗券を発券しないよう、通達をした。出稼ぎ目的の外国人を出発口で厳しくふるいにかけたのだ。

グレイ・ウォンはバンコク国際空港の空港幹部に賄賂《わいろ》を送り、ビザを持たない人間でも日本行きの搭乗券が取れるよう旅行会社に働きかけてもらい、独自の裏ルートを作った。もちろん密入国者にとっては通常より割高のチケットとなる。

あとは日本側の税関、つまり出口をどう切り抜けるかだった。そこでグレイ・ウォンは、日本の入管手続きの実務全体を調べ、ひとつの抜け道を発見した。

「寄港地上陸」という規定がある。これは在留資格なしの上陸が許される例外規定のひとつで、航空機を乗り継ぐ乗客に七十二時間以内の上陸を認めている。要するに密入国希望者を成田でいったん「寄港地上陸」させて、空港の外に出たらそのまま姿をくらませるという方法である。

残る問題は、空港の入国審査官をどうやって欺いて「寄港地上陸」のスタンプを押させるかだった。

グレイ・ウォンは知恵を振り絞り、まずバンコクを基点にして、成田を乗り換え地とする架空の観光コースを作った。ツアーは成田に夜到着する便を利用し、次の便との待ち合わせが長時間に及ぶように設定することで、空港内で乗り継ぎ便を待つトランジットではなく、寄港地上陸が認められる必然性をでっち上げた。

入国ゲートを正面から堂々と出て、密入国者たちは空港の外へと消えた。グレイ・ウォンとバンコクで知り合った日本のやくざが、出迎えのワゴンを用意していた。こうして彼らの鞄だけが機内に置き去りとなる。中身はただの水のペットボトルと古米。バンコクの出国ゲートを抜けるための目くらましの道具にすぎない。

最初の作戦が成功した時は、これまで経験したことのない快感にうち震えた。作戦を練る楽しさと、日本の役人を騙す喜び。グレイ・ウォンは密入国ビジネスのスリルにますますのめりこんでいった。

日本の暴力団と協力し、グレイ・ウォンは車泥棒にも手を伸ばした。トラクターが畑に置きっぱなしになっている埼玉や群馬の農村地帯を車で通りがかった時、思いついた商売だった。

これまで密入国の手引をしてやったタイ人たちを集め、まずクレーンつきのトラックで畑に乗りつける。深夜のうちにトラクターをワイヤーで釣り上げてトラックに乗せて走り去るという組織的な手口だった。牛や人力で農作業をしている東南アジアの農民にとって、日本製トラクターは魔法の機械だった。田舎から盗んだトラクターは、暴力団の息のかかった関東近郊の工場で解体して、横浜港からコンテナで輸出をした。解体するのは足がつかないようにする意味もあるが、部品にしたほうがコンテナに多く積みこめ、輸送費用が安くなるからだった。

防犯意識が薄く、物を大切にしない金持ち日本人は、グレイ・ウォンにとっては願ってもないカモだった。

日本に居ついて様々な闇商売に手を出したグレイ・ウォンは、外国人が日本社会で働くことを基本的に「悪」と見る日本の法律に挑戦するが如く、犯罪社会の深みに入っていった。

東京の街中を歩いていると、日本人は中国や韓国の人間を「外国人」と呼ぶ。ところがアメリカやヨーロッパの白人には「外人」と言う。この使い分けは何なのか、と最初に思った。「外国人」と「外人」では明らかにニュアンスが違う。

日本人は無意識のうちに、過去の経緯から気を遣わなくてはならない相手であるアジア系の人間を「外国人」と呼ぶのだとグレイ・ウォンは理解した。つまり日本人は「外人」と呼ぶと蔑称《べっしょう》にあたるのではないかと心配する相手には、「外国人」という丁寧な言い方をする。小心さを抱えながら相手の足許を見ることに長《た》けている日本人を、徹底的にカモッてやろうとグレイ・ウォンはその時思った。

三国間売春シンジケートで知り合った中国人マフィア、そして密入国者供給で手を組んだ日本の暴力団。このふたつの縁によって、次の商売が花開いた。

中国人を大量に密入国させる台湾マフィア蛇頭と、不法入国者を求めている日本の暴力団、両者の利害を結びつけた。

蛇頭は、船の舳先《へさき》に蛇をあしらって魔よけとした海賊の末裔《まつえい》で、近年は中国福建省の沿岸を本拠として海上強盗、密貿易などを行なってきた。これが中国人密航組織として肥大化したのは、中国での改革開放政策が進められるようになってからである。

蛇頭は出発地でチャーターした漁船などに密航者を乗せて海を渡り、そのまま日本の海岸に接岸したり、洋上で小舟に乗り換えて上陸する。蛇頭はひとつの組織のように思われているが、そうではない。地元で密航者を募る「勧誘蛇頭」と、公海を越えて日本近海まで密航者を引率する「付添蛇頭」、そして密航者を出迎えて安全な隠れ家に案内する「出迎え蛇頭」と、専門ごとに分業されたプロの集団である。この三者が密航の時だけひとつのルートを形成する。蛇頭自身は、陰湿な感じのする「蛇頭」という呼び方を嫌い、密航者にはオーナーの意味である「老板《ラオパン》」という名称で呼ばせている。

蛇頭が日本の暴力団と組んだ最大の理由は、日本の港に接岸できる密航船を手配してもらうためだった。「出迎え蛇頭」を日本の暴力団にまかせることで、摘発される危険を避けることができる。この方法を可能にしたのが、最新鋭の航法装置の普及だった。衛星からの電波を受信して自分の船の位置を測定する最新のナビゲーション・システムを船に積みこむことにより、夜間の洋上での「付添蛇頭」と「出迎え蛇頭」の合流が容易になった。

グレイ・ウォンが間に立って交渉をまとめ、日本の暴力団には、密航者が支払う成功報酬の五分の一にあたるマージンが支払われることになった。成功報酬を二百万とすると、暴力団に払う報酬は一人あたり四十万円。一回五十人を運べば、それだけで二千万の収入になる。

しかし大型密航船を仕立てるとなると、密航者の数合わせだけでも大仕事になる。赤字を出さないために、「勧誘蛇頭」はこれまで海外の出稼ぎとは縁のなかった農民や漁民、女や未成年者たちを言葉巧みに誘うようになり、中国の公安当局に追われている犯罪者や、かつて日本から強制送還された密航のリピーターまで乗せるようになった。

密航者たちは貨物船のコンテナに閉じこめられ、小さな空気穴しかない蒸風呂のような独房で三週間の船旅を耐えなければならない。警察は海上保安庁とともに水際作戦にでたが、摘発できるのはごく一部にすぎなかった。

東南アジアから日本へ、という蛇頭のルートを逆に使ったらどうだ。この単純かつ明快なアイデアをグレイ・ウォンに授けたのが、六本木で知り合った澤松智永だった。

蛇頭の仕事から足を洗って、ある日本人外科医と組んだ臓器密売で大儲《おおもう》けを企んでいたグレイ・ウォンは、ドナー不足を幼児誘拐で賄《まかな》おうとする智永の大胆な発案に、最初は呆気に取られた。

が、よくよく考えてみると、タイでの幼児売買ルート、そして蛇頭と日本の暴力団の協力態勢、自分がこれまで犯罪社会の中で培《つちか》ってきた人脈を余すところなく利用できることに思い当たった。

すべての人間はひとつひとつの「部品」として売買できるというグレイ・ウォンの考えに、智永は目を輝かせた。特に子供の場合は需要度が高い。子供を切り刻んで売り物にするという発想を、女が抵抗なく受け入れたことがグレイ・ウォンには驚きだった。母性のかけらもない女がそこにいた。

闇を飛ぶ黒い蝶。それがグレイ・ウォンが智永に抱くイメージだった。

黒いベッドの上を智永はいつ果てることもなく淫《みだ》らに動く。いくら自分が上になって智永を攻めたてても、自分が抱いているのではなく智永に抱かれているのだとグレイ・ウォンは感じてしまう。最後の高まりに近づくと、智永の両手の指先が腰に食いこんでくる。男の腰を操縦桿《そうじゅうかん》のように引き寄せ、離し、絶頂に導いていく。

智永の次の排卵日はいつだろうか、とグレイ・ウォンは指折り数えてみる。二週間ほどあとだ。はたして二週間前の排卵日に智永は誰を抱いたのだろうか、と心当たりの男の顔を思い浮かべた。

下腹部がズボンの中ではちきれそうになる。熱く脈を打ち始めた気分を鎮《しず》め、あやし、グレイ・ウォンは波の音と頭上の星だけに意識を集中させる。智永が仕掛けた大博打を成功に導くため、犯罪計画を混乱させかねない邪念を閉じこめた。

するとく黒い蝶は微かな羽ばたきをグレイ・ウォンの耳に残し、意識の闇に溶けこんでいった。

12

世田谷区中町《なかまち》の閑静な住宅街に位置する玉川署は、改築して間もない六階建ての新庁舎である。益岡が会議室の窓から見下ろすと、正面玄関前に記者の乗るハイヤーが次々と横づけされているのが見えた。

一時間前、桜田門の捜査一課の広報が事件の進展を記者発表したのを受けて、午前九時、玉川署の捜査本部にテレビ媒体を除くマスコミが大挙詰めかけた。

報道協定はまだ機能しているので記者たちはすぐに記事を書けないものの、彼らは協定解除後の紙面のために「夜討ち朝駆け」の取材に奔走している。その甲斐あって現場警察官から知ることのできたいくつかの情報が、記者たちを激震させた。

記者会見のために用意された部屋に入り、捜査本部の責任者として益岡が座った。記者たちの口角《こうかく》泡飛ばす質問の嵐にさらされることになった。

——前夜、身代金が犯人側に奪取されたと考えていいわけですね？

「身代金の運搬をするはずの車両が行方不明になっているとしか、今のところ答えようがありません」

――犯人側からの連絡はそれ以後ないのですか。

「ありません」

――犯人側が現金運搬車両を襲い、車ごと一億円を奪ったということでしょうか。

「鋭意《えいい》、捜査中です」

――運搬役に指名された特殊班の婦人警官も行方不明なんですね？

「そうです」

――ある現場警察官の話によると、運搬役の婦人警官が犯人側を手引きした疑いがあるとのことですが。

「そうした事実は確認されていません」

――身代金を運ぶことになった婦人警官は、捜査一課の特殊犯捜査係、いわば誘拐捜査の専従捜査員ですね。

「犯人が指名してきたのが彼女でした」

――被害者対策として、被害者の母親を電話口で演じた婦人警官ですよね。

「そうです」

――共犯者が、被害者の家族の最も近くにいたということでしょうか。

「特殊班の捜査員が共犯者だったのではないかという疑惑は、まったくのデマです」

—誘拐犯が身代金奪取に成功したとなると、日本警察としては戦後発生した百三十余件の誘拐事件で五件目の汚点になりますが、それについての感想は。

「犯人検挙に全力を尽くすだけです」

—神奈川県警との縄張り争いのため、配備が思うように実行できなかったという反省はありませんか。

「確かに当初の段階で、県警との軋轢《あつれき》がまったくなかったとは言いませんが、幹部会議で話しあいを繰り返し、善処してきました」

—ならば今回の配備の失敗は益岡本部長お一人の責任というわけですね。

「なぜそのような短絡的な結論になるのか、理解できません」

—府中市から運搬車が突然南下を始め、多摩市と町田市を縦断する時には配備が手薄になっていたという話が聞こえてきています。これは本部長の判断によって、捜査員を北に集めすぎたことが原因だと思われますが。

「…………」

—犯人側は、配備の盲点を知り尽くしている特殊班の婦人警官を仲間に引き入れ、包囲網を突破して現金奪取に成功した。これが最も筋の通った説明になると思うのですが。

「コメントできません」

補佐役の山瀬が十五分の会見を時間通りに切りあげ、益岡は押し寄せる記者に揉みくちゃにされながら会議室を出た。バレンチノの背広の肩口が二センチ破かれ、靴が踏まれて脱げ落ちた。

捜査会議は益岡の激昂《げっこう》から始まった。

「この中に、新聞記者に内部状況を流した人間がいるはずだ！」

バレンチノは総務部の婦人警官が縫っている最中で、雛壇の真ん中ではワイシャツ姿だった。

徹夜の捜査で二時間ほどの仮眠しか取っていない捜査員たちは、益岡の顔が怒りで歪むさまを物珍しそうに見ている。

「身内の恥をさらすのがそんなに楽しいか。恥を知れ恥を。括弧《かっこ》で現場捜査員の談話と記される新聞記事を読むたびに、何とも情けなくなる」

怒っているのか、愚痴っているのか、自分でも分からない口調になった。

「本部長」

捜一課員が陣取るテーブルから曽根が立ち上がった。「有働公子が犯人側に加担していると見るのは時期尚早《しょうそう》だと思います。本部長も先ほど、新聞記者相手にそうおっしゃったはずです。我々の士気にも影響しますので、軽はずみな言動は慎《つつし》んでいただきたい」

この発言にほとんどの捜査員が拍手喝采したい気分のようだ。上司であろうがキャリアであろうが、筋の通らないことには牙を剝くのがこの刑事の真骨頂である。

「あの婦警の教育係は君だったと聞いているぞ」

益岡は曽根を睨《ね》めつけ、筋の通った反撃を試みた。「有働公子は配備を攪乱して逃走したあと、無線に一度は応答したが、呼びかけにも応じることなく行方をくらました。共犯でないとすると、彼女はなぜ、最も信頼しているはずの君に連絡をとることなく消えたままなんだ。納得いく説明を聞こうか」

「分かりません」

「分からんで済むか。特殊班に抜擢《ばってき》されたあの女を一人前の捜査員にしたのは君なんだろう？　そもそもミイラ取りがミイラになるような素養があの女にあったのではないかと、少しは過去を振り返って考えてみたんだろうな」

「考えましたが、思い当たることはありません。ひとつだけ考えられるのは……」

曽根は自信なさそうな表情だったが、説明を試みた。「同じ年頃の子供を持つ母親として、被害者の一家に同情して、子供を取り戻すために金を犯人側に届けてやったのかもしれません。金は届けたものの子供は返らない。自分の独断がそのような結果を招いたことに責任を感じて、捜査本部に連絡ができないのではないかと」

「それで？」

益岡は聞き入った。今考えられる説の中で一番説得力がある。

「しかし、責任を感じるなら我々に連絡を入れ、自分の非を詫びた上で、犯人と接触した時の状況を報告し、包囲網の強化を願いでる人間です。自分の失敗を自分一人で解決しようとする心意気は、決して被害者のためにはならないと冷静に判断できる人間です。少なくとも私はそういう捜査員に育ててきたつもりです」

「なら、何がどうなってるんだ！」

益岡は髪をかきむしりたい気分だった。せっかく一本筋が通ろうとしていたことを、言いだした人間が自《みずか》ら却下したことに苛立った。

場に白々とした静寂が落ちてきた時、見計らったようなタイミングで警電が鳴り、所轄の刑事課長が取った。

「うん……うん……うん……。それで県警はすでに動いてるんだな……。分かった。本部長にお伝えする」

どんな進展があったのか。益岡も捜査員全員も注目する。電話を置いた刑事課長が報告を始めた。

「厚木市郊外の工場跡地で、身代金運搬車両が発見されました」

皆が身を乗りだし、一斉に衣《きぬ》ずれが起こる。

「金は」と益岡。

「ジュラルミン・ケースだけを残して消えていました。ベンツは暴走の末に工場跡のガラスを破っていました。有働公子と犯人側に何らかの争いがあったと思われます」

「県警は手配を始めたんだな」

「現場から半径十キロに捜査員を配備しているそうです。特に厚木市内に重点配備です」

益岡は県警の捜査員十人がいるテーブルのほうを振り向いた。捜査本部に出向している彼らは針のむしろだろう。

そこで益岡は、おやっと思った。あの顔がない。二度と見たくない顔だったが、その人間の不在は薄気味悪い思いに駆りたてる。

「片野坂警部補はどうした」

県警の捜査員が立ち上がった。

「昨夜から走り回っています。有働公子が最終的に目指した場所は厚木市近辺ではないかと、今朝の時点で片野坂警部補から報告を受けています」

やや得意げに報告した県警の人間を、益岡は皮肉っぽく見返した。

「初耳だね、それは」

「片野坂警部補一人の考えに、いちいち捜査本部が振り回されるのは忍びないと思いまして」

嘘をつけ、情報の丸抱えではないかと益岡は言いたかった。この期に及んで、県警はまだせこい縄張り争いをしている。

「ということは、片野坂君は今頃、車が乗り捨てられた現場にいるということか」

益岡が命令もしていないのに動きだす人間たちがここにもいた。「向かいます」曽根の特殊班が部屋を飛びだしていった。県警の管轄内でどれほどの捜査権が保証されるか分からないが、少なくとも偽装車両の持ち主である捜査一課は現場検証に立ちあうことができる。

特殊班の席が空っぽになったあと、山瀬署長の進行によって各班の報告が始まった。益岡は上《うわ》の空だった。

警視庁の捜査員が共犯であるという状況に、あの飢えた猟犬のような県警の刑事の面目躍如《めんもくやくじょ》たる姿を想像していた。

片野坂は有働公子に手錠をかけることに奔走することだろう。どんな地取《じど》り捜査で運搬車両の目的地が厚木市郊外と特定できたのか分からないが、あの刑事は優秀だということは間違いはない。県警が捜査本部に片野坂を出向させた理由が、益岡は初めて理解できた。

問題児を投げこむことで警視庁に嫌がらせをしようとしたわけではない。片野坂は犯人検挙のための切り札になりうる刑事だった。

猟犬の活躍によってこの捜査本部に金星がもたらされるのかと、益岡は計算を始めた。

13

公子は本厚木駅前の大型スーパーに、開店時間早々、飛びこんだ。服の汚れを落として客の行列にまじると、見事に主婦の色に染まった。

婦人服と婦人雑貨のコーナーで必要なものを籠《かご》に素速く放り入れ、レジで支払いを済ませた。上古沢から市内まで、徒歩でひと晩かかった。その間に買うべき物を頭でリストアップしていたから、売場では迷わなかった。

買った物を小脇に抱えて、婦人トイレの個室に入った。

閉じた便器の蓋の上に物を並べ、まずドア上のフックに手鏡をぶら下げる。ハサミを右手に持ち、切るべき髪の長さを左手で定める。一気にハサミを入れて、肩まであった髪を十センチばかり切った。個室の床にばさりと黒髪が落ちた。

ショート。いや、もっとだ。外見を変えるために、ベリー・ショートまで思いきった。

そろそろ手配を受けている頃だ。自分の写真を持って地取り捜査にあたる同僚たちの姿を想像する。人事の資料に記録されている写真とは似ても似つかない姿に変装しなければならなかった。

次々にハサミを入れる。長さが不揃いになっても、それさえヘア・ファッションに見せる髪型がある。個室の床に黒髪の山ができる。

次に毛染め液をパッケージから取りだす。使うのは初めてだった。よく説明書を読む。付属のビニール手袋をはめて、櫛《くし》で髪を小分けにして、染めたい部分だけを持ち上げ、液を櫛で馴染ませる。液が髪に浸透するまで二十分待つ。便器の蓋に座って何も考えない。二十分たった。トイレのフロアに人気がないのを確認して個室を出て、洗面台で髪を洗った。また個室に戻って髪を拭いて手鏡を見ると、茶色のメッシュがやや雑に入っていた。

公子にはひとつのイメージがあった。デザイナー・スクールを出て、都心の若者向けブティックで働いている二十四歳の女。渋谷署の防犯課にいた頃、よくセンター街から井《い》の頭《かしら》通りにかけて見かけた人種である。

十歳若くなるために、次は服装。セールになっていた衣料品売場で買い揃えた。黒のストレッチ・パンツにVネックでコットン地のサマーセーター。アクセサリーとして首にチョーカーを巻く。

仕上げは化粧。パールっぽいアイシャドーで目許を微かに光らせ、ベージュの口紅を薄く引いた。これで完成。

脱いだ衣服を紙袋に突っこんだ。財布と警察手帳と犯人の遺留品のキーホルダーをパンツのポケットにしまうと、個室の外に出た。ちょうどその時、公子が目指した二十代半ばのブティック勤務のような若い女がトイレに入ってきた。公子はフロアに棒立ちになった。自分を同類と認めてくれるだろうかと、入ってきた女を見つめる。女は公子を一瞥《いちべつ》しただけで個室に消えて鍵をかけた。

洗面台の鏡を見てみる。田舎《いなか》から上京してアパレル業界にもぐりこんだものの、どうしてもあか抜けないまま、ファッションだけは時世に合わせた二十四歳、一人暮らしの女が映っていた。

　こんなところかと思い、備えつけのゴミ箱に紙袋を突っこんだ。

　そうだ、もうひとつアクセサリーがあることを思いだした。犯人の腰から奪い取ったキーホルダーをストレッチ・パンツのベルト通しにぶら下げた。

　鏡を改めて見る。ワンダーランドのキャラクター・グッズを腰につけている姿は、幼児趣味か、先端のファッションに通ずるのか、公子はよく分からなかった。

　だが、肩にサソリのタトゥーを入れた女がつけていたのだから、ミス・マッチの面白さというものがあるに違いないと思った。

　どこで見たのだろう、と例の疑問がふたたび首をもたげる。ワンダーランドのグッズということで知っているのではなく、何度か職業上のひっかかりとして、公子はこのキーホルダーを以前に見ていた。

　どうしても思いだせないもどかしさを棚上げにして、公子は一階の食料品売場に下りた。空腹は感じなかったが、栄養補給のために何か口に入れなければと思った。

　消化のよいバナナ。士気を鼓舞《こぶ》する時に齧《かじ》るレモン。疲れた時のあまい菓子パン。そしてミルク。

　冷蔵コーナーの蛍光灯に照らされた色とりどりのミルク・パックを目にした時、脳裏に電撃が走った。

今、腰につけているキーホルダーを以前どこでどういう形で見たのか、公子はまざまざと思いだした。記憶のダムが決壊して流れだしてくる感覚だった。

ミルク・パックの箱に子供の写真が印刷され、『この子供を見かけたらご連絡ください』と書かれていた。失踪した子供の手配写真を親が自費でパックに印刷するというのは、ひと頃、アメリカで流行った方法だ。生活用品に写真を載せることが効果的だという統計結果を踏まえたもので、公子は日本でそれが行なわれていることを氷川台のスーパーで知った。

ミルク・パックの写真は、その時初めて見たものではない。記憶は次の記憶につながった。子供の写真を初めて見た時の、自分を取り巻いていた風景だった。まず緑が……日比谷公園の新緑が視覚に甦った。緑の間を吹き抜ける風も嗅覚に甦る。松本楼のテラス。在庁時の暇な昼下がり、公子がランチを食べながら手元で開いたファイル。

捜査資料だった。今年五月、ワンダーランドで行方不明になった五歳の少年。父親が撮影した最後の写真に、同じキーホルダーが写っていた。

スーパーから徒歩五分、公子はファッション・ビルの建物の隣にパソコンの量販店を見かけた。ちょうど一階フロアの奥で富士通の新製品の展示会が行なわれている。

「いいですか、自由に触って」

店員は愛想よく椅子を勧めてくれた。すでに起動しているFM-Vからインターネットを通じ、警視庁のデータベースにアクセスする。全国の捜査資料を網羅《もうら》している情報処理センターだった。

複数の画面に対応したパスワードを打ちこみ、ファイアー・ウォールと呼ばれる厳重なセキュリティの関門をくぐり抜け、自分の階級と氏名が画面に載った瞬間から時間との闘いになる。

情報処理センターが目こぼしをしてくれるとは思えない。広域手配になっている有働公子の存在がその瞬間に明らかとなる。どこから捜査資料を閲覧しているのか判明し、捜査員が駆けつけてくるだろう。すぐ近くに厚木署がある。

フロア奥の通用扉を見た。関係者以外立入禁止の札が掲げられているが、通り抜ければおそらく商品搬入口だろう。公子は店の表を見る。営業のサラリーマンが朝一番の仕事の前にふらっと立ち寄り、店員が応対している平穏な光景があった。そこにやがて所轄の制服警官が押し寄せてくる。公子は警視庁から県警への連絡が遅れてくれることを祈った。

両手の指を閉じ、開き、公子は準備運動を終えると一気呵成《いっきかせい》にキーを叩き始めた。ＩＤ番号が埋まると、階級と氏名が自動的に挙がった。『警視庁捜査一課・第一特殊犯捜査係・巡査部長・有働公子』

警察官の不祥事が多発していることで、警務部監察室の意向により、要注意人物のＩＤ番号はブラックリストに載る。ただし、まだ試験運用の段階でシステムはすべて整っていないため、ブラックリストに載ったパスワードでもアクセスだけはできる。

今、桜田門に二十四時間常駐している管理者はどう反応しただろうか。

ダウン・ロードされた捜査資料の閲覧はウィンドウズ対応になっていた。

『連続幼児失踪事件』『ワンダーランド』

検索項目にキーで打ちこむと、すぐ反応した。画面は「お待ちください」となって、低い電子音を奏でて資料がめくられた。

早く、お願い早く、と公子は画面を凝視する。桜田門から玉川署にいくまで一分、連絡を受け取った人間が益岡に伝えて、厚木署に命令が下るまで三分、近くの交番から警官が駆けつけるまで一分……計五分の猶予があれば幸運なほうだろう。


片野坂は国道246号線、厚木市文化会館前の信号で車を止めていた。昨日まで行動をともにしていた高津署の後輩刑事は別班に追いやった。刑事は二人一組で行動しなければならないが、片野坂は単独行動をとっていた。

今日未明に厚木市郊外の採石工場跡でベンツを発見したあと、ずっと厚木市周辺を覆面車両で流していた。仮眠は車内で二時間。携帯電話で一度だけ、自宅に電話を入れた。

留守番電話になっていた。この時間にいないということは、妻はまた実家に帰っているのだろうと思った。結婚十年目で子供はいない。

「有働公子、発見」の連絡を受け取ったのは、徹夜の疲れと夫婦関係の疲れが一緒くたになって気力を奪おうとしていた時だった。

有働公子は外部から警視庁の情報処理センターにアクセスしたらしい。センターの管理者は警報を鳴らし、玉川署の捜査本部にダイヤルインした。すぐに厚木署の刑事課に「管内のパソコン・ショップに有働公子が潜伏中」と報告が届き、厚木市内を警戒中のパトカーに指示が下ったのだ。

自分自身の血の色を思わせるような赤色灯を偽装車両の屋根につけ、片野坂は一般車両を徐行させて本厚木駅前に急行した。

ウィンドウズ画面に連続幼児失踪事件の三件目の資料が載った。

この写真だ。公子は身を乗りだす。五歳の子供がキーホルダーの怪獣と顔を並べるようにして立っている。子供はカスピ海の海賊を真似して、ピストルの形にした右手を怪獣の頭に突きつけている。ミルク・パックに印刷されていた写真と同じものだ。

あゆみと貴之を営利目的で誘拐した犯人は、白いワゴン車を共通項とした三件の幼児拉致事件の犯人と同一人物……とみて間違いなかった。

公子は迫りくる所轄の外勤警官の存在を感じた。パトカーの音が遠くから聞こえてくる。

マウスで資料をスクロールした。ワンダーランドの被害者の名前は古賀直樹。この写真を撮った父親は古賀英寿。住所は横浜市神奈川区高島台。公子は素速く頭に叩きこむと、ダウン・ロードされた資料を消去し、パソコンのスイッチを切る。あとは疾風だった。席を立って裏の通用門の扉を押したちょうどその時、店の正面に外勤警官三名が現われた。パソコンを扱うコーナーを店員に教えてもらって警官たちが足を踏みだした時には、公子がくぐった通用扉は音もなく閉まった。

公子は通路から商品運搬口を抜ける。商品搬入の仕事をしていた店員にはうさん臭く見られたが、無事に店の裏通りに出ることができた。

周囲に目を配りながらファッション・ビルの前から表通りに出ようと角を曲がったところで、外勤警官による職務質問の光景に出くわした。生命保険のセールス・レディのような女性が身分証明を求められ、免許証を見せようとしている。

公子は大きく深呼吸をして怯えをかみ殺し、ガムを嚙んでいるように口をくちゃくちゃと動かし、二十四歳のあか抜けない女が物々しい警官の様子に顔をしかめる、というリアクションを演じた。警官を無視したりすると逆に怪しまれる。

外勤警官と目があったが、そのアンテナに公子は引っかからなかった。警官はすぐに公子から目をそらして、セールス・レディの免許証を確認する。

公子は表通りに出て駅前に向かおうとした。赤色灯をつけた三台の覆面車両が通りをやってくるのが見えた。もつれた足どりで方向転換、表通りからふたたび路地へと折れた。

片野坂はあとふたつ信号を抜ければパソコン・ショップに到着できるというところで、署活系無線の報告を受けた。有働公子はパソコン・ショップからすでに逃走したあとだったという。

「バカ野郎」と低く呪いの言葉を洩らし、片野坂は現場一帯の緊急配備を命じた。現場の命令系統を握っているのは所轄の刑事課ではなく、有働公子を追う捜査本部の人間である。高津署の人間であっても、片野坂は玉川署の合同捜査本部に在籍する県警捜査員として、厚木署管内で権限を振るうことができる。

「身長百六十二センチ。年齢三十四歳。白い長袖シャツにベージュのスラックス。肩まで伸びた黒髪」と、最後に見た公子の特徴を署活系無線で徹底させた。

「該当する女性を見かけたら職質をかけろ。発見した地点から半径五百メートル以内を封鎖。繰り返す、中肉中背で三十歳代の女性に注意せよ」

パソコン・ショップ前に停車すると、運転席から放たれ、店のフロアに乗りこんだ。先に到着していた外勤警官に状況を訊いた。

店員の話によると、確かに女性が一人訪れ、パソコンをいじっていたという。片野坂は「この女性でしたか」と、広域手配の電送写真を見せた。青い制服姿の有働公子が凛とした面持ちでカメラに向かい、巡査部長の階級章を胸につけている。最近撮られた人事資料の写真だった。

「いえ」と、一度見ただけで店員は首を振った。

似ても似つかない女だったという。もっと若く、髪を茶色に染め、高価な服には見えなかったが流行のファッションに身を包んでいたと店員は語った。

「変装だ」

片野坂は独りごち、職務質問をする対象の年齢を二十代半ばまで下げるよう無線で連絡をした。

有働公子は単独で行動している。犯人側に協力した人間がなぜ、犯人と別行動をとっているのか。採石工場跡の様子から見ても、有働公子と犯人グループには何らかの争いがあった。仲間割れということか。

そして新たなる疑問が片野坂に芽生えた。有働公子は変装している。つまり逃亡者であることを覚悟している。なぜアクセスの場所が特定される危険性がありながら、パソコンで警視庁のデータベースに入ったのか。そもそも彼女が見ていた捜査資料は何だったのか。

「片野坂です。有働公子は逃走したあとでした。現在、付近一帯に緊急配備をしています」

淡々とした口調で携帯電話で玉川署の捜査本部に連絡を入れた。逃がしたことで嫌味を投げかけられる前に、片野坂は用件を言いきった。「警視庁の情報処理センターの管理者に、有働公子が閲覧していた捜査資料が何だったのか、至急、報告させてください」

14

妻が家を去って、もうずいぶんになる。洗面台に残されていたピンクの歯ブラシも、息子とお揃いで買ったサンダルも捨てた。手荒れがひどいため妻が流し台で使っていたビニールの手袋も、古賀英寿には必要なかった。

去年の夏を思いだしてみる。購入したばかりの建て売り住宅が向日葵《ひまわり》の花で埋め尽くされていた。猫の額ほどの庭に息子の直樹が種を蒔《ま》いたらしく、幼稚園の夏休みが始まる頃に一斉に花を咲かせたのだ。古賀の妻はそれを花瓶に活け、玄関を、ダイニングのテーブルを、トイレを、家中を真夏の色で染めあげた。

妻と直樹の頰に、向日葵の黄色がてかてかと照り返っていた。家庭を色にたとえるならと訊かれたら、古賀は迷わず向日葵の黄色だと答えるだろう。

直樹はもう見つかりっこないわ。どこかで死んでいるに違いないわよ。

諦めは妻のほうが早かった。

古賀はワンダーランドを何度も訪れ、あのベンチに座って失踪当時の記憶を掘り起こそうとあがいた。ミルク・パックに直樹の写真を印刷し、時を同じくして失踪した二人の子供の親を訪ねて情報交換をしてみると、どの現場でも不審な白いワゴン車が目撃されていることが分かった。ワンダーランドのパーキング係は、死んだように眠りこけた子供が助手席に乗せられていたと証言した。しかし白いワゴン車のナンバーまでは覚えていなかった。

駆けずり回る古賀の姿を尻目に、妻は家に閉じこもったまま息子のアルバムを眺めるばかりだった。

「あなたは元気ね」

足を棒にして帰ってきた古賀に、妻がそう言った。「いつになったら直樹のお葬式をやってあげられるの?」とも言った。

妻の肩を摑んで「しっかりしろ」と揺り動かす古賀は、元気づけるつもりが、妻の顔を殴っていた。そうやって諦めることで直樹を殺しているのだ、誰よりも早く直樹を死なせているのはお前だ、と口走っていた。

畳にうずくまった妻は、怨念のこもった目で見上げた。

「どうしてあの時、一緒にトイレに行かなかったの」

古賀は二日酔いでベンチに寝転んでいた。トイレに行きたいという直樹を「一人で行けるだろう」と追いやったのだ。

言葉の刃で傷つけあう日々が続いた。

実家に帰った妻から離婚届が送られてくると、古賀は驚きもせず躊躇《ためら》いもせず、事務的にサインと捺印《なついん》をして区役所に提出した。自分たち夫婦をつなげていたものは直樹だけしかなかったことを、その時痛感した。

大手出版社・文洋社の事典部に勤務する古賀は、毎年出版する『現代用語総覧』という事典の編集に携《たずさ》わっている。「今、世界で何が起こっているか」という視点で編集され、その年の流行にも目を配り、内容の五分の一は毎年リニューアルされる。これから社会人になる若者が基礎教養を身につけるために購入するという評判が定着し、文洋社の隠れたベストセラーになった。

息子が失踪してから、古賀は上司に無理を言って、自宅で仕事をさせてもらうことにした。家を昼間、留守にすることはできない。息子がある日ふらっと帰ってきたら、迎えてやる親がいてやらなくてはならない。その一心だった。

上司の理解を得て、部下が集めてきた資料を自宅のパソコンで編集し、電子メールで社に送り返すという日々。重要な打ち合わせの時は、部下が自宅まで足を運んでくれる。

会社に部下が出社する時間、古賀は自宅のパソコンを起動させて仕事の態勢になる。メールでやりとりをして、専門家から集められた文章や取材結果をまとめ、事典のひとつひとつの項目を作り上げていく。

「金融破綻」を四百字でいかに説明するか、「ＤＶＤ」が従来の映像機器とどう違うかをいかに要約するか、たった一人の空間でキーを叩いている間は無心になれる。こういう形で仕事をさせてくれる上司に感謝をし、迷惑をかけている部下たちには済まないと思った。

昼、食事で家を空ける時も、古賀は玄関に鍵をかけない。自分がいない間に直樹が帰ってくるかもしれない。帰ってきた直樹がすぐに靴を脱いで、家で寛《くつろ》げるようにしてやりたかった。

帰宅して玄関ドアを開ける時、今日こそ中から「お帰り！」と直樹が声をかけてくるのではないかと期待する。が、鍵のかかっていないドアを開けても、三十分前と変わらない静寂がそこにあるだけだった。

今日も反町《たんまち》駅前の中華食堂で空腹を癒《いや》し、夕飯の買物をして家路についた。近所の主婦と会釈を交わす。彼らの視線も気にならなくなった。

お子さんがいなくなったことをニュースで知った。奥さんもいなくなったようだ。ご主人は自宅付近で毎日見かける。仕事はどうしているんだろう。そんな近所の連中の興味を満たしてやる必要はない。

玄関を開ける。その音に「お帰り」と迎えてくれる人間はやはり、いるはずもなかった。が、今日の静寂は違った。土間に立った瞬間に、家に異物が紛れこんでいることを察知した。ポロシャツから伸びる腕に鳥肌がたつ。侵入者の痕跡が真下にあった。見知らぬ黒いスニーカーが、慌てて脱いだように土間に転がっていた。

気配はやがて、正体を見せた。

奥のダイニングから女が現われる。妻の変わり果てた姿かと一瞬思った。短い髪をところどころ茶色に染めている。サマーセーターをさっくり身にまとった年齢不詳の女だった。自分は別の家に間違って足を踏み入れたのか。いや、家を間違えたのは女のほうだ。

「どちら様ですか」

玄関にいる人間が、廊下に立っている人間にそう問いかける。お互い立っている場所が逆だった。

「古賀英寿さんですね」

風貌に似つかわしくない、低く落ち着いた女の声だった。女はズボンの尻ポケットから黒革の手帳を取りだした。金文字で「警視庁」とある。ますます似つかわしくない。

「鍵がかかっていなかったので、もしや何かあったのではないかと思いまして……。失礼しました」

廊下に突っ立っている女は、緊張した表情にぎこちない照れ笑いを浮かべた。古賀は家にあがり、女と相対した。

「見ていいですか」と警察手帳に手を差し伸べた。

黒革の表紙だけでは信じられなかったのだ。中身を見せてもらうことにした。女は「どうぞ」と差しだす。長い紐《ひも》で手帳と女の体がつながれていた。

証明写真があった。制服と制帽。駐車違反をしても、いかにも融通のきかなそうな婦人警官の顔。目の前の女と見比べる。どうやら同一人物のようだが、仕事上の変装にしては綻《ほころ》びが目立つ。髪の色も化粧も本人に馴染んでいないように思える。

『警視庁捜査一課・巡査部長』と肩書きが写真の下にあり、警視庁のスタンプが押されていた。偽物ではなさそうだった。

「どんなご用件ですか」

手帳を返した時、先ほど粟《あわ》だった肌が別の悪寒《おかん》で覆われた。直樹が見つかったのだ。この女は息子の死を告げにやってきたのだ。おぞましい思いで古賀は息苦しくなった。


父親は死刑判決を待つような顔になった。警察と知って全身で防衛している男の姿だった。早く誤解を解いてやらなければ、と公子は思った。

「ある誘拐事件との関連で、息子さんがワンダーランドで失踪した当時のことをお訊きしたくて、お邪魔しました」

「直樹が見つかったわけではないんですね」

無精髭を伸ばしている父親は、期待と恐怖がない混ぜになった表情でこちらを探り見ている。無事で見つかったわけでもなく、死体で見つかったわけでもないことを理解したようだ。

「違います。申し訳ありません」

古賀は強ばった頬にホッとしたものを浮かべたあと、落胆めいた表情になった。ダイニングへ先に入り、公子にテーブルの席を勧めた。

ドア口で綿埃《わたぼこり》が舞う。ダイニングに続くリビングの窓から、くすんだ太陽の光が差しこんでいる。外は晴れていたはずなのに、ここに差しこむ陽光は曇天《どんてん》模様を思わせた。窓が汚れているのだとすぐに分かった。台所の流しに食器や鍋が山になっているのが見えた。収集日に出すのを忘れたのか、ゴミ袋が転がっている。子供がいなくなっただけではなく、主婦も存在しない家庭だった。長男の失踪から夫婦の破綻までさほど時間はかからなかったに違いない。

「おかまいなく」

公子の言葉をよそに、古賀はコーヒーメーカーに作り置きしてあったコーヒーをカップに注ぎ、シュガーとミルクを添えてだしてくれた。来客用のカップがカウンターに並べられている。お茶をだすのに慣れている自営業者か何かを思わせる。捜査資料によると、古賀英寿は文洋社勤務のサラリーマン。ウィーク・デイのこの時間に在宅していること自体が不思議だった。

「私服の刑事さんとは……」

感嘆なのか、失望なのか、テーブルの向かい側に座った古賀はいつしか値踏みの目になっていた。こんな恰好で警察手帳を見せたら当然だろうと公子は苦笑した。

「捜査一課の特殊犯捜査係という部署にいます。企業恐喝や誘拐を扱うところです」

「誘拐事件の関連、とさっきおっしゃいましたね。それは最近の事件ですか」

「報道協定が結ばれていて、まだ報道されていません。十日ほど前です。被害者は七歳の女の子でした」

「それが、直樹の失踪とどういう関係が……」

どこからどこまでを説明してよいのか、公子は考えあぐねた。最初から筋道だって話すより、まず例の物を見せてやるべきかもしれない。

「これ……見覚え、ありますね」

サマーセーターの裾で隠れていた物を、ベルト通しから外してテーブルに置いた。カスピ海の怪獣のマスコットがついたキーホルダーを見るなり、古賀は額を矢で射抜かれたような顔になった。手に取り、ゴムの感触を確かめる。

「息子が……あの時」

痛みをともなう追憶のようだった。「あの時、買ったものだ」

「ええ。ミルク・パックの写真や捜査資料で見ました。もちろん、息子さんが手にしていた物かどうかは分かりません。全国で何百万と出回っている人気のアクセサリーです」

古賀はそれを手に、ためつすがめつしている。いなくなった長男のぬくもりを搾《しぼ》りだそうとしているように見えた。

「誘拐事件の容疑者の遺留品です。これを身につけていたんです。もしかしたら、と思いました」

「つまり、こういうことですか」

古賀は混乱したまま論理的思考に自分を駆りたてている顔つきだった。「川口の宅間均史君、入間の福島真美ちゃん、そしてワンダーランドの直樹……。三人が続けざまにいなくなった五月の連続失踪事件の犯人が、その誘拐事件の犯人と同一人物であると」

「はい。このキーホルダーが唯一、私に残された手がかりなんです……」

公子の苦渋の思いを、古賀は敏感に察知した様子だった。「警察に残された」とは言わず、「私に残された」と公子は言った。この女も何か個人的な痛みを抱えていると古賀が感じたとしたら、子供を奪われた者同士の本能的なシンパシーともいえる。

「犯人が身につけていた物を、どうやって手に入れたのですか」

「身代金受け取りの現場です。はずみでした」

「犯人と接触した……?」

「そうです」

質問する者とされる者が逆転している。「犯人一味と格闘した際、体からこれをもぎ取りました」

そろそろ順序立てて話すべきだ。被害者対策として母親役をやったこと、犯人の指示で身代金受け渡しの任務をまかされたこと、犯人側と接触したが金を奪われたことを公子は手短かに説明した。

古賀は納得にはほど遠い様子だった。

「そんなことがあるんですか。警察が包囲している中で、犯人が身代金を奪って逃げたなんて」

「現場周辺に警察の配備はありませんでした。私は犯人の要求通りに動き、警察の追跡を振りきって金を届けました」

古賀はぽかんと公子を見つめる。なぜ、それほどまで犯人の要求を尊重したのかと怪訝に思ったようだ。公子は正直に告げることにした。

「私の息子も彼らに誘拐されたんです」

涙声になりそうなところを堪える。「だから、彼らの要求に従うしかなかったんです。その時の私は警官ではなく、一人の母親でした。百パーセント信じられる人間が周りにいない以上、単独で行動するしかなかったんです。身代金の受け取り現場で犯人と接触できるのであれば私にもチャンスがあると考えました。今思うと、あまい見通しでした。金を届けても子供は返らなかった。残ったのはこのキーホルダーひとつです」

細部はともかく、古賀は事件の全体像は飲みこめた様子だった。すると眼差しに希望が芽ばえる。さらに二人の子供がいなくなるという事件が起こったおかげで次の展開を迎えることを、古賀は期待しているようだ。

「こんなキーホルダーは誰もが持っている……」

ゴムの怪獣を睨みつけた。古賀の言う通りだ。誰もが買うことができる。ワンダーランドのファンならば持っていておかしくない物だ。それが最も現実的な考え方である。人さらいの女にも寓話《ぐうわ》に憧れる純真な気持ちがあったって不思議ではないと、公子も思う。

「だが……僕も婦警さんと同じ考えです。子供を奪われた親の直感だ。息子が持っていたキーホルダーに違いないと、僕は今、思いこむことができる。こんな嬉しいことはない。この思いこみにしばらくすがっていられるんですから」

自分を哀れむかのような微笑みだった。

「とにかく時間がありません。私は今頃、広域手配を受けているはずです」

「出頭して、本当のことを話したらどうですか」

「警察内部か事件の関係者に、犯人と内通している人間がいます。私が警察で話すことは相手側に筒抜けになります。配備が始まった頃にはすでに、犯人は高飛びしているでしょう。私が一人で動いている限りは、犯人グループは私がどこから攻めてくるか分からない」

「このキーホルダーが事件の核心につながるというこちらの考えが相手側に分かってしまうと、連続失踪事件と誘拐事件の接点となるものは残らず処分されてしまう。直樹がもしどこかで生きているとしても痕跡はすべて消される。そういうことですね」

子供たちが生きていたとしても、その時点で始末されるだろう。証拠湮滅《いんめつ》という意味もあるし、逃走する際に子供が何人もいては足手まといになる。

「ミルク・パックに写真を印刷して情報を募った親御さんなら、警察で知りえないようなことをご存じかもしれないと思いました。私は被害者対策の中で、楢崎あゆみちゃんについて多くのことをお母さんから聞いています。私たちが持っている情報を照らしあわせて何か共通項が出てくれれば、犯人像が浮かびあがってくるかもしれない」

「パック印刷の写真で集まった情報は二百三十八件です」

淡々と古賀は言う。収穫がなかったことはその口調で公子にも分かった。

「その九割は匿名《とくめい》の悪戯でした。人買いに捕まって香港《ホンコン》あたりに売られたに違いないとか、北朝鮮の軍服を着た男たちにさらわれたのを見たとか、毎日飲んでいるミルクに辛気《しんき》臭《くさ》い写真を貼るなというお叱りのメールもありました」

「ひどいですね」

「残り一割の情報提供についてもすべて裏をとりましたが、犯人に直接結びつくような手がかりはありません。打つ手なしという状況でした。まさかそんな時に、このキーホルダーに会えるとは思わなかった……」

内からみなぎるものが、生気の乏しかった古賀の表情に鋭い輪郭を与えていた。「こちらにどうぞ」と公子を隣の仕事部屋に案内してくれた。

パソコンが二台あり、書籍とゲラの束が雑多に積まれた六畳間だった。光の入っているマッキントッシュは仕事中の文章で埋め尽くされていた。古賀はもう一台のエプソン機を起動させる。ミルク・パックに印刷されていた息子の写真と、川口と入間で行方を絶った子供二人の写真が、モニター周りにテープで留められている。失踪事件の情報収集に使っているパソコンなのだろう。

リビングから持ってきた椅子を自分の席の斜めうしろに置き、公子に勧めた。古賀は軽快なキー操作で楢崎あゆみのファイルを作ると、公子に質問を始めた。

「あゆみちゃんの生年月日は」

「ええと……一九九一年七月四日、出生地は母親の実家、埼玉県大宮市です」

すらすらと口をついて出てきた。楢崎あゆみの母親を演じた十日間は無駄ではなかった。

15

練馬区氷川台の官舎。曽根は管理人から鍵を借り、有働家のドアを開けた。

公子が行方を絶ったことが確認された未明から、練馬署の警官がアパートを見張っていた。パトカーが一台、道に止まっている。

むっとする室温を顔に感じた。食べ物の腐った匂いが台所から立ち上っている。カーテンが閉ざされた二DKは廃墟を思わせた。奥の部屋には二段ベッド。子供のパジャマが無雑作に脱ぎ捨てられている。

外階段の足音に振り返ると、持田が学校での聞き込みを終えて駆けつけた。

「……どういうことだ、これは」

部屋の様子に持田も怪訝な顔になる。

「子供は家にいるはずだと担任教師が言ってました。昨日母親から電話があって、風邪で寝こんでいるということです。家にいないということは……入院でもしているんでしょうか」

もし重病なら有働から何らかの相談があったはずだ、と曽根は思う。事件の真っ只中であっても便宜《べんぎ》を図ることはできた。公子はそんなことで遠慮をする婦警ではない。

「ランドセルがないな」と持田が気づいた。学校に行ったまま帰ってこなかったことを物語っていた。

有働家の緊急連絡先として、特殊班の名簿にはもう一ヵ所、電話番号が記されていた。

相沢知子は小竹町に住んでいる公子の友人だった。ここから徒歩で十五分ほどのマンションに住んでいて、公子が仕事で徹夜の時は、有働貴之の面倒は相沢知子が見ていたという。

曽根は電話で朝一番に訪問したい旨を相沢知子に伝え、持田とともに覆面車両で小竹町に向かった。

環七沿いの瀟洒《しょうしゃ》なマンションだった。曽根は部屋に上がらず、玄関で話を聞く。相沢知子は夜型人間のようで、曽根から電話があった十分前に起床して、急いで身繕《みづくろ》いをした様子だった。公子と同級生だというが、デザインの世界で生きている女性らしく、仕事に疲れていても、働く女性の張りのようなものが感じられる。

「タカちゃんには先週の金曜と土曜の晩にごはんを作ってあげました。金曜はあっちのアパートに私が泊まって、土曜はタカちゃんがこっちに泊まっていきました」

相沢知子は淀《よど》みなく説明した。「日曜は会っていません。月曜日にまた夕飯を作ってあげようとしたら、午後の三時くらいにファクスが届いたんです。お母さんがもう帰ってくるから大丈夫って」

十四日の月曜日といえば、公子は楢崎宅に張りついて一時たりとも動けなかった時だと曽根は思い返す。

「そのファクスはありますか」

「もう捨ててしまいました。いつものタカちゃんの字でした。でも昨夜も公子は言ってましたよ。タカちゃんは目の前で寝てるって」

「昨夜?」

「昨夜というか……十七日の午前三時すぎです。公子からの電話で起こされたんです」

郵便で小指が送られてくる日の未明だ。曽根と持田と公子は交代で仮眠をとっていた。午前三時というと、公子が持田と交代してワゴン車の仮眠所に入った頃だ。

「彼女は何と」

「タカちゃんが今日一日何をしてたのか教えてほしいって」

「貴之君は部屋にいると言ったんですね？」

「ええ。目の前で寝てるって」

仮眠時間中に氷川台までやってきたのだろうか。時間的にはあり得る。

「電話ではどんな様子でしたか」

「私もやっと眠りについた時に起こされたもので、どうしてそんなことで夜中に電話してくるんだろうって思いましたけど。まあ一週間も息子と離れていたんだから、無理もないですね」

相沢知子も心配を募らせる。「あの……タカちゃんに何かあったんですか？　公子はどうしてるんですか？」

二人の行方を探しているので話を伺いたいと言って、曽根と持田はここにやってきた。心配になるのは当然だと曽根は思う。今の段階では何も話せないのがもどかしかった。

「ありがとうございました。また何かありましたら電話させていただきます」

不安げな顔で見送る相沢知子を残し、曽根と持田は辞去した。

「部屋長、これは何かありますね」

覆面車両の運転席に入り、持田は低く唸った。

有働公子と有働貴之。母と子が一度に消えた。彼らの身に何が起こったのかと、曽根はどんよりした不安感に苛《さいな》まれた。

片野坂は玉川署の捜査本部にいた。

捜査員たちは上古沢の採石工場と本厚木のパソコン・ショップに散っている。捜査本部は県警と静かな綱引きをしながら有働公子の足どりを追っている。連絡係として会議室に残っている数名は皆、片野坂を遠巻きにして近寄ろうとはしない。

片野坂はファクス機の前で三本目の煙草に火をつけた。覚醒剤中毒者の禁断症状に似ていると後輩に揶揄《やゆ》された左手が、開いたり閉じたり、それ自体が独立した生き物のように片野坂の体の末端で激しくうごめいている。

警視庁の情報処理センターからのファクスを待っていた。有働公子がパソコンで閲覧した捜査資料は何だったのか。それが分かれば彼女の足どりが摑めるという確信があった。

三十分前にこの捜査本部に戻った時、警視庁に戻る益岡と廊下で鉢合わせになった。

「君には期待していたんだけどね」と、キャリア本部長はあからさまな皮肉を片野坂に投げかけた。本厚木のパソコン・ショップで有働公子を取り逃がした件だった。それは部下を鼓舞する時の上司の物言いだ。この男は何を勘違いしているのか、と片野坂は失笑してやり過ごした。

県警との合同捜査本部という体裁を取っていない以上、片野坂は県警から出向になった人間として警視庁の指揮下に入っている。嚙みくだいて言えば、片野坂の手柄は警視庁の手柄になる。

当初、県警と警視庁の軋轢《あつれき》については、益岡は片野坂のスタンド・プレイを理由に県警側に責任を押しつけた。今では、ひと晩で厚木市郊外の採石工場の現金運搬車を発見した片野坂の手腕を高く評価し、停滞状況を打破する切り札のように考えている。

このままでは報道協定が解かれたあとに、捜査本部の失敗が徹底的に槍玉にあげられる。犯人グループの検挙と被害者の保護が達成できれば、これまでの失点は回復できる。そのためには優秀な捜査員の独断専行も厭《いと》わない。今の益岡にはなりふりをかまう余裕はないのだろうと片野坂は合点《がてん》がいった。

鉄砲玉として片野坂ほどうってつけの人間はいない。いざという時は「片野坂の失敗はすなわち県警の責任」と都合よく論理展開できるからだ。

益岡の思惑は透けて見えた。どちらの手柄になろうが、片野坂に興味はない。身代金奪取に成功した誘拐犯を自分の手で逮捕できればよかった。欲をいえば、共犯者として手錠をかけた警視庁の婦人警官を連れて、警視庁の門をくぐることができたら、片野坂にとっては最高の気分になるだろう。その時は警視庁の通用門を通らず、晴海《はるみ》通りに護送車を止め、手錠姿の有働公子を引き連れ、報道関係者が花道を作る中を歩いてやろう。玄関で出迎える益岡は顔面蒼白。有働公子を引渡す時に、「ここまでしろとは言わなかったろう」と益岡の恨み節が聞けるかもしれない。片野坂は「あとはよろしくお願いします」と踵を返して去っていくのだ。

白日夢《はくじつむ》を楽しんでいる片野坂がふと見やると、遠巻きにしている所轄の捜査員が、何を笑っているんだろう、という目で盗み見ていた。

ファクスが着信の音を奏でた。

片野坂は笑顔を消して立ち上がる。送付表に「玉川署捜査本部御中／発信・警視庁情報処理センター」とあった。「有働公子巡査部長が端末で閲覧をした捜査資料を送ります」とメモがついている。

片野坂はファクスされてきた計二十ページの資料を、機械から吐きだされてくるその場で読んだ。

それらの事件ならもちろん知っていた。今年五月に連続して発生した幼児失踪事件だった。川口、入間、千葉。どれも東京近郊で起こっていた。共通点は、現場で目撃されている白いワゴン車。

ワンダーランドで失踪した子供の父親は、自費で子供の写真をミルク・パックに印刷して情報を募った。ひと頃、週刊誌でも紹介されたことがあるが、めぼしい目撃情報もなければ、捜査の進展もないと片野坂は聞いている。

この一連の事件と楢崎あゆみの誘拐にどんな関連があるのか。有働公子は何を確かめたくてこの捜査ファイルを開いたのか。まさかこの三件と同一犯人だというのだろうか。身代金目的ではない犯人と、一億円を要求して見事奪取した今回の犯人にどんな接点があるのか、片野坂は考えあぐねた。

古賀英寿の現住所は横浜市神奈川区。県警の管轄だった。片野坂が誰にうしろ指さされることもなく動ける範囲内にある。


「あゆみちゃんは両親の帰国に先立って、日本に慣れさせるために大宮のお祖父《じい》ちゃんの家で暮らすことになった……」

公子は思いだす。

「大宮のどこですか」と古賀。

「ええと確か……櫛引町《くしひきちょう》二丁目、自衛隊の駐屯地の近くです。行ったことはありますか?」

「いや……ない」

公子と古賀の、情報を照らしあわせる対話は二時間以上続いていた。接点は見つからなかった。毛穴という毛穴から疲労感が滲みでてくる時間をともにしている。

楢崎一家がタイで三年間暮らしていたという話に古賀が身を乗りだした。古賀も雑誌の取材で一度、新婚時代の旅行で一度、楢崎一家が駐在している頃、バンコクに行ったことがあるという。しかし水上マーケットを取材する旅と、タイシルクに目を輝かせていた妻との旅、どちらの旅も楢崎一家と接点を持つことはなかった。

　時系列に沿って話を進めるものの、公子は思いだしたように、「そういえば、あゆみちゃんは生まれた頃……」と赤ん坊の頃に話を戻したりする。

「あゆみちゃんは風邪ひとつ引かない丈夫な子で、医者にかかることも滅多になかった……」

「それは聞きましたよ。赤ん坊の頃に手がかりはない。うちの子が生まれた時は、あゆみちゃんは二歳だ。うちの親戚で大宮に住んでいる人間はいないし」

「いいえ、そうではなくて」

「第一、あゆみちゃんは三歳でタイに行ったわけだし」

「話を最後まで聞いてください」と公子は制した。疲労と緊張がせめぎあっている二人は、言葉尻を捉えて苛立った。

「去年の十一月の話です。医者知らずの子供だったけど、あゆみちゃんは交通事故で入院しています」

「交通事故？」

　古賀は肌をつねられたように反応した。

「どうかしましたか」

「うちの子も今年になって、事故に遭いました。いや、とにかく続きを」と古賀は先を促した。

「十九歳の大学生が運転するバイクに接触して、右の大腿部に全治一ヵ月の怪我をしました。骨折箇所が腰に近かったので後遺症が心配されたそうですけど、救急病院の医師が適切な処置をしてくれたおかげで、順調に回復をして……」

公子は捜査報告書にも書いたことを、ひとつひとつ慎重に思いだしながら語る。

「どこの病院ですか」

「香澄さんの実家の近くの病院です。ええと確か」

偶然にも夫の出身大学の付属病院だった、と香澄が言っていたのを思いだした。「首都大学付属大宮総合病院です」

「なら違う」

古賀は肩を落とした。「うちの子が事故に遭ったのは、今年の一月、運びこまれたのは川崎市中原区の等々力《とどろき》愛成《あいせい》病院です」

「等々力といえば、二子玉川とは多摩川を隔てた場所……」

「楢崎一家が二子玉川に居《きょ》を構えたのは春頃でしょう。関係ありませんよ」

公子は両目を押さえた。昨夜の肉体的な消耗と二時間たらずの睡眠は、思考力に厚い膜をかけている。緊張感を途切らせてはならないと自分を鼓舞する。

「直樹君はどんな状況で事故に？」

「女房の友人一家と等々力の緑地公園に遊びにいった時、直樹の信号の不注意で乗用車とぶつかったんです。ブレーキが間にあわず、直樹は後頭部からアスファルトに叩きつけられて……出血がいくらかあったものの、CTスキャンで内出血は認められなかったので、全治二週間で済みました。だけど事故に遭った直後は、妻は慌てふためいたようです。何しろ直樹は特殊な血液型だったので」

「特殊な……？」

「RhマイナスのAB型です。日本では三千四百人に一人という稀《まれ》な血液型ですから、輸血の準備に時間がかかったんです。ちょうど愛成病院の救急担当に来ていた医師が、大学病院から保存血液を急いで取り寄せてくれたおかげで……」

「ちょっと待ってください。その医者は愛成病院の人間ではなかったんですね？」

「そうです。いわゆるアルバイトってやつでしょうか。救急病院の休日や深夜の診療は医師の副収入になるそうですから」

「何という方ですか？」

「医師の名前ですか？　ええと……冨家《とみいえ》先生です。妻と二人で先生の自宅にお礼に伺ったことがあります」

二人は黙りこくった。公子と古賀はその時、同じ可能性を頭に描いていた。医師がアルバイトとして様々な救急病院を渡り歩くのは珍しいことではない。医師が所属する大学の医局、その人脈によってアルバイト先の病院は決まるという。あゆみは大宮の病院、直樹は川崎の病院だった。場所は違っても、一人の医師によって結ばれるとしたら、と考えてみる。

「電話、お借りします」

公子はまず番号案内で、大宮の首都大学付属病院の番号を聞いた。その番号にかけると、救急の受付に内線を回してもらった。

咳払いをひとつして、楢崎香澄になりきった。

「恐れ入ります。私、楢崎と申しますが。去年の十一月、そちらの救急で治療をしていただいた娘の母親ですが……。そうです、その節は大変お世話になりました。実は、治療をしていただいた先生に充分なお礼もできないまま退院してしまったので……。それがですね、私も慌てていたもので、お名前をお訊きするのもうっかりして……申し訳ありません。もう一年近くたつのにこんなお電話を……お手数おかけします、よろしくお願いします」

公子は小心な母親を演じた。電話に出た看護婦が勤務記録を調べてくれるという。横から古賀が「名前は富家です」と念を押す。公子は頷き返す。その名前がはたして電話の向こうから聞こえてくるか、じっと待った。

看護婦が電話に戻った。

「……そうです、救急にかかったのは十一月の末頃です。ええ、楢崎あゆみです。で、担当の先生は……」

　看護婦が名前を告げると、公子の背中がピンと伸びた。「そうでした。思いだしました。冨家先生です。ありがとうございました」

　公子は「お礼状を書くため」と称して自宅の住所も聞いた。メモを横から眺めていた古賀は、見覚えのある住所に大きく頷く。

　電話を切った公子は拳を握り締めた。

「つながった」

「間違いない。あの冨家先生だ。自宅は杉並区永福《えいふく》」

　古賀は手帳を開いた。冨家の自宅の電話番号が記されているようだ。直樹の治療の礼に訪ねた時、冨家の妻は感謝の気持ちがこんな菓子折りひとつか、と言わんばかりの応対で、いかにも医者一族のお嬢様に生まれたような、患者一家を見下ろしている印象の女性だったという。

　古賀は電話をしてみた。

「その節は大変お世話になりました。先生は今日どちらの病院に……」

　会話はすぐに終わった。素っ気ない返答だったようだ。古賀は電話を置いて公子に言った。

「品川区旗《はた》の台《だい》の永和《えいわ》大学付属病院」

車のキーを持った。公子が頼んだわけではなかった。古賀は公子の「足」となるだけでなく、もう一人の追跡者として名乗りをあげた。

16

智永は黒いベッドに一億の現金を並べた。

「マックイーンが女房のアリ・マックグロウと一緒に、金をばらまいたベッドに寝そべったシーン……あれ、何だっけ」

篤志が札束の壮観な眺めを上目遣いに見て、泉水に訊く。

「『ゲッタウェイ』でしょ。ペキンパーが監督したほうの」

「じゃあ問題です。二人が悪玉たちと銃撃戦をやった町は？」

「メキシコとの国境近くの町、テキサス州エルパソ。ローリンのホテル。三一八号室」

「さすが」篤志がにやりと泉水を仰ぎ見る。

ブリーフを下ろした篤志の体に泉水がまたがり、腰から尻にかけて湿布《しっぷ》を貼ってやっていた。ベンツのボンネットの上を跳ね上がり、地面に叩きつけられた際の打撲だった。この程度の怪我で済んだのは運がよかった。

「先生、一回だけでいいからやらせてよ、ベッドに金の雨を降らせるの」

積み上げられた札束のひとつに篤志が触れると、智永がぴしゃりと叩いた。

「数えてるの」

「一億円あるってば、ちゃんと」

「これ、山分けにするのはいいけどさ、頭数《あたまかず》は何人」と泉水。

「五人よ」

「あたしら三人とグレイ・ウォン……もう一人は、あいつ？」泉水の声が引っ繰り返った。

「何をしたって言うんだよ、あいつが」篤志も口を歪めて不平を唱える。

「もうすぐ来るってさっき電話があった」

札束を数え終わった智永は冷蔵庫を開け、銀のクーラーに氷を放りこむとスミノフを突っこんだ。

「俺たちのすることにいちいち反対してたじゃねえか、あの野郎は」

「半分は蛇頭に。残りの五千万を五人で分ける。一人一千万ずつ。文句ある？」

篤志と泉水は口をとんがらせ、黙った。

「で、いつ使えるの、これ」

サソリのタトゥーを掻きながら泉水が言う。安上がりで描いてもらったため、汗をかくと猛烈に痒《かゆ》いらしい。

「蛇頭の連中にはそのまま渡してやる。彼らは独自のルートで金を洗濯するだろうし。私たちの分は、試しに三ヵ月ぐらいたったら大阪あたりで十万ほど使ってみよう。もちろん変装して、ミナミのクラブあたりで」

「また俺かよ」

また髪を染めなければならないと篤志がぼやいた。

「旧札でも番号がチェックされている危険がある。風俗あたりで派手に十万使えば、必ず警察のチェックが入って、報道もされる。そこで『誘拐犯、大阪に潜伏《せんぷく》か』と新聞に載れば、この金の価値は半分に下がると見ていい。グレイ・ウォンの裏ルートでマネー・ロンダリングができたとしても、経費で半分は消えるから」

スミノフが冷えたところを見計らって、智永は自分のグラスに注ぐ。篤志と泉水はさっきからハイネケンを飲んでいた。

「じゃあさ」

泉水が猫のように目を輝かせ、囁《ささや》き声で言った。「もう一回、やりゃいいんだよ」

「簡単に言ってくれるわね」

篤志と泉水は実行部隊として、この数ヵ月、一度も頭を使ってはいない。考えるのはもっぱら智永とグレイ・ウォンだった。

「搾りとれるだけ搾りとってやりゃいいんだよ」

と篤志も乗ってきた。「まだまだ出すよ九条物産は。駄目もとでやってみりゃいいんだよ。

連中を揺さぶってやってさ、金がとれそうになったらブンどる」

「どうやって」

財布から金は出たとしても、問題は奪う方法だった。「別の刑事の子供を誘拐する？　同じ手はもう使えないのよ」

「裏取引すんの」と、ろくに考えもせずに泉水が言う。

「誰との裏取引。一度警察が動いたら絶対に引かない。ここまで奴らの面子を潰したんだから尚更よ。警察は九条物産の動きには神経を尖らせている」

「大丈夫だって」

篤志が自信ありげに言った。「俺たちには味方がついてるんだから」

智永はふつりと黙った。篤志が「だろう？」と同意を求める。確かに智永たちには心強い味方がいた。警視庁と神奈川県警の縄張り争いが身代金受け渡し現場を混乱させていたことも、味方からの報告で知ることができた。噂されていた両者の根深い確執はやはり本当だったのだと分かり、智永は婦人警官を利用した身代金奪取計画に自信を深めた。が、これ以上、味方を頼っていいものか、智永には判断がつかなかった。

「大丈夫だよ、先生」

世の中の欺瞞《ぎまん》も矛盾も十四歳ですべて見通しているのではと思えた、あの時の眼差しと同じだった。あなたとこんなことになっちゃって、もう教師として失格ね、と足を絡ませ、智永が同じ毛布にくるまって苦笑まじりに呟いた時、篤志は口にしたのだった、今と同じ台詞を。

「大丈夫だって、先生」

実は大丈夫ではなかった。智永は後に体育教師に解剖用のメスを突き刺して、教師をやめた。しかし少年の単なる気休めの言葉が、ある時期、智永を支えていたのは事実だった。

これが潮時だ、欲をかくな、と智永の頭の中で誰かが諫めている一方で、もう一度、九条物産と保険会社から金を奪いとれる可能性はあるだろうか、と計算が始まっていた。

「あの婦警のガキはどうすんの」

篤志が顔をしかめて訊く。智永が小指を切りとった時、篤志は「げろげろ」と言いながら目をそむけた。血を見慣れていない男は、いざとなるとああだ。

「これから長い旅にでてもらう」

「でも一人だけ運ぶんじゃ割に合わないってグレイ・ウォンが言ってるよ」

智永も分かっている。肝心の取引が終わるまで洋上取引は待ってほしい、と智永もグレイ・ウォンに頼んでいた。

あゆみは親元に返すつもりだった。そして残った有働貴之は、四ヵ月前にさらった子供三人と同じルートで国外に運びだす。二日後には中継船とのコンタクトが控えている。たった一人では採算割れになるから、最低でもあと二人、頭数を揃えて船に乗せなければならない。

智永は採石工場の食堂に倒れていた婦人警官の顔を思いだす。包囲網をくぐり抜けてやってきたのは称賛に値する。犯人側と接触できる時をチャンスと思って採石工場に乗りこんできて、グラウンド・コートに十キロの札束を隠すという芸当を見せた。が、詰めがあまかった。食堂の床に大の字に転がった婦人警官を見て、我が子可愛さで誘拐犯に協力してしまった哀れな女だ、と智永は嘲笑した。

被害者対策を担当していた特殊班の婦人警官が誘拐犯に加担したという事態に、警察内部は揺れに揺れているらしいと智永は聞いている。味方の筋からの情報だった。報道協定が解かれるまでは報じることはないだろうが、今頃、あの婦人警官は息子の名前を呼びながら丹沢あたりの山を彷徨《さまよ》っているに違いない。逮捕されるのは時間の問題だ。

公子の子供の行く末も、過去の三人と同様、グレイ・ウォンの胸先《むなさき》三寸で決まる。パーツに選《よ》り分けられて体が不自由な人々のお役に立つか、性的自由に恵まれていない人々のお役に立つか、どちらかだった。子供にとってはたして地獄はどちらだろう。

ドアチャイムが鳴った。その音に三人は揃って緊張した。来訪者が誰かは分かっていても、ベッドの一億円が神経過敏にさせる。

篤志がドアホールを覗く。泉水が札束にベッドカバーをかぶせる。

篤志が智永を振り返って「奴だ」と言った。鍵をふたつ解いてドアを開けると、いかにもゴルフ帰りのような、薄い綿パンとポロシャツの男が部屋を闊歩《かっぽ》してきて空気を一変させた。

「やったな。やったな遂《つい》に。口ばかり達者な奴らだと思ってたけど、さすがグレイ・ウォンが見込んだ三人だ。最高だよお前ら」

篤志、泉水、智永と無理やり握手をして、三人の冷ややかな眼差しなど無頓着《むとんちゃく》に部屋をぐるりと見回す。一億円を早く拝みたくてしょうがない様子だ。

冨家浩紀《ひろき》。永和大学付属病院の外科医だった。

泉水がベッドカバーをめくって見せた。冨家は「おう」と声をあげて、祭壇の前のカトリック信徒のように跪き、札束に触れる。

「祝杯だ。シャンパンぐらい買ってくるべきだったな。何しろ栃木の山奥で電話を聞いて、ハーフを切り上げて急いでやってきたんだ。それでいいや、スミノフのロック」

篤志をバーテン扱いした。

「一人一千万。文句ないわね」

ほとんど「濡れ手で粟」で一千万を稼げたのだから、これ以上欲をかくなと智永は釘を刺した。

「一千万ね」

五千万を五人で分けたらその金額になることを、今初めて分かったような冨家の言いぶりだった。半分で住宅ローン返済、あとの半分は女と車に注ぎこんで、すぐなくなるに違いないことを瞬時に計算した顔つきだ。

代々、医者の家系にあって、冨家は物心ついた頃から「将来は医師」という洗脳を受けてきたそうだ。口数の多さとメスさばきの巧みさが珍しく正比例している外科医だった。手術中はラップ・ミュージックをラジカセから流していると本人は言う。こいつの患者にだけはなりたくないと智永は思う。

半年前、智永が雇われママをしていた六本木のクラブにグレイ・ウォンが連れてきた。初対面の印象は最悪だった。冨家はグッチのスカーフで首筋を飾っていた。ゴールドのブレスレットが日焼けした肌に似合っていた。横についた女の子を相手に胃潰瘍《いかいよう》の手術を説明しだし、腹をなぞる指の感触にくすぐったそうな声をあげる女の子を五分後には口説《くど》いていた。しかも聞きだした電話番号に、その場から携帯電話でかけて確認をするような客だった。「お前の声で留守番の応答メッセージが流れなかったら怒るぞ」と真顔で言い、別の女の声が流れると「違うじゃないかよ」と女の子の首をふざけて絞める。ほとんどの留守番電話が出来合いの応答メッセージを内蔵していることを知ってて、そういうふざけ方をする男だった。

過労で目が充血していても、酒と女が冨家に最上の覚醒効果をもたらす。二十二歳の女の子を楽しませる術《すべ》にかけては腕利《き》きだったが、智永ぐらいの年からすると、底の浅さが見えてしょうがない。

「まあ乾杯だ」

篤志から受け取ったロックのグラスを、三人に高々と掲げた。智永はお義理程度にグラスを上げる。

あれはグレイ・ウォンが二度目に連れてきた時だった。女の子やバーテンを全員帰した店の中で、智永は冨家からレクチャーを受けた。

九七年秋に施行《せこう》された臓器移植法案は、臓器移植「禁止」法案だと、冨家はエキセントリックに語った。冨家の目には体中の穴という穴から忍びこんで相手の内臓を観察するような粘っこさがある。これは外科医独特の目かもしれないと智永は思った。

ひと言でいえば、臓器移植法案は子供の患者を切り捨てている法律だと冨家は言う。

表面上は脳死を認めている新しい法律だが、六歳以下の脳死判定は行なわれない。子供の脳は大人に比べて抵抗力があると考えられるから、心臓が動いている限りは回復の可能性があるという希望的観測をする。ここでまず、幼児の臓器提供者の数が狭められる。

しかも子供自身が臓器提供の意思表示ができるのは、民法上の遺言が残せる年齢を基準にして、十五歳以上としている。その結果、脳死判定で提供される臓器は十五歳以上の人からに限られてしまい、体の小さな子供や乳幼児の患者が移植を受ける機会は極めて限定されてしまう。二十歳の腎臓では大きすぎて五歳の患者には移植できないというのは当然の話である。

しかし臓器移植を必要とするのは、圧倒的に子供が多い。内臓に先天的な障害を持つ子供が移植を望むというより、生まれつきの障害は自分に責任があると思い悩む親が、猛烈な責任感から我が子に臓器移植をさせようとする。

子供とその親にとって、この欠陥だらけの臓器移植法案では「死ね」と言われているに等しい。

六歳以下の臓器提供者は現われにくいという状況では、幼児の患者とその親は従来のように、海外で手術を受けなければならない。ところが日本人の患者が外国で移植手術を受けることについて、現地で問題を指摘する声があがった。胆道《たんどう》閉鎖症の子供をボストンの病院が引き受けてくれたというニュースを聞いて、別の患者の親が「私の子供もお願いします」とアプローチをした。しかしボストンで日本人に対する移植が二例続くとなると、現地の医師の立場が難しくなる。あの医師が日本人ばかりに移植手術をするのは、裏で何らかの利益を得ているのではないかと陰口を叩かれてしまう。こうして二例目の患者はボストンでは手術を受けられなくなり、他の国をたらい回しにされることになった。

患者が開発途上国の人間で、自国に臓器移植の技術がないというのであれば、海外での移植手術は人道的見地から積極的に受け入れられる。しかし日本は技術もあるし、経済的にも豊か。なぜ他の国に臓器をもらいにいくのか、日本の医者の努力が足りないからではないか、という疑問の声である。そこに追い討ちをかけたのがこの新法だった。

法律に不備があるせいで海外で手術を受けるしかないと患者側が訴えても、「それはそちらの国の問題、法律の不備を正すのが先決ではないか」と突っ返される事態が多くなった。これでは新法が施行される前のほうがむしろ手術は受けやすかった、と患者の家族は嘆《なげ》いている。

冨家はヘネシーの水割りで滑《なめ》らかになった舌で、知識をひけらかした。

「そもそも歴史を遡《さかのぼ》ると、障害を持つ子供が選別されて、命を断ち切られるなんて公然と行なわれていたんだよ。古代ローマ、古代ギリシャの時代じゃ、この先一人じゃ生きられそうにない子供が捨てられるなんて日常茶飯事だった。それが二十世紀に入って、『どんな子供にも生きる権利がある』なんて合意ができて、人間の宿命を科学で超えようとする努力が始まったわけさ。臓器移植は一九〇二年、ウィーンのアルマンっていう外科医が犬の腎臓移植実験をして、尿の排泄《はいせつ》を観察したことから始まった。ところが人間への実用には時間がかかった。血液型が合っても、他人の臓器がなかなか生着しない。そこに登場したのがサイクロスポリンっていう免疫抑制剤で、八〇年代から世界の臓器移植手術は飛躍的に増加した。もちろんサイクロスポリンにも副作用はある。高血圧や高血糖に苦しむことになる。まあそれでも抗ガン剤の副作用に比べたら軽いものだ。じゃあ日本ではどうだったか。日本っていうのは臓器移植に関しては恐ろしいほど後進国なんだ。ひとつには六八年の和田心臓移植に原因がある。聞いたことあるだろ。わが国最初の心臓移植手術で、執刀した札幌医大の和田教授が殺人罪で告発された。手術当時は和田教授は日本のヒーローだった。『少年サンデー』のグラビアでも紹介されてたぐらいだもん。ところが術後八十三日目で患者が死ぬと、和田教授は天国から地獄に突き落とされた。海水浴中に溺《おぼ》れて脳死状態になり、臓器ドナーとなった男性は本当に脳死状態だったのか、第一、患者は本当に移植を必要としていたのか、と疑惑が集中した。札幌の検察庁は二年後、容疑不充分で和田教授を不起訴と発表したけど、日本最初の心臓移植は疑惑だらけのまま、二十数年たった今まで尾をひきずることになったわけよ」

日本人が臓器移植におよび腰なのは精神風土にも根本的な原因があると冨家は言う。

「司馬遼太郎先生も言ってるよ。脳死移植を進めるのは日本の風土との闘いだって。会ったこともない他人のために自分の臓器を提供するっていう思想が、日本人の中には風土としてないんだって。要するに宗教の問題なんだよ。西洋の人間は霊的な価値や神聖性ってやつを心の側にだけ認めて、人間の肉体には霊性なんて認めないんだ。これが自分の臓器を他人のために役立てるっていう美しき博愛心につながってるんじゃないのかね。この話知ってるか？　日航のジャンボ機墜落の犠牲者は五百二十人だったけど、聞くところによると、外国人の家族は遺体の収容にはそんなにこだわらなかったそうだ。ところが日本人は、とにかくかけらでもいいから自分の愛する家族の遺体を収容してほしいと望む。死者の肉体に対する見方っていうのが、俺たち日本人と外国人の奴らじゃこれだけ違うんだよ。人が死を迎える瞬間っていうのは、その人間が人生ドラマの幕を閉じる時である、まあこの考えは美しいよな。出逢いの場面を大切にする西洋人とは違って、日本人は別れを重んじてきたんだよ。ほら、歌舞伎じゃいつも別れ際が最高の山場になるだろ。去っていく人が見えなくなってもまだ手を振り続けるのが日本人の美学なんだよ。人との出逢いや、その人と過ごした年月がいかに大切だったかってことを、すべて別れの一瞬で集約して描く。別れの場面に拍手喝采する観客の心情っていうのは俺にもあるし、あんたにもあるだろ。別れの美しさ、死の美学っていうのが日本人の文化的背景なんだよね」

智永は一応頷いた。

「だから脳死は医学的に見て人の死なんですって言われても、ああそうですかってクールには割り切れないのはしょうがないんだけどさ。だけどね、そのしょうがないって気分に仏教界があぐらをかかれちゃ、俺たち医者は困っちゃうんだよ。こんな話もあるんだぜ。ある仏教会が臓器移植についてシンポジウムをやった。そこじゃ進歩的な坊主が『人間の肉体などというのはどうせ捨ててしまうものだから、役に立つものなら役に立てたらどうでしょうか』っていいことを言ったんだってさ。ところが会議の後半で、別の坊主が『心臓を抜かれたままでは仏様のところへ行けないのではないでしょうか』って意見が出た途端、ワッと流れが変わって心臓移植の反対を決議したっていうから、俺なんか開いた口が塞がらないよ。

心臓移植が必要なのは、主に冠動脈疾患と心筋症のふたつなんだけど、冠動脈疾患のほうは日本で毎年四万人くらいが死んでるんだぜ。心筋症のほうは大体千人ぐらい。心臓移植の適応になる患者は毎年五百人ぐらいかな。つまり、手術をすれば八十パーセントの確率で助かる人が、毎年五百人ずつ死んでるってことなんだよ。さっきのジャンボ機の例じゃないけどさ、五百人っていったらジャンボが一機落ちた時の数字だぜ。要するに日本じゃ毎年ジャンボが一機ずつ落ちてるってことだよ。そうやって考えると、なかなか恐ろしいもんがあるだろ？」

その言葉には、なかなか楽しいものがあるだろ、と言い換えてもよさそうな含み笑いがあった。

「もう少し身近な例で言うとさ、腎臓疾患の患者の中には十五万人を超える人工透析《とうせき》患者がいる。このうち一万五千人が腎臓移植を希望しているんだ。週三回、四時間の透析は辛いし金もかかる。移植を受けたい気持ちは俺だってよく分かるよ。ところが年に二百六十件しか死体腎の移植手術ができないってことはさ、全希望者が移植を終えるまでに五十八年かかるってことなんだよ。これじゃあ悪徳ブローカーはますますはびこるよな。悪は栄えるって時代なんだよ」

半年前のレクチャーは、クラブのＶＩＰ席で朝まで続いた。時折分かりやすい例を持ちだす冨家の独演には説得力があり、智永はグレイ・ウォンから聞かされた話がひとつひとつ裏づけられるのを感じた。

鉱脈だ。この世界には金が唸っていると智永は確信した。子供の病気のために、親はどんな犠牲を払ってでも闇の臓器を求めようとする。

ニューデリーでは腎臓一個が三万ルピー（約九万円）で買える。実際に、インドのある医者グループが「仕事を斡旋《あっせん》する」と称して失業者を集め、麻酔をかけて腎臓を摘出して売り飛ばしたという話もある。肺もほぼ同じ値段。肝臓や心臓ともなると、その十倍から二十倍で売られる。これはオーガン・ハーベスティング（臓器の刈り取り）と呼ばれ、主要臓器以外でも、卵巣も睾丸《こうがん》も、眼球も骨髄も、あらゆる人間がパーツとなって売り物になる。エジプト人の農夫は不作の年になると町に行って片方の腎臓を売り、摘出手術をして三週間後には、十年暮らせる金を持って家に帰ってこられるという。

障害のある臓器を、障害のあるまま生命維持させようという考え方は開発途上国にはない。人工透析装置が普及していないという事情もあるが、駄目なら交換すればいいとシンプルに考えるようだ。

こうして日本人の患者は、杜撰《ずさん》な臓器移植法案に見切りをつけ、日本人には厳しいアメリカやオーストラリアの正規ルートではなく、東南アジアに渡って闇の臓器に手を出すことを始めた。

そこに問題がまたひとつ立ち塞がる。タイやマレーシアを中心に新型の肝炎が流行して、汚染された臓器のために術後一ヵ月以内に死亡する事態が次々と起こった。内臓疾患を抱える患者にとっては、ますます生存への道が限られている。

智永はここに目をつけた。

栄養状態がよく、感染症は何ひとつなく、ＨＩＶも陰性の健康な日本人の子供たち。その一体からの刈り取りで、およそ半ダースもの命が救われる。まさに健康な肉体は生きたスーパーマーケットだと思った。

そこらを歩いている日本人の子供をさらい、文字通り骨の髄まで切り売りするという一見乱暴な商売に、輝かしい将来性を保証してくれたのが冨家だった。

「タクシーで来る途中、ラジオでいいニュースをやってたよ」

冨家は二杯目のスミノフを注ぎ、一億のベッドに腰かけて言った。八百万ほどが座布団になっていて、その感触を楽しんでいる。「妊娠四ヵ月の妊婦が交通事故で脳死状態になったっていうニュースがあったろ。母親は脳死になっても胎児は生きてるって話」

智永も聞いたことがある。篤志と泉水は肩をすくめた。テレビはゲームをやる時ぐらいしか見ない連中だった。テーブルで銃の解体を始めている。

「その脳死状態の母親が、昨日、自然分娩《ぶんべん》で赤ん坊を産んだんだと。俺、思わず拍手しそうになったよ」

「そういうことに感動する心が、あなたにもあったわけね」

智永が混ぜっ返すと、冨家は裏声で苦笑した。

「千四百三十グラムの女の子だってよ。第二度の仮死状態だったために新生児集中治療室で挿管《そうかん》管理。まあ二ヵ月もたたないうちに体重は二倍になって、元気に退院できる。つまりだ、俺たちの商売がますます明るい見通しになるってことだ。いいか、よく聞け生徒諸君」

解体したミリタリー&ポリスに油を入れ、掃除をしている篤志と泉水を呼んだ。二人が智永のかつての教え子であることは冨家も知っている。

「脳死妊婦の例はアメリカでもあったんだ。このニュースを聞いた大衆はこう考える。『脳死が人の死なら、死体が子供を産んだってことか？　でも死体が子供を体内で育てられるはずがない、てことは、脳死は死ではないんじゃないか』ってな。アメリカではそういうニュースが報道されたあと、脳死した家族を臓器ドナーに提供することに二の足を踏むようになった。これから日本でも同じ議論になるに決まってる。意見はおそらく真っぷたつだろうな。死者から生者は産まれない、ならば脳死は死ではない、家族が脳死になっても死者として葬ることはできない、だから臓器提供はできないという考え方がまずひとつ。もうひとつは、脳死妊婦なんてものは保育用の死体、あるいは人工子宮と考えりゃ、死者からでも生者は誕生するというクールな考え方だ。死んだ肉体にも魂は宿るんじゃないかって考える日本人は、さて、どちらの見解を選ぶと思う？」

「ますます臓器提供者は減るってこと?」

「そういうこと。今の臓器移植法案じゃ、本人が臓器提供を希望しても、死亡後に遺族が拒めるようになってるんだ。『本人はドナーになろうとしていましたが、私たちは拒否します』と遺族が言いだして、移植コーディネーターをがっかりさせること請合《うけあ》いだな。そのとばっちりを食う人工透析患者や胆道閉鎖症の子供らは、ますます大枚を払って外国に飛ぶことになる。そして健康な臓器を確保している俺たちを、神のようにあがめることになる」

「俺、前からひとつ、素朴な疑問があるんだけどさ」

銃身にブラシを入れていた篤志が、冨家の話の腰を折った。「さらった子供も日本人、移植を受けるのも日本人なら、わざわざ外国に連れてって手術を受けなくても、日本国内でやりゃいいじゃん。ピーピー泣く子供を檻に閉じこめて蛇頭の船に乗せるなんていう面倒臭いこと、グレイ・ウォンにさせなくてもさ」

「あ、あたしもそれ思った」

二人の生徒を、冨家は溜め息まじりに見る。

「智永先生のかつての苦労が分かるよ。こんな出来の悪い生徒を二人も抱えりゃ、教師もやめたくなるよな」

泉水が「ほざいてろ」と毒づいて、解体途中のミリタリー&ポリスで冨家を狙った。

「そういうことに疑問を感じたまま、町で子供にクロロホルム嗅がせてたっていうのが信じられないよな。疑問を解消してから仕事にかかれよ、なあ先生」

「子供をバラで売るより、セックスの道具として外国で売る方が高額商品になるからって言うんだろ？　それなら聞いたけどさ。でもいまいち分かんないんだよ。ガキのケツの穴に突っこむのが楽しいか？」

篤志に訊かれた泉水は、「あたしは突っこんだことないから」と首をすくめる。セックス談義になりそうなところを、冨家が本論に戻す。

「日本で調達したドナーを国内で摘出《てきしゅつ》し、そのまま患者に移植できりゃ、こんな苦労をすることはないんだよ。臓器の刈り取りは助手が一人もいりゃ個人病院の規模でもできる。問題は移植の方だ。医療設備を確保するには金もかかる、スタッフを集めれば発覚の危険性も高くなる。今のところは面倒でもドナーを海外に輸出するしかないんだ。それと、タイには『ドクターズ・プライベート・ペイシェント』っていう制度がある。医者が患者側の要求を聞いて、いろいろな病院から執刀医や麻酔医を集めてきて手術チームを編成できるシステムで、病院から施設を借りることもできるわけ。外国人の俺が執刀医になることも簡単なんだよ。日本じゃなかなかこうはいかない。分かったか生徒諸君」

篤志と泉水はろくに返事もせず、拳銃の掃除に目を戻す。

「で、楢崎あゆみはいつ返してやるんだ」

冨家は参謀のような顔つきになり、智永に訊く。

「慌てることはない」

智永は答えつつ、余計なことを口にするな、という目顔を篤志と泉水に向けた。二度目の身代金奪取計画については試行錯誤の段階だ。まだこの外科医を話に絡ませる時ではない。

「例の婦警の息子は」

「グレイ・ウォンの船に、楢崎あゆみと一緒にいる」

「楢崎あゆみを親元に返したら、あと二人か三人は詰めこんでおきたいよな」

「心配いらないから」

あんたが関わると話がややこしくなる、と智永は言いたい。

「しかし、どうなるかと思ったけど、子持ちの婦人警官を脅して身代金を運ばせるっていうのは名案だったよな」

「よく言うよ」

泉水が鼻白むと、篤志が続けた。

「金を奪う方法も思いつかないうちに子供を誘拐して、今度は婦警の子供までさらうなんて行き当たりばったりもはなはだしいってキャンキャン喚《わめ》き散らしてたのは誰だ？」

「俺」

冨家は何くわぬ顔で、へらへら笑う。「何て無茶なこと考える連中だろうって、俺、頭抱えたよ。ま、結果オーライで何よりだ」

「勝算があったんだよ、俺たちには」

「そういうことにしといてやるよ。でもさ、お前らもあまり偉そうに言わないほうがいいんじゃないか？　実行部隊には拍手してやるけどさ、ＭＶＰは何たってこのアイデアを考えついたあいつだろうが」

有働公子についての情報を与えてくれた人間のことだ。その人間の名前を誰も口にしないまま、妙な沈黙が部屋にたちこめた時、冨家のズボンのポケットで電子音が鳴った。携帯電話を取りだして、アンテナを立てた。

「はい俺……うん……本当か？」

軽薄な表情がかき消える。「……第一外科に入ったのは何時だ。最初の脳死判定が終わったあとだな。じゃ、二度目の判定まであと四時間か……今、新宿だ。ラッシュの時間にぶつかるから目黒駅まで電車で行く。三十分で到着する。コーディネーターの話は戻って聞く。はいよ」

冨家は電話をしまって、「一人、ドナーが出た」と智永に言った。野心でぎらぎらしている外科医の顔になった。

「こういう心がけのドナーと遺族がたくさんいりゃ、俺たちみたいな悪人が世にはびこることもないのにな。振込み、楽しみにしてるよ」とベッドの札束をポンと叩いた。

「まだ先よ」

一度ミナミで篤志に豪遊させて、様子を見てからだ。

「分かってるよ。なあ篤志、駅まで乗せてってくれよ」

篤志はやりかけの拳銃の掃除を泉水にまかせ、車のキーを摑んだ。

二人の男が出ていくと、泉水が「ねえ」と智永に声をかけてきた。外科医の饒舌《じょうぜつ》ぶりに心底うんざりした顔つきだった。

「あの口先男とは、いつまでのつき合い？」

「しばらくってとこね」

「癌《がん》だよ、あいつ。きっと癌になる」

智永も分かっていたが、冨家は今のところ、この仕事にはなくてはならない存在である。大枚払って闇の臓器を求める患者の中から、警察に決して「歌う」ことのない安全な客を選ぶのが冨家の役割だ。そして手術先の医師へカルテを添えて紹介状を書き、自分も患者につき添って渡航し、移植手術に加わる。

冨家が足をひっぱる兆候はすでにある。五月にさらった子供のうち、一人は冨家が救急医療で担当したことのある子供だった。Ｒｈマイナスの血液型の子供ならば二倍の値がつくと冨家が主張したのだ。特定の子供を狙えば必ず足がつくという危険性をあまく見ていた。

「いつかね」

いつか関係を断ち切る、という意味だ。それもさほど遠くない「いつか」だと、智永は覚悟の目になった。

「Ｒｈマイナスのガキが、また出てきたんだ」

セルシオの助手席で、冨家が頬の隅々まで笑みを浮かべた。「半年の間に二人も当たるとはな。ついてるよ。道を飛びだして車にはねられたガキだ。外傷は大したことなかったが、右足を骨折して車椅子に乗っている」

この医者の悪い癖がまた始まった、と篤志は思う。話が核心に触れないうちに新宿駅についてしまえばいいと思ったが、小滝橋《おたきばし》通りは混んでいた。

「臓器を待っているのは心臓弁膜症の子供だ。三千四百人に一人の血液型だし、父親はドナーが現われるのをほとんど諦めている。北海道に牧場ふたつと不動産会社を持っている父親だぞ。息子の心臓を取り替えるためなら金は惜しまないだろうな……」

悪魔の囁きだった。言いたいことは篤志には分かっている。

「先生が反対するよ」

「お前、いつまであの女にケツを振ってるつもりだ？　泉水っていうぴちぴちした女がそばにいるだろうが。男にしてくれた最初の女が、そんなに忘れられないか」

「そんなんじゃねえよ」

「先生に言わなきゃいいんだよ。道を歩いてる子供を狙って車に引きずりこんだって言えば済む話だろ」

「すぐバレるよ」

「そんな血液型の子供だとは知らなかったってさ」

「あんた分かってんのか。自分の尻に火がつくぞ。二人の子供は同じ医者が救急病院で治療したって、サツにバレバレになってもいいのかよ」

「全部のガキがRhマイナスだってわけじゃないだろ。あと二人ほどA型とO型のプラスで適当にみつくろっておけば大丈夫だって」

「金に困ってんのかよ」

冨家は痛いところを突かれたような顔になったが、「なあ篤志、お前の夢は何だ」と巧みに話をすり替える。

「夢？」

駅の西口が見えてきた。篤志は早くこの医者を下ろしてしまいたい。

「泉水と二人で語りあったりしないの？」

「テキサスの銀行、いつか二人で襲ってやる……。そんなことかな」と冗談めかした。

冨家は笑い飛ばす。

「子供だな、まだ」

「この先も詰まってるから、下りたほうが早いよ」と追いだそうとしたが、冨家は食いついて離れなかった。

「明日やるぞ。いいか明日だ。車椅子のガキには、術後の経過を診るために病院に来てほしいと言ってある。珍しい血液型だから、また出血したら大変なことになるからって親をたっぷり脅かしておいた」

高層ビル群を縫って差しこむ西日が、冨家の冷笑をだいだい色に飾っていた。目をそむけても、磁石のように引きずられてしまうものを篤志は感じていた。

「病院でかっさらうのか?」

「最悪の場合はそうなるだろうが、その前に絶好のチャンスがある。病院に来る前に親子で遊びにいく予定があるんだと」

「そこまでよく聞きだせたな」

「何しろ信頼されてるんだよ、俺。救急患者をそこまでフォローする親切な医者はいないからな。母親と世間話までしちゃったよ。息子の小学校が開校記念日で休みなんだと。親父も休みをとって、家族三人でみなとみらいに行くらしい」

「みなとみらい……」

「イギリスからでっかい帆船《はんせん》がやってきて、広場でイベントをやるらしい。子供にせがまれて、親父が車椅子を押して連れていくんだとさ」

「車椅子に乗ってるガキなら親がいつもつき添ってるんだろ。どうやってさらえばいいんだよ」

「やるだけやってみようぜ。ガキの顔は俺が教えてやる。明日の朝九時、みなとみらいの駐車場で落ちあおう」

「先生が許さないって」

「だから、黙って来ればいいんだよ、泉水を連れて」

「駄目だって」

「Ｒｈマイナスが向こうから飛びこんできたんだぞ。このツキを手放すのかお前」

冨家が生暖かい触手をのばしてきて、篤志の迷いに絡みつく。自分の中心部から欲望が湧きだしてくるのを篤志は感じていた。

金だ。子供が金に換わる。Ｒｈマイナスなら倍額だという誘惑だった。夢ならもちろんある。篤志はテキサスの荒野にシューティング・ハウスを建てたい。世界中の銃器をかき集めて、日本からやってくる射撃マニアに撃ち方を教えてやりたい。クライド・バローが、初めて拳銃を手にしたボニー・パーカーのために、枝にぶら下げた古タイヤを標的にして撃ち方を教えてやったように。

「朝九時だ。遅れるなよ」

冨家が車を下り、西口へと小走りに去っていく。篤志は断わりきれなかった。はじめから断わるつもりなどなかったのかもしれない。子供の口をクロロホルムの布で塞ぐと途端にぐにゃりと体重を預けてくる、あの感覚が甦ってきた。重さで金額を計ることができるという快感だ。何度でもやってやる。わけはない。およそ裏づけのない自信が篤志を支えていた。

17

片野坂は署の覆面車両でやってきた。今日も高津署の後輩は同行させなかった。神奈川区高島台。三菱重工と全日空、ふたつの社宅団地に挟まれた区画に、古賀英寿の自宅はあるはずだ。

片野坂は文洋社に電話をしてみたが、古賀は自宅で仕事をしていると言われた。自宅にも何度か電話してみたが留守だった。

ここだ、と見上げた。二階建ての家。古賀の表札があった。片野坂は車を下りて、ドアホンを鳴らした。応答はない。

ガレージが空だった。外出しているのか。古びた子供用の自転車が、スペースの奥で傾いて立っている。そのサドルに二度と古賀直樹は乗ることはないのだろう。ガレージに子供の自転車を置いたままにしている父親の心情が、少し痛ましく思えた。

片野坂はふうっと重い息を吐きだして、主のいない二階屋を見上げる。有働公子は何のために連続幼児失踪事件の捜査ファイルを見たのか、とふたたび疑問が首をもたげる。どこでアクセスしたか警視庁のコンピューターがすぐ突きとめることを、有働公子は知っている。警官が駆けつけてくる危険をおかしてまで、彼女が確かめたかったことは何だ。楢崎あゆみ誘拐事件との共通点か。拉致されたのが同年代の子供という類似性だけではないか、と片野坂は考えこんだ。

あと二件の被害者は川口と入間だった。か細い糸だが、片野坂はこれを辿っていくしかない。覆面車両に乗りこんで携帯電話を取りだし、川口市の被害者宅の電話番号を押した。

永和大学付属病院の旧館に暮色《ぼしょく》がたちこめていた。

中原街道から路地に入り、旧館の職員通用門と駐車場を見渡せる道端に古賀はカリーナを止めている。

公子が古賀とここで張込みを始めてから二時間。視界の先、渋滞の中原街道をパトカーが何台か通り過ぎていった。荏原《えばら》署がすぐ近くにある。指名手配犯の心境がいやでも理解できる。

公子は病院に電話をしてみた。冨家医師は夫人が言っていたように、今日は夜から勤務時間になっている。

車内では沈黙が続いていた。子供をさらわれた親同士がどう気持ちの交流をさせていいのか分からないまま、冨家という一点に向かって緊張が続いている。

公子は古賀の心の痛みに触れることを、少し恐れてもいた。四ヵ月も子供が帰らない古賀の苦悶《くもん》。それに共感すれば自分の未来を覚悟することになる。公子は絶望を先延ばしにしたい。

タクシーが一台、目黒駅方面からやってきて通用門の前に停車した。慌ただしく下りるポロシャツ姿の男が見えた。

「あれだ」

古賀が告げた。日焼けした首にゴールドの輝きがある。夕闇の中でも医者の虚飾の一端を見ることができた。冨家は通用口へと小走りに入っていく。

古賀が、どうするんですかこれから、と公子に目で問いかけてくる。

冨家が犯行グループに関与している可能性は大きい。しかし正面きって冨家にぶつかることはできない。重要参考人として連行する権限は公子にはない。相手が抵抗した時、助けてくれる同僚もいない。公子は警察組織に追われている身だ。組織の外に追いやられた人間には、それなりの闘い方しか残されていない。息を殺して被疑者の背中を尾《つ》け回し、核心に一歩一歩近づくしかなかった。

「医者が誰と接触するか、動きを見るしかありません……」

公子はそう答えながら、苛立ちが身を焦がす。ここで待っている間にも、貴之に残された時間は減っていく。公子を利用して身代金奪取に成功した時に、すでに貴之の存在価値は失われているのだ。公子はこの車に冨家を引きずりこんで、尋問したい衝動にかられた。

　カリーナの車内に薄い闇がたちこめる。公子と古賀の間に横たわる沈黙もさらに重くなる。


　永和大学付属病院の看護婦を経て移植コーディネーターになった女が、廊下で冨家を待っていた。

「ドナー・カードもあります。家族も了承しています。二度目の脳死判定が済み次第、摘出をお願いします」

「全臓器提供だって？　珍しいな」

「私も初めてです」コーディネーターは初の大役に顔が上気している。

　永和大学の脳死判定基準は、厚生省の指導よりも厳格に設けられている。昏睡《こんすい》、無呼吸、散瞳《さんどう》と対光反射の欠如、眼球運動、顔面筋運動、咽頭筋《いんとうきん》運動の欠如と脳幹反射の欠如、これらが朝九時の一回目の判定から夜九時の二回目の判定まで持続するのを見届けて、脳死と断定している。

　ドナーは三十四歳の男性。くも膜下出血で救急に運ばれてきた。廊下の先に六十代の両親がこうべを垂れてソファに座りこんでいる。

「みんな集まってるな」と看護婦に確認して、冨家は医局の準備室へと足早に行く。摘出チームの周到な打ち合わせが待っていた。

午後九時、外科部長の脳死判定が下ると、冨家を先頭にして、摘出チームの六人が手術室に入った。

「お願いします」

チームの皆に言葉をかけると、冨家は無影燈に照らされた男性を見下ろし、電気メスを握った。人工呼吸器の出すシューシューという音だけが聞こえる静寂に、胸の皮膚を切り裂くジリッジリッという音が手術室に低くたちこめ、肉の焦げる匂いがたちのぼる。

全臓器提供の場合、摘出手術が始まると、心臓、肝臓、腎臓、角膜という順で流れ作業のように次々と取りださなくてはならない。脳死者の臓器は心臓が動いている状態で摘出することに意味があるが、順番として、保存時間が最も短い心臓から最初に摘出され、他の臓器は「命の余韻《よいん》」があるうちに素速く摘出しなければならない。

看護婦が冨家に電気鋸《のこぎり》を渡した。隣の若い医師が開胸器を持って準備している。冨家が胸骨を切っていくと、鋸の刃音が手術室に甲高《かんだか》く鳴り響いた。この骨屑の匂いに、冨家はいつも吐き気を催す。外科医といえども、どうしても慣れない匂いというものがある。若い医師が胸膜を開くと、力強い動きで全身に血液を送りこんでいる肉の塊《かたまり》が見えた。

冨家は心臓を愛撫するが如く、指で心壁に触れ、冠状動脈の一本一本をなぞってみる。死体の中で勢いよく脈打つ心臓が、冨家の指を弾く。これが脳死なのだと改めて思い知らされる時だ。

男性の顔に目をやると、額のあたりが白く光っていた。玉の汗が頭髪の生え際から額一面に広がっている。脳死者にも生理現象はある。暑ければ汗もかく。

もう少しの辛抱だ。この心臓が肉体から切り離されたら、冷や汗や脂汗にまみれた人生から解放される。冨家はそう心で語りかけて、メスを握った。自分が神のように思える時。

不意にエルステ・マーゲンの頃が思いだされた。

研修医が執刀資格を得るための通過儀礼。新人の外科医はまず、体表の外傷の治療でメスの持ち方や針糸の使い方を覚え、次に初級クラスの手術として、そけいヘルニアや虫垂炎《ちゅうすいえん》の執刀が許可される。そして外科医が一人前になるための節目であるエルステ・マーゲン、胃の切除手術が待っている。

その日の手術室には、勤務のない先輩外科医が見にきて、どことなくザワザワしたお祭り気分が漂っている。冨家のメスを持つ手が一瞬たじろいだのを見たのか、当時の副部長の声が轟《とどろ》いた。

「失敗しても死ぬのはクランケで、お前じゃないぞ。びくびくしないでメスをしっかり持て！」

副部長や看護婦の言う通りに工程をこなせばよかった。エルステ・マーゲンは外科医としての技術認定試験ではなく、外科医の仲間に入るための儀式にすぎない。

やがて冨家は永和大第一外科の外科医となった。勤務先から五百万のサラリー、アルバイト先から三百万ほどの副収入、卒後七年で一千万前後の年収に達することができた。

それでも金には飢えていた。自分をエルステ・マーゲンで叱りつけた副部長の娘と結婚したあとも、性欲とともに金を吐きだし続けた。パリコレでベルサーチの新作コレクションに身を包んだこともあるという身長百七十五センチのモデルと知りあった。冨家は二十一歳の愛人との関係を維持するために、湯水の如く金を注ぎこんでいる。

製薬会社のプロパーに頼んで、闇で一枚一万円の症例カードを書き殴って二十万くらいをかき集めたり、救急病院のアルバイトで小金を稼いだ。夕方から朝まで夜間診療と救急外来をこなす病院を渡り歩き、一睡もできない一度の当直で八万の稼ぎ。当座の金に困った時は、土曜の夕方から月曜の朝まで、当直と日直と当直をぶっ続けでこなす。それだけで十万以上になり、冨家は疲れ切った体を引きずって愛人のマンションになだれこんだ。睡眠不足からくる異様な興奮で愛人との行為が終わると、脳死者よりも死に近い虚脱感が体を覆い、自宅に帰る余力など残されていなかった。

冨家は研修医の通過儀礼を済ませると、医局の手駒になることを嫌って副部長のわがまま娘を嫁にした。ところが義父が派閥争いに負けたために、とばっちりを受けて出世コースから外れかけている。最後に残ったのは、あの二十一歳のはじける肉体。頭はどうしようもなく空っぽだが、男の五感をあやしてくれるとびっきりの肉体だ。

我が身の醜悪な人生は止めることはできないが、生きることにしがみついている脳死者の汗ならこのメスで止めてやることはできると、冨家はマスクの奥から苦笑いを洩らす。

大静脈を鉗子《かんし》で遮断すると、心臓は流入血液を失って縮小する。心臓を保存するための冷却された濃カリウム液を大動脈の基部に注ぎこむ。やがて心臓は摂氏《せっし》四度で一種の心臓麻痺に陥った。こうしてすべての機能を停止させた心臓が切除される。保存液による新鮮な状態は四時間しか続かない。冠状動脈に血液が流れていないと、虚血時間が一分過ぎるごとに心筋細胞が死んでいく。

助手の医師の手に心臓が渡り、ステンレス製のボウルに沈める。容器には氷で冷やされた保存液が満たされていた。容器は手術着の移植コーディネーターの手に渡り、これから移植手術を待つ患者のいる病院へと輸送される。

冨家の最初の仕事は終わり、次に肝臓摘出医師が持ち場についた。そのあとに腎臓をふたつ摘出すれば冨家は解放される。

モニター画面を見上げると、つい先ほどまで活発な動きを見せていたグラフは、今や横一線になっている。男性の肺に空気を送りこんでいた人工呼吸器もすでに止められていた。

脳死者は本物の死者となった。顔の血色はみるみる失われ、かさかさした蒼白の肌に変わりつつある。あれほどはっきり見えていた額の汗も乾ききっている。

ここに死があり、彼方に生が待っている、と冨家がいつもながら実感する時だった。臓器提供とは資源再生、人体のリサイクル運動なのだという本質が歴然と横たわる時。

タイの大学病院。手術室は金で集められた悪徳医師たちの巣窟だった。冨家の手によって小さな体から部品が次々と小分けされ、氷の容器に詰められていった。

冨家は子供たちの行く末を思った。檻に監禁され、グレイ・ウォンによって人間性を剝奪《はくだつ》され、動物的本能だけで生きる肉体に変えられ、海を越えていった先でパーツへの解体か、運がよければ「玩具」としての十年利用かという岐路《きろ》に立たされる。どちらにしても人生選択の自由を奪われた悲劇だ。

冨家はうっすら脂肪に覆われたドナーの肝臓を見下ろしながら、近い将来に断ち切られていく、子供の肝臓を想像した。

婦人警官の息子と、明日にも親と訣別《けつべつ》させられる車椅子の少年の、輝くほどピンク色をした臓器だった。

アイスボックスを抱えた女性が慌ただしく通用門を出てきて、すでに赤色灯をつけて待機していた車に乗りこんだ。公子と古賀の視界を、車はパトカーや救急車とも違う独特の音色を奏でて通り過ぎていく。

二十分後にも同じように、アイスボックスを抱えた男性が赤色灯を点滅させた車に乗りこみ、病院をあとにした。

「臓器の摘出ですね」

低いが明瞭な声。この病院前で張込みを始めて、古賀が初めて発した言葉だった。「冨家さんは生体肝や死体腎の移植手術で何度か成功例のある医者だそうです。今夜は摘出手術をまかされたんでしょう。脳死者が出たのかな……」

公子は新聞の見出しほどでしか脳死移植については知らない。臓器移植法案が成立しても、思ったほど脳死者からの臓器移植は行なわれていないと、朝のニュースで見た程度である。

臓器。公子はその言葉にうすら寒いものを覚えたが、一瞬のことだった。おぞましい領域に想像が及ばないように、本能的な何かが堰止《せきと》めていた。

「妻が言うように、息子はもう駄目なのかもしれない」

話の脈絡が分からないまま、公子は「え？」と隣の古賀を見返す。陰影ばかりが目につく、打ちひしがれた父親の顔がそこにあった。

「もう死んでいるに違いないと考えるほうが、みんなが救われるような気がします」

「みんなの中には、直樹君も含まれているんですか？」

残された者が楽になるための方便にすぎないのではないか、と公子は反発に似た思いで訊き返した。

古賀は自嘲するような笑みで陰影を濃くする。「もし生きているとしたらどんな状態でいるのか、僕には想像できる。身代金が目的でなく、子供欲しさで誘拐した女が犯人だとします。さらってはみたものの、やはり他人の子供では自分になついてくれない。山の中の掘立て小屋にでも閉じこめて、家に返してと泣き喚く子供をなだめすかし、そのうちせっかんを繰り返すようになる。だけど子供は恐怖に怯《おび》えるだけで、誘拐犯の女を母親として認めることは絶対にできない。そのうち犯人は母親になることに疲れてくる。親元に返すわけにはいかない。処置に困っても子供を殺す勇気はない。あとは犬のように飼うだけ。目の前にいるのはただの小動物。人間に決してなつこうとしない野良犬だ。閉じこめて、食事をやるだけ。薄汚くなっていく子供が日に日に疎ましくなる。殺して埋めてしまおうかと何度も考えるが、やはり勇気がない。こうやって、直樹の地獄は果てしなく続いていくんだ……」

「ひと思いに殺してほしいと願うわけですか?」

「昨日はそう考えました。今は違う。有働さんが我が家を訪ねてきてくれたおかげで、希望を持つことができた。だけど明日にはまた考え始めるんです。こんなことなら、直樹が死んでくれていたほうがいいと。芽ぶいた希望から絶望の坂を転げ落ちていくこの時がたまらないんです。もうこれ以上、直樹と僕たちを苦しませないでくれ、そう考えてしまう。子供がいなくなって四ヵ月を経験した親というのは、この繰り返しなんです」

息子がいなくなってまだ五日の母親とは、苦悩の集積は比較にならなかった。

「妻は早々に見切りをつけた。母親がこんなに子供の死を簡単に受け入れてしまうものなのかと、最初は驚きました。腹を痛めたわけでない父親がこれほど子供に執着しているというのに、母親のこの諦め方は何なのかと愕然《がくぜん》としました。要するに、彼女は自己防衛能力に長《た》けていたんです。希望と絶望の繰り返しで自分がすり減っていく生き方ではなく、絶望の殻に閉じこもる生き方を選んだだけです。かつて息子がいた子宮を一生抱きかかえて、この女は生きながら日々死んでいくんだろうと思いました。父親はとにかくミルク・パックに子供の写真を印刷する費用を捻出《ねんしゅつ》して、何百もの情報を集めるしかなかった。彼女には単なる自己満足としか映らなかったようです」

公子は無意識のうちに腹の上に手を置いていた。そこには貴之のかつての住処があった。

古賀は深い溜め息で天を見上げた。そこにはカリーナの低い天井しかない。

「希望から絶望に転げ落ちたあとには、いつまでたっても答えの出ない自問自答が待っています。どうしてあの時、一緒にトイレにいってやらなかったのか。失踪直後、妻が最初に僕をなじった言葉です。直樹は一人で遊園地のトイレにいける年だった。トイレの出入口も視界の中にある。あの日、前の晩の酒が残っていなかったら、直樹の手を引いてトイレについてってやったかもしれない。誘拐犯は僕らを素通りしていたかもしれない。とにかく僕は疲れていた。ベンチから立ち上がるのも億劫《おっくう》だった。スワローズの帽子をかぶった子供を胸に抱いて、若い父親がトイレを出てきた時、どうしてそれが変装させられた自分の子供だと気づかなかったのか。自分の疲労感と注意力のなさを、今でも徹底的に責めるんです」

古賀の目尻に光るものが見えた。この父親が四ヵ月流し続けてきた無念の涙だと公子は思った。

「僕は今、こう思う」

しかし頬は濡らさず、古賀は決然たる口調に変わる。「直樹の死は受け入れよう。ただし、直樹がどこでどんな状況で命を落としたのか、それだけは確かめよう。遺体が見つからなくてもいい。ただ真実が知りたい。直樹は最期の瞬間に苦しんだのか、それとも苦しまずに済んだのか。横浜の個人病院で産声を上げた直樹が、どこで人生の最後をしめくくったのか、それを確かめることが父親としての役目なんだ……と」

「諦めるのは、もう少し待ってください」

公子は心からそう言えた。もちろん婦人警官の職務としてではない。同じ境遇にいる親だからということもあるが、何より古賀の苦しみを癒してやりたかった。希望と絶望の終わりのない循環をこの手で断ち切ってやりたいと公子は思った。

「私が諦めないうちは、同じ気持ちでいてください。必ずこの手で子供を取り返す。そう思い続けるお父さんでいてください」

古賀の目が自分に向いた。目尻に溜まったものは、今や瞳全体を淡く濡らしている。たるみ、くすんだ表情の中で、眼差しにだけ煌々《こうこう》とした生気があった。子供の死を確かめることが自分の役目だと言いきった古賀の言葉に偽りはないと、公子は信じることができた。

唯一の理解者がここにいる。味方がいる。癒しあいは傷の舐めあいかもしれない。しかし、貴之を救いだすことがこの父親を救うことにもつながるのだと考えることは、公子にとってはひと雫《しずく》の活力になり得た。

三台目の臓器運搬車両が通用門を出ていってから三十分後、冨家が駐車場に現われた。医師たちの自家用車が並ぶ一角から、シルバーのＢＭＷが滑りでてきた。古賀もエンジンをかけた。

「外出先から病院に帰ってきた時はタクシーだった。どうして自分の車を使わなかったんでしょう……」

公子に芽生えた疑問だった。「人目につくことを恐れた相手だから……」

自分で答えを出した公子に、古賀が「おそらく」と頷いた。だとすれば、これから行く場所に警戒の必要はないのか。今夜は自宅に帰るだけかもしれない。

古賀は一度、冨家の自宅を訪ねたことがあるという。だから環七《かんなな》にさしかかっても右にウインカーを出さない前方のＢＭＷを見て、おや、と思ったようだ。冨家の行く先は自宅のある永福町《えいふくちょう》方面ではなかった。今夜は泊まりの勤務だと冨家の妻は言った。冨家には隠されたプライベートの生活があるようだった。

古賀は念をいれて、ＢＭＷとの間に二台の車を入れて尾行した。田園調布署《でんえんちょうふ》が見える環八との交差点で車は左折する。町名は田園調布本町《ほんちょう》。ＢＭＷは環八から住宅街の道に折れ、煉《れん》瓦色《がいろ》の高級マンションの前で路上駐車をした。

古賀はマンションのエントランスの前をゆっくりと通り過ぎる。冨家がオートロックのドアをすり抜けてゆくところが見えた。公子は車を止めてもらうと、急いでマンションの敷地内に足を踏みいれ、エントランスの中を覗いた。

古賀の乗ったエレベーターは四階で止まった。外に出て建物を見上げる。四階建ての四階部分。明かりがついているのはふたつの部屋しかない。冨家の訪問先がほぼ確認できた。

カリーナに戻ってくると、古賀が携帯電話で誰かと話していた。

「夜分遅く申し訳ありません。月刊医療で先生のエッセイを掲載する件でお電話差し上げた者ですが、先生はご在宅では……そうですか。では朝まで永和病院のほうにいらっしゃるということですね……。わかりました。では明日にでも改めてお電話差し上げます。失礼いたします」

古賀は冨家の自宅にかけたようだ。「緊急のオペで徹夜になると奥さんは言ってる」

冨家は妻に言えない相手に逢っているのだと分かった。

「誘拐犯の一味が、ここに……？」と公子は四階の明かりに目を凝らす。

「それはどうでしょう。それほど用心しなければならない相手と会うのに、自分の車でやってくるでしょうか。しかもマンション前に路上駐車です」

「妻には説明できない相手だが、そこまで用心しなければならない相手ではない……愛人の類でしょう」

公子が吐き捨てると、古賀が頷いた。

公子は助手席のシートにふたたび沈んだ。長い待ち時間がまた始まる。冨家はおそらく朝までマンションから出てこないだろう。

四階に見えるふたつの明かり。そのどちらかの部屋で、誘拐犯の一味かもしれない男が酒を飲み、女を抱こうとしているのか。彼が享楽《きょうらく》にふけっている間にも、貴之に残された時間は削りとられていくのだと思うと、公子はたまらなかった。

「とにかくここで夜を明かすしかない。僕が見てますから、しばらく寝てください。昨夜から眠ってないんでしょう?」

古賀の言葉に「そうします」と答え、公子は遠慮なく目蓋を閉じた。張込みの習慣で、眠らなければならない時に睡魔を呼び寄せる術を知っていた。

が、公子に訪れたのは、浅い川を漂っているような感覚だけだった。蛇行《だこう》する川はどこへ辿りつくのだろうか。

ジッポの音を聞いて公子は薄目を開けた。古賀のライターの火が見える。窓からの微風で揺らいでいるそれが、川の先で自分を待つ終着地の明かりのように見えた。

片野坂が捜査本部に戻ると、すでに日付は変わり、身代金が奪取されて三日目に入ろうとしていた。足を棒にして地取りから帰ってきた捜査員たちが、担当課長に一日の報告をしている。片野坂は玉川署の刑事課長に報告義務があった。

有働公子が端末から閲覧していた連続幼児失踪事件の捜査ファイルをもとに、三件の被害者宅を訪問したことをかいつまんで報告した。横浜在住の親は終日不在。川口と入間の親には会うことができたが、有働公子らしき人間を見たことはないし、過去に会ったこともないと言われた。

「有働の写真を、君たち県警の連中は交番の警官にも持たせているそうだな」

報告のあと、刑事課長が片野坂に皮肉を言った。

その話は高津署の後輩から聞いていた。警視庁から取り寄せた有働公子の写真を三千枚コピーして外勤警官に配った。外勤警官がもし職務質問で有働公子を逮捕できたとしたら、表彰に値する。開けてみたら千円札一枚の「金一封」だろうが、警視庁の婦人警官に手錠をかけた警官は後世までの語り草になるに違いない。気分的には賞金稼ぎだろう。

報告を終えて帰宅を許可された片野坂は、テーブルの一角で自分を手招きしている曽根に気づいた。

「埼玉まで歩き回ったそうだな。ま、一杯飲んでけよ」

片野坂の分も麦茶がある。曽根の向かい側に座った。

「どうですか、被害者対策のほうは」

よりにもよって頼りにしていた婦人警官に身代金を奪われ、子供も帰ってこないという最悪の結末と、あの夫婦はどう折りあいをつけているのか知りたかった。

「有働が犯人グループと何らかの関係があると分かった時から、俺たちに心を開くことはなくなった」

「当然でしょうね」

「ただ、どんな形にせよ犯人側に金が渡ったことで、引き換えに子供が返ってくることを一《いち》途《ず》に信じてる。それは九条物産の上層部も同じらしい」

海外の誘拐ビジネスでは、身代金を手にすることができた犯人は百パーセント、人質を解放している。それが最低限のルールとして機能しているからこそ、こうした犯罪が商売として成立し、しかもあとを絶たない。

「子供を返すつもりがあるんなら、今頃どこかで発見されてるでしょう」

「だから、夫婦も時間がたつにつれて、焦りだしている」

「考え始めているわけですね。子供は誘拐した直後に殺されているのか、あるいは二度目の身代金要求があるか」

「特に旦那のほうがピリピリしている。九条物産の役員と、次に金を要求された時にどうするか相談しているんだろう。俺たちに聞こえないように別の部屋で電話をしている」

「被害者対策では、家族が捜査員のいないところで電話をさせないというのが原則じゃないんですか？」

「俺たちにも弱味があるからな、杓子定規《しゃくしじょうぎ》なことは言えない雰囲気なんだ」

檜崎彰一が九条物産の役員とホットラインを持つことは許可された。会話の内容はあとで本人から聞くことになっている。

「夫婦は居間で二人きりだ。俺たちは追っ払われたよ。信用ならない人間に取り囲まれるのはたまらんらしい。今は持田さんが一人ついているだけだ。それも風呂の脱衣場に」

持田警部補が狭い脱衣場に椅子を置いて、コーヒーを飲んでいる光景を片野坂は想像した。

「有働公子の家はどうなってました。子供もいなくなっているというのは本当ですか？」

「五日前から行方が分からない」

「金を奪うことに成功したら、子供と高飛びするつもりだったんですね」

「そう考えてる連中が、うちにも大勢いる。だが、どうしても信じられんのだ。子供と二人で慎《つつ》ましく暮らしていた女だ。金に困っている様子もなかった。子供の将来を棒に振っても親子で逃亡者になる道を選ぶなんて、俺には考えられん」

曽根は頰を歪め、苦いものを嚙み砕くような顔になった。

「こういうことじゃないですか」

片野坂が今日一日で考えたことだった。「有働公子は何らかの事情で犯行計画に加わった。

最初は身内の追跡をまいて、金を奴らに渡し、俺たち追跡班には『不意を突かれて金を奪われてしまいました』と報告すればいいと考えた。ところが金の受け渡しの現場で奴らとひと悶着《もんちゃく》があって、殺されそうになった。とにかく計画に支障をきたして、逃亡せざるをえない。すると心配なのは子供だ。子供と引き離されてしまうという母親の恐怖から、あらかじめ他の場所に移しておいた子供を連れて逃げることにした」

「他の場所？」

「犯人側と決裂した場合に備えて、子供には学校を休ませ、安全な場所に待たせていた」

「なぜ、なんの罪もない子供の手を引いて逃げる」

「誘拐の片棒を担いだ特殊班の婦警とうしろ指を差されれば、子供の未来もないと悲観する。あとは二人で一家心中か、あるいは逃げるところまで逃げて、子供とできるだけ長く一緒にいたいと考える。どっちにしたって自滅には変わりはないが、何をするのか分からないものを秘めているのが母性っていうもんでしょう。男の論理では割り切れないものを抱えているんですよ、女は子宮に」

　片野坂が言いきると、曽根は黙ってしまった。

「ごちそうさま」紙コップを置き、片野坂は立ち上がった。小康《しょうこう》状態の夜だ。こういう時に睡眠時間を稼いでおかなくては。

「子供が三人いなくなった、例の事件だろ？」

曽根のだみ声に振り返った。有働公子が逃亡中に閲覧していた捜査ファイルについて、片野坂が今日一日費やしたことは曽根も知っているようだ。

「子供の手を引いて逃げなきゃいけない女が、なぜそんなものにこだわったんだ」

片野坂本人もどうしても理解できないことに、曽根は鋭い眼差しで光を当てていた。

「今、調べているところです」片野坂は苦し紛れに答えるしかなかった。曽根にこれ以上疑問点を指摘される前に、捜査本部から姿を消すことにした。


グレイ・ウォンは野生の蘭《らん》が密生する水辺に、妹の明るい笑い声を聞いていた。曲がりくねった流れの向こうから聞こえてくる。

薄目を開けて見るのさえ恐かった。この夢の顛末《てんまつ》なら知っている。緑の中に、やがて真紅のシャツを着た妹の姿が見えてくる。早くこっちにおいでよと手招きをする。手が届きそうなところまで近づいた時、突如、ひゅう、と空気を切り裂く音がする。何が降ってくるのかと天を仰いだ瞬間に、妹の笑顔は木端《こっぱ》微塵《みじん》に吹き飛ぶのだ。グレイ・ウォンの目の前は真っ赤に染まり、頬に何かが食いこむ。あとで知った。それは妹の前歯だった。生えかわったばかりの、うさぎのそれのように白く輝く大きな前歯がグレイ・ウォンの頬に嚙みついていた。

流れの向こうに妹の服の色が見える。褐色《かっしょく》の腕がぶんぶん振られている。また妹の死を見なければならないのかとグレイ・ウォンは呻いた。

眠りの中で総毛《そうけ》だった時、鋭い電子音が耳を刺した。

操舵室のベンチで横になっていたグレイ・ウォンは、携帯電話の音で起こされた。通話ボタンを押す前に時計を見た。午前二時。

「もしもし」

日本語で出た。この携帯電話にかけてくるのは四人の日本人しかいない。

「俺だよ」

篤志だった。「どうだい、そっちの天気は」

「うねり始めてる。台風の影響かどうかは分からない」

最新の天気予報では、九三〇ヘクトパスカルから一向に衰えない台風十一号は南大東島《みなみだいとうじま》沖《おき》を毎時二十五キロで北上している。明後日には本州は暴風圏内に入るという見通しだった。

蛇頭の船は今日、夜が明ける頃に日本海に入り、夕方には洋上での受け渡しが実行される手筈《てはず》になっている。台風が接近しているので、早く物々交換を終えて対馬海峡を抜けたいと考えていた。

以前、百三十人の密航者を和歌山県に上陸させた蛇頭の船が、帰り道で台風に遭遇して鹿児島の悪石島《あくせきじま》で座礁したという事件があった。これに懲りて、蛇頭は気象予報に詳しい人間を雇ったという噂もある。

「積荷はちゃんと増やすから待っててくれよ。少なくてもあと一人、明日の夕方には届けられる」

「天候次第だ。待ってられないかもしれない。蛇頭の連中が天気をどう読むかで、こっちも動くしかないんだ」

「なあ、そこを何とか頼むよ。今度も高く売れる子供なんだ」と言ったあと、篤志は慌てた様子で口をつぐむ。思わず口が滑ったという感じだ。

「また見つけたのか、貴重品を」

それは多くのリスクを伴う。「トモエは知ってるのか?」

「知ってるよ。当たり前だろ」

篤志の嘘はグレイ・ウォンにはすぐ分かる。

「どうしてトモエではなく、お前が電話をよこす」

「次の計画を練るんで忙しいんだよ」

「次の計画?」

「相手はまだまだ金をだすってことだよ。俺が言ったってことは黙っといてくれよな。先生に口が軽い男って思われるの、イヤだしさ」

篤志は時々、中学生のような口をきく。グレイ・ウォンには心を許しているという証拠だった。智永という同じ女を肉体的に共有している気やすさなのか。日本人がこういう男二人の関係を「兄弟」と呼ぶことは、グレイ・ウォンも知っていた。

「とにかく早く連れてきてくれ」

「了解……で、どうだい、子供らの様子は」

「そろそろ言葉を忘れる」

一歩一歩、家畜への道を歩んでいる。言葉を忘れ、親の顔を忘れるようになる。グレイ・ウォンが子供たちに敷いた人生のレールだ。

「女のガキのほうは手荒に扱うなよな。ビジネスの約束事として返してやることになってんだから」

婦警の子供のほうはビジネスに当たらないというわけか、とグレイ・ウォンは失笑する。しかも九条物産に対して二度目の要求をしようとしている。ビジネスの線引が随分といい加減だ。金の生る木には徹底的に食いつく。それが智永の考えならば自分もついていくしかないと覚悟している。

電話を切ると、グレイ・ウォンは波音に耳を澄ませた。満潮時のうねりは、昨日よりも高い。

波音の隙間に少女の笑い声が聞こえた時、夢の中で感じた鳥肌がグレイ・ウォンの腕を覆った。妹がこの闇にいる。確かに聞こえる。操舵室の下からだ。妹ではない。檻の中で少女が笑っているのだと分かった。

血と脳漿《のうしょう》を噴き上げるようにして死んでいった妹、その最後の笑顔が瞳の前をよぎっていくと、鳥肌は粟だつ怒りへと変わった。食事用のステンレスのトレイに粥《かゆ》をあけると、甲板に出る。忍び足で船倉への階段を下りる。

前触れもなく扉を開けると、檻の中で身を寄せあっていた子供たちがグレイ・ウォンを見て凍りついた。慌てて床を手で拭く。グレイ・ウォンは無表情のまま二人に近寄る。檻の中の床には拭ききれなかった字がある。「森」と「鳥」が見えた。漆喰のかけらで書いた漢字。

「離れろ」と二人に命じた。怯えた目で、檻の右と左へ二人の子供は分かれる。グレイ・ウォンは鉄格子の間から少年のほうに食事のトレイを差しだした。

「食え」

深夜の二時過ぎだが、闇の世界にいる子供たちの体内時計は狂っていた。そろそろ食事の時間である。

「食え」ともう一度命じた。少年は少女のほうに視線を泳がせる。どうして彼女の分はないの、と言いたげだ。

「お前だけが食え」

そして、少女に言う。「お前は笑った罰だ。二回、食事を抜く」

少女は唇を噛み、恨めしそうな顔でグレイ・ウォンを見上げる。

る。

「早く食わないと、これからお前の飯も抜くぞ」

グレイ・ウォンが睨みつけると少年はトレイに顔を近づけた。手は使わせない。食事のあと、指に粥がついていたら小指だけでなく手首から切り落としてやるとたっぷり脅してある。

少年は少女に「ごめんね」と謝るような表情を投げかけて、トレイに口を突っこんだ。鼻まで粥だらけにして咀嚼《そしやく》を始める。

少女は涙目で見つめているだけだった。どうして自分だけがこんな罰を受けるのかと、グレイ・ウォンへの怒りを目に溜めている。その感情はやがて、一人で満腹になった少年のほうに向けられるはずだ。

どうして一緒に罰を受けてくれなかったのか、と少女は言い始める。すると少年は自分を責めながらも、友情よりも食欲が勝ったことを自覚するようになる。こうして本能が剝きだしになることをグレイ・ウォンは知っていた。生きるためなら何でもできることに子供たちが気づいた頃、海の向こうに優しい「ワニ男」が現われる。

鞭で叩かれ続けたあとにあまい飴がある。生まれたての鳥のヒナが初めて見たものを親と信じるように、ゼロから人間を始める子供の姿をグレイ・ウォンはいくつも見てきた。

四ヵ月前にさらった三人の子供のうち、一人もそうだった。南シナ海からタイ湾に入った時には生ける屍《しかばね》だったが、パタヤで身綺麗にし、「養子縁組」をするフランス人に引きあわせた。体毛の濃い五十歳のフランス人実業家に抱きあげられ、バナナを口移しで食べさせられた時、子供の表情に微妙な変化が現われた。失われたはずの微笑みの表情が甦ったのだ。

婦人警官の息子が泣いている。泣きながらトレイの中身を平らげる。少女に申し訳ないと思っている。まだ人間にしがみついているということだ。そんな涙などすぐに涸《か》れてしまうだろうと、グレイ・ウォンは冷え冷えとした目で少年の泣き顔を見下ろした。

「残らず舐めろ」

少年は舌でトレイを舐め上げた。グレイ・ウォンは満足し、檻の前から踵を返した。自分のいないところで、これから食欲を巡って小動物のいがみあいが始まることは目に見える。少女のほうは手荒に扱うなと篤志は言ったが、親元に返す時にはやはり「生ける屍」にしておく必要があった。ここで見聞きしたことをすべて忘れさせるためだ。警察に保護されて、何か喋られたら厄介なことになる。

少年のほうは四ヵ月前の子供と同様、「玩具」として高値がつくだろうと、グレイ・ウォンは予想している。問題は、買い手のヨーロッパ人が自分の国に子供を連れて帰りたいと願った場合だ。

パタヤから子供を動かすことはできない事情をグレイ・ウォンは繰り返し説明し、フランス人実業家は、渋々ながら納得した。愛玩具となった子供は「現地妻」としてパタヤの売春宿で預かることになり、フランス人は、以来、休暇になるたびにタイを訪れている。

子供を買った客の多くは国に連れて帰りたいと望む。グレイ・ウォンは何とか彼らのニーズに応えるべく、知恵を絞ってみた。

ひとつ、手はあった。

かつてグレイ・ウォンは、中国の浙江省から十五人の中国人を引率し、陸路でタイに密入国させたことがある。

雲南省の国境都市からミャンマーに入るまでは、国境検査所の警備兵を抱きこむことができたので苦労はなかったが、ミャンマーとラオスとタイが交わる、かの悪名高き「黄金の三角地帯」を抜けるまでが苛酷な道のりだった。麻薬王クンサーが指揮する三六九師団の本部がある村は、中国大陸からタイへ密入国する場合、避けて通ることのできない場所だった。三六九師団は阿片《アヘン》の販売とともに、中国人密入国者の送り迎えを請け負うことを新しい収入源にしていた。気分次第で銃をちらつかせる軍官にも手を焼いたが、その地で最も恐ろしいのは熱帯病だった。高熱が出て、体中に硬貨ほどの大きさの斑点が現われ、次第にそこが腐っていく。三六九師団の軍医に注射をしてもらっても治らなかった。

グレイ・ウォンが引率した十五人のうち二人がこの病気にかかり、腐った右腕を切り落としても体の右半分は腐り続け、しまいには拳銃で安楽死させるしかなかった。

試練はまだ続いた。三六九師団に見送られて、今度はミャンマーのケントゥンまでのジャングルを六日かけて踏破しなければならない。ちょうど雨季に入っていたため、ただでさえ歩きにくい悪路はどろどろしたぬかるみになっている。大樹の下、ビニールシートにくるまって野宿をし、血豆のできた足を引きずって歩き続けた。密入国者の中には妊娠していた女もいたが、疲労の激しさから途中で早産してしまった。生まれたばかりの子供は男の子か女の子か確認もせずに密林に捨て、泣き喚く母親を引きずるようにして歩かせた。

彼ら密入国者は「生鮮食品」だ。死んでしまっては一銭の価値もない。指定された目的地に人数通り連れていかないと、減った頭数だけ、グレイ・ウォンが手にする報酬は減ってしまう。すでに熱帯病で二人も無駄にしている。

グレイ・ウォンはようやく、目的地のタイ国境の町チェンライに辿りつくことができた。

つまり、そのコースを逆に利用して、タイから中国雲南省に子供を運ぶことはできないかと考えた。中国まで辿りつけば、大陸を横断してヨーロッパに運ぶルートが確保できる。

中国人の大量出国を警戒している西側諸国がビザ発給を年々厳しくしていて、中国の密入国者たちは直接には西側諸国に行けなくなってしまったが、ロシアならばつい最近まで同じ社会主義国家であったという理由で、入国ビザを比較的簡単に発給してくれる。モスクワ・ルートで、西ヨーロッパと陸続きになっている東欧に移動すれば、客が希望する国に子供を密入国させるチャンスはいくらでもあるに違いないとグレイ・ウォンは算段した。

が、やはり、あの黄金の三角地帯を子供を連れて踏み越えることを考えると、その案は実現不可能だった。グレイ・ウォン自身、あんな旅行添乗員の仕事はもうたくさんだ。

子供はタイから動かせない。子供と「養子縁組」した客はタイに来ない限り、子供とは逢えない。グレイ・ウォンの人脈の限界がここにある。

だから智永は賭けに出たのだ。

売春目的であれ、臓器の密売であれ、子供を飛行機に乗せてタイから楽々と出国させられる方法があった。子供を高額商品にできるルートが、この賭けに勝った場合、智永とグレイ・ウォンにもたらされる。


操舵室のラジオをつけ、グレイ・ウォンが天気概況に耳を傾けようとしていた時、船倉では子供たちが戦っていた。

それは七歳の子供が自分と向きあい、自分から失われつつある人間らしさを取り戻そうとする戦いであった。

「ごめんね……」

貴之は、檻の反対側で空腹を抱えているあゆみに謝った。「僕だけ食べちゃって、ごめんね」

暗がりにいるあゆみの表情は分からない。二度とデビルに声を聞かれてはならないと、唇から洩れる嗚咽《おえつ》を懸命に閉じこめている。

「デビルが恐かったんだ。それに……お腹が減ってたんだ。これを食べないと、三回も食べられなくなるなんて、僕、我慢できそうになかった」

貴之はおろおろした口調で弁解をした。あゆみは無言のまま。貴之は許してほしかった。あゆみの足許に、舐めたトレイをそろりと置いた。へりに点々と粥がこびりついている。

「まだ味が残ってるよ。舐めてもいいよ」

あゆみの機嫌をとるように、貴之は言ってみた。が、返ってきた答えは怒りでしかなかった。あゆみは足でトレイを蹴りつけ、それはたわんだ音をたてて貴之の目の前に転がってくる。

金属音の残響が闇に吸いこまれ、自分たちの息づかいだけが空気を震わせる中で、貴之は感じた。

僕はだんだん僕でなくなる。あゆみもだんだん、あゆみでなくなる。食べて、飲んで、おしっこやうんちをバケツの中にするだけ。簡単な漢字さえも忘れていく。貴之は「いえ」という字が思いだせない。「はは」という字の最後のひと筆さえ、忘れつつある。

ひょっとしたら、自分が自分でなくなるほうがとっても楽なのかもしれない。

すると喉の奥を引っかく者がいた。ヒュルルと不快な音を奏でる。

久しく聞いていなかった音だった。貴之は軽く咳きこみ、感覚を試してみた。発作の兆候に間違いない。

18

母親も自分の気管支の音で目が覚めた。

車の時計は五時半。あたりに青ざめた朝の光が広がっている。隣を見ると、古賀は漠《ばく》とした眼差しでマンションを見つめている。

喉の雑音は気のせいに違いないと公子は自分に言い聞かせ、慎重に息を吸いこんだ。喉と肺に空気を行き来させてみる。すると喉の壁が、ヒュルル、と軋《きし》んだ。

発作の前触れだ。喉を湿らせたら遠のいてくれるかもしれないと思い、ダッシュボードの上のペットボトルを手に取り、ミネラル・ウォーターを送りこむ。喉の途中で水を転がし、飲み下す。それでもまだ雑音が聞こえた。公子は暗澹《あんたん》たる気分になった。

公子が目覚めたことに気づいた古賀が、「台風が来るらしい……」と告げた。ラジオのニュースが薄く聞こえている。

「明日の昼にも関東地方に上陸だそうです」

「……電気はいつ消えましたか？」

四階の部屋は、冨家が入ったであろうふたつの部屋を含めて、窓に明かりはない。

「右の部屋は一時前には消えた。左の部屋は三時までぼんやりと間接照明がついてました」

ならば冨家がいるのは左の部屋だろうか。

「私が見てます。寝てください」

古賀も遠慮しなかった。運転席を倒し、目を閉じ、すぐに寝息をたてた。そばに仲間がいる、もう孤独な闘いをしなくてもいいという安心感からか、長く続いていた不眠症から解放されたような古賀の寝息だった。

八時すぎ、冨家が動いた。

公子は隣の男を揺り動かす。古賀は目覚めた瞬間に自分の役目に体が動いていた。シートを上げて、エントランスに目を凝らす。

冨家が自動ドアをくぐって路上駐車のＢＭＷに乗りこもうとするところだった。昨夜と同じ服装だが、慌てて着たようなポロシャツの襟がよれている。腕時計を見て足どりが性急になったところを見ると、遅刻の様子だ。

古賀もエンジンをかけた。冨家の車は乱暴に道を折れて、環八に入ろうとする。道を塞いで歩く登校途中の中学生にクラクションを浴びせた。

古賀のカリーナは渋滞の始まった環八を北上する。冨家の車との間に大型トラックが入りこみ、視界を塞がれた。

等々力を過ぎ、野毛《のげ》に入る。一キロ先に楢崎宅や玉川署が位置している。公子は視界を塞ぐ大型トラックに業《ごう》をにやし、窓を開けて顔を出し、その先を覗き見る。赤い光が見えた。

「ウィンカーがでてる」

冨家の車は左車線に入り、五十メートル先に標識の出ている第三京浜に入ろうとしている。帰宅のコースでもなかったし、出勤の道でもない。

横浜方面への移動。これが犯人一味との接触であることを、公子は祈った。

智永はテレビの天気予報を見ていた。台風の目から伸びるラッパ状の進路予定が本州に向かって口をあけている。

気象予報士の予想によると、台風十一号はこの先も大型の勢力を保ったまま、毎時二十キロというゆっくりした速度で太平洋岸に接近するという。関東直撃は避けられない見通しで、明日の午後から首都圏の交通機関に大きな影響がでると告げていた。

この天候が味方してくれるかもしれない。二度目の身代金奪取は可能かもしれない。智永の頭の中で計画のプロットが立ち上がろうとしていた。

電話が鳴った。グレイ・ウォンからだった。

「連中の船から連絡がきた。台風がよほど恐いみたいだ。今日の受け渡しは中止にすると言っている」

「仕方ないわね。次は三日後？」

「対馬海峡で台風が過ぎるのを待つみたいだ。なら、こっちから追いかけることもできる。

今日中に船を出せば台風の暴風雨圏内に引っかからずに済むかもしれない」

「慌てることはないわよ。台風が日本海を抜けるまで待機しよう。どうせあと二人ほど子供を積みこまなくちゃいけないんだから」

「子供を船の檻に入れたまま台風の直撃を受けるのか？」

「他に方法がある？」

「楢崎あゆみを親元に返すなら、早く引き取りにきてくれ」

「それも明日いっぱい待ってほしいの」

「二度目をやるつもりか？」

「篤志から聞いたのね」

グレイ・ウォンは黙った。男二人が隠れて連絡をとっている。智永は何かあると感じた。

「篤志は他に何て言ってた？」

「今日中に貴重品をさらってくるらしい。だから出港を待ってほしいと泣きつかれた」

貴重品か。智永は舌打ちした。油断するとたちまちこうだ。冨家にまた何か吹きこまれたに違いない。

「とにかく明日いっぱいでカタをつける。楢崎あゆみをもらいにいくから、待ってて」

智永は電話を切ると、登録してある短縮番号で篤志を呼びだした。

「はいよ」と、篤志の軽やかな返答が聞こえた。

「今どこ」

「だから、まあ、あちこちだよ。登校途中のガキどもをいろいろ見てるけど、やっぱり狙うのは下校時間だな」

「誤魔化したって駄目よ。もう狙いがついてるんでしょ。珍しい血液型の子供を冨家から教えられたそうじゃない」

「……ったく、口が軽いんだから、グレイ・ウォンの奴」

「言いなさい。どこ」

「ごめーん。もうすぐ横浜」

泉水の声に替わった。

「横浜のどこ」

「みなとみらいのイベント会場。ねえねえ先生、あと一人ぐらい大丈夫だってば。チャンスがなかったら無理しないで引き返すから、ねっ」

「冨家も一緒?」

「現地集合」

「私が行くまで待ってなさい。いいわね」

「わーったよ」

生活指導室で拗ねていた頃の声と変わらない。智永は電話を切ると、セルシオのキーを摑んだ。

みなとみらいの臨港パークには、色とりどりの風船が風に吹かれ、子供の手から離れて空高くあがるものもあった。吹きつける海風の強さに台風の予兆がある。

呼び物のイギリスの大型帆船は、あと二時間ほどで台場《だいば》方面から入港するというアナウンスだった。三十分前にゲートが開くと、課外授業らしき小学生の一団がまず会場になだれこみ、引率の教師を困らせていた。会場は瞬く間に子供と家族連れで賑わいを見せた。土曜日の昼間のせいか父親の姿も目立つ。

イベントは日曜日まで開催される予定だったが、台風の接近を予想して、明日は中止になるとゲートに張り紙があった。

迷子になった子供が係員に手を引かれている。親にはぐれた子供たち。篤志や泉水がよだれを垂らしそうな光景だった。

「来たよ」

キャップを目深《まぶか》にかぶっている泉水が、その方向へ顎をしゃくる。

駐車場にシルバーのＢＭＷがすべりこんできた。「悪い悪い」と冨家がせかせかやってくる。

「おっせーよ」

リバーシブルのブルゾンを着ている篤志が、指をピストルの形にして迎えた。背にはバック・パック。子供の着替えと自分の変装道具が入っている。ワンダーランドの時と同じ要領だった。

「昨夜の疲れでぐっすり寝こんじまった。ごめんな」

「何の疲れだか……」

「見たか、車椅子の子供」

「俺たちが来た時はもうすげえ行列でさ、わかんねえよ」

「どのガキか教えてやったら、俺は帰るからな。あとはよろしくやってくれ」

手を汚さない人間の口振りだ。ゲートへ歩き始めた冨家の腕を、泉水が引っぱって止める。

「先生が待ってってさ」

「あの女に喋ったのか。まったく仲がいいな、お前たち」と冨家は呆れた顔。

「喋ったのはグレイ・ウォンだよ。今にも船を出したいみたいだから、待ってくれって念を押しといたんだよ」

三人がいる駐車場から、二ブロック後方に古賀の車が止まった。

公子はフロントガラスの彼方に見た。二人の若者と立ち話をしている冨家の姿がある。

「あの二人……」

公子はまざまざと思いだす。間違いない。車ではね飛ばし、銃を突きつけた男。タンクトップ姿の若い女の肩には紺色の模様が見える。サソリのタトゥーだ。辿りついた、という感慨のあとに、公子は胃のむかつきに似た緊張感を覚えた。

殴られた時の顎の痛みが甦る。前歯のぐらつきを舌でなぞる。殴られたうえに、公子は銃弾を浴びるところだった。運が味方してくれた。その腰から引きちぎったキーホルダーが、ここまで自分を連れてきてくれたのだ。

「どうしますか、これから」

古賀の声も緊張している。四ヵ月、息子の手がかりを求めて奔走して、やっと核心に辿りつこうとしている。いざとなるとどう行動していいか分からないのだ。

「二人は銃を持ってる。それに犯人はもう一人いる」

ヘッドライトの中、シルエットになって現われた主犯格の女を思いだす。あの女を発見するまではうかつには動けない。

立ち話の三人はゲートに向かおうとしている。古賀がダッシュボードを開けて、古い型の八ミリビデオカメラを取りだす。バッテリーが充分なのを確かめて、武器のように左手をストラップに通す。ダッシュボードの中に大きめのカッターナイフが見えた。

「借ります」

銃に対抗するには頼りない武器だったが、尻ポケットに隠し持った。

二人は同時に車を出た。ゲートに吸いこまれていく冨家と若いカップルのうしろ姿を見据え、一定の距離を保って追跡を始める。

「子供が大勢いる……」

古賀が目についたことをそのまま口にした。息子と生き別れになった時のワンダーランドの光景を思いだしたようだ。

ひょっとしたら、彼らは四ヵ月前と同様の犯行に及ぶのかもしれない、と目の前の雑踏風景が公子に予感させる。ならば現行犯逮捕だ。心臓の鼓動にあわせて、眼窩がびくんびくんと脈を打つ。

ゲートを越えたあたりから、会場の遠くに白い制服が目につきだす。外勤警官の夏服だった。市民団体が主催のこのイベントに、政治家やイギリス大使がやってくるという予定はない。一般の警備にしては、警官の数は多いように思える。

公子は改めて自分の立場を思い知る。自分の顔写真が配られて指名手配になっているのは明らかだ。外勤警官が朝礼で見せられたのは、警視庁の人事記録に載っている顔写真だろう。パソコン・ショップで店員に目撃された姿が、すでに似顔絵になって配付されている可能性もある。髪型を変え、十歳ほど若い服装を身にまとった今の姿に簡単に結びつかないことを公子は祈るしかない。

古賀は歩きながらビデオを回し、冨家と若い二人の背中を撮影している。この映像記録が何らかの証拠になればいいのだが、と公子は思った。

「あれだ」

冨家が指差す。帆船の歴史を紹介するテントの前に、両親に連れられた車椅子の少年がいた。右足に分厚いギプスを巻いている。サッカー好きの小学校二年生だった。日焼けしたスポーツ少年は、不自由な体であっても一時たりともじっとしていられない。車椅子に乗ることになって一週間もたっていないというのに、パラリンピックに出られるほど、二本の腕で自在に車輪を操っている。

Rhマイナスという血液型のため、親は怪我をさせないようにと過保護に育ててきたが、息子は買い与えた文学全集に見向きもせず、家を飛びだしてグラウンドを走り回るようになってしまった、と母親が苦笑していたのを冨家は思いだす。

少年は勝手にテントを出て、次の興味の対象を見つけたのか、車椅子で人込みを縫っていく。両親は子供の名前を呼び、ついていくのにひと苦労という感じだ。イギリス海軍の制服を着た青い目の外人が整列行進でやってくると、少年は車椅子から背伸びをして見ている。

いくら活発でも、車椅子では遠くにいけまいと親もどこか安心している。子供から目が離れる瞬間は、何度もありそうだ。

「じゃ、あとは頼むぞ」

冨家が篤志の肩を叩いた。

「汚れた仕事は、いつも俺たちかよ」

「俺がここにいるところを親に見られたら、まずいことになるだろ」

冨家はにやりと口許を曲げ、さっさと雑踏の中を引き返していった。


五十メートル前方から、冨家が若者二人と別れて公子のほうにやってくる。古賀のカメラは冨家の顔を捉えているようだが、公子が促すと体をひねり、顔を見られないようにした。

冨家は子供たちの持つ風船をうるさそうにかきわけ、足早に人込みを縫い、公子の横を通り過ぎていった。

公子と古賀は顔を見合わせる。冨家は去っていく。どうする。公子は迷わず若い犯罪者カップルを追うことにした。

「ふた手に分かれましょう。古賀さんはあそこから……」

会場全体を見下ろすことのできるスタンドが設けられている。見物客はソフトクリームを舐めながらベンチに陣取り、港に話題の帆船がやってくるのを待っている。

若いカップルは何をしようとしているのか、今のところ分からない。古賀には彼らの動きを見下ろす場所にいてほしかった。古賀を修羅場に近づけたくないという、警察官としての配慮もあった。

古賀は頷き、スタンドを駆け上がっていく。

公子は雑踏の隙間から、二人の動向をじっと見つめた。彼らは彼方の一点を見つめて、歩く方向を変え、歩調を緩めたり早めたりしている。それは猟犬の顔つきだった。間違いない。人さらいのための物色だ。二人は何を狙っているのか。公子は背伸びをして二人の視線を辿る。

古賀を振り返る。スタンドの最上段に着いた古賀が、カメラのズームレンズを駆使して二人を捕捉している様子で、やがて公子のほうにパンする。ファインダーの中に、公子の顔が大写しになっているに違いない。

公子はカメラに向かって眉をひそめ、首をかしげる。あの二人は何を狙っているのか、そこからなら分かる？　と目顔で古賀に問いかけた。質問を受けて、古賀がふたたび二人のほうへカメラを戻す。俯瞰《ふかん》のポジションから二人の視線を探るうち、古賀のカメラは何かを見つけたように止まった。

カメラを目から離し、公子に大きく合図をする。両手を胸の前でぐるぐる回している。

公子は雑踏を移動して視界を広くした。軍楽隊がバンド演奏を始め、海軍兵士に扮した外人たちが銃のレプリカを掲げている。そのアトラクションを眺める輪の中に、ふたつの車輪が見えた。

車椅子の少年が座ったままで背伸びをしている。親が駆けつけて車椅子を動かそうとするが、少年は「自分でやるからいいよ」という動作で親の手を離れ、見物できる空間を探している。

公子は古賀を振り返り、同じ車輪の仕草を返した。古賀が「そうだ」と大きく頷き返す。確かに、車椅子の慌ただしい動きにあわせて二人の犯罪者カップルは方向を変え、距離を縮めようとしている。少年は右足にギプスを巻いている。冨家が怪我の治療をした子供が狙われる、という法則を思いだす。あの車椅子の少年が狙われているのだと公子は確信した。

ヒュルル。公子の気管支が不吉な雑音を奏でた。


冨家がゲートを抜けて、雑踏の人いきれにうんざりした顔で駐車場に戻ってくると、BMWの前で智永が両頰に蔑《さげす》みの笑みを浮かべて迎えた。

「どこ、二人は」

冨家は悪びれず、うしろの会場を顎でしゃくった。智永は車からゆっくり離れると、冨家とすれ違いざま、言い放つ。

「あんたとは、もうこれっきりにする」

冨家は目を丸くし、ふふっと笑った。

「そうかい。グレイ・ウォンが何て言うかな」

彼とのつき合いは、冨家のほうがはるかに長い。

「グレイ・ウォンも、あんたを見限るでしょうね」

「体で操ってる女には、勝てないね」

冨家は下卑た笑いを浮かべ、智永の体を目で舐め回した。「この儲け話には、あんたやグレイ・ウォンだけじゃなくても、誰もが乗ってくるよ」

「そこらのやくざにでも持ちこむつもり？」

智永はこの医者の懐《ふところ》具合をほぼ把握している。どこに若い愛人を囲っているかも知っている。田園調布のマンションは冨家が頭金を出した。しかし救急病院でのアルバイトで稼いだ金では到底、若い女をつなぎとめることはできない。臓器移植の若き名医というだけでは、当世の女は尊敬してくれない。今は一千万の取り分で懐も暖かいだろうが、またぞろ借金が始まる。ローン地獄。闇金融。坂を転げ落ちるのは目に見えている。関係を断つには今が潮時だ。

「これっきりになったとしても、あんたと俺は一蓮托生《いちれんたくしょう》なんだ。分かるか？　ま、せいぜい俺がつまらないことで捕まらないよう祈っててくれよ」

下手な脅しにすぎなかったが、冨家が躓《つまず》けば智永たちの致命傷になる。冨家が警察に捕まるようなことになれば、智永たちが「連続幼児誘拐犯」だとあっさりゲロするのは明らかだった。

冨家は車に乗りこみ、智永の前で鋭く方向転換して走り去っていく。去り際、冨家の満面の笑みが見えた。

冨家の処置はあと回しだ、まず焚《た》きつけられた篤志と泉水を引き戻さなければならない。

智永はゲートに向かいながら、携帯電話を手にした。篤志の短縮番号を押した。

「はいよ」

「ゲートをくぐったとこよ。どこにいるの」

「兵隊がアトラクションをやってるところだよ。ガキはすぐ目の前だ。楽勝だよ。やらせてくれよ」

「他の子供にしなさい」

「頼むよ。ワンダーランドの時と同じ要領だ。ガキはそのうちトイレにいく。親が手を貸そうとするのを振りきって、一人でいくかもしれない。ガキ一人だったら、個室に連れこんで薬を嗅がせて、服を着替えさせる。ギプスは叩き割ればいい。なっ。これでやらせてくれよ」

「そんな都合よく、子供が一人きりになると思う？」

「なったじゃん。ワンダーランドの時だって」

「たまたまよ。同じことをやるのはかまわない。ただしその子供は駄目。足がつく」

智永はバンド演奏の音に近づいた。風船だらけの雑踏の向こうで、海軍兵士のアトラクションに歓声があがっている。泉水のキャップが見えた。携帯電話を手にしている篤志も見える。雑踏の周囲に目を走らせると、警備中の警官が何人も立っている。民間警備会社にまかせているワンダーランドより厄介な場所だ。ここでは無理だ。智永が教師時代の叱責《しっせき》口調を思いだし、電話で篤志と泉水の首根っこを摑もうとした時だった。

智永は茶色のメッシュの入ったショート・ヘアを風船と風船の間に見た。その髪型に見覚えはなかったが、血の気が引いて張り詰めた女の横顔を見るなり、記憶が鮮明に甦る。途端にこめかみが脈打った。

採石工場の地べたに倒されながら、朦朧《もうろう》とした意識で泉水の腰にむしゃぶりついた婦人警官だ。あの女がなぜここにいる。智永は目を凝らす。しかも、あの髪型とあの服装は何だ。誘拐グループの片棒を担《かつ》いだという疑いで指名手配されていると智永は聞いている。婦人警官の目的が読みとれた。逃亡者であると同時に追跡者。どうやってこの場所を探り当てたのかは分からないが、あの女は私たちを捕まえようとしている。身内である警察組織の手を借りず、自力で子供を取り戻そうとしているのだ。

婦人警官は一歩一歩、距離を計って篤志と泉水に接近している。

「いい、よく聞きなさい」

篤志と通話状態のままだった携帯電話に、智永は落ち着いた声で命令を送る。これからすべきことは希少価値の子供を狙うことより篤志と泉水を夢中にさせるに違いない。

「七時の方向。分かるわね、左手斜めうしろ。振り返っちゃ駄目よ。あなたたちを尾け回している女がいる」

「女？」

「金を届けてくれた婦人警官よ」

「ほんとかよ」

「駄目、振り返っちゃ」

篤志は泉水にそのことを伝えた。

「だから殺しときゃよかったんだよ」という素《す》っ頓狂《とんきょう》な声が電話から聞こえた。

「子供は放っておきなさい」

「もうどうでもいいよ、そんなもん」

婦人警官を返り討ちにしてやることに、二人は喜々として目標を変更しはじめたようだ。

「で、どうすればいい」と教師の導きを求める。

智永は大急ぎで反撃の手段を組み立てた。

古賀はスタンドの上から俯瞰しつつ、あの青年は誰と電話で話しているのか、という疑問を抱いた。

ホームビデオのファインダーに、ガムをくちゃくちゃしながら集中力を高めようとしている若者二人が上半身のサイズで切り取られている。青年が電話の相手から何やら指示を受けているように見える。青年の口が「はい」「はい」と動くのもはっきり分かった。隣の女も電話に耳を寄せている。

公子のほうにカメラを振る。人垣を煙幕《えんまく》にして、慎重かつ大胆に二人へにじり寄っている。二人と公子を結ぶ線上、その延長線上へはずみでカメラを振った時だった。携帯電話を持つ女の姿を捉えて、古賀は思わずファインダーを止めた。

黒いニットのシャツ、三十代半ば、子供でも連れていればともかく、このイベントに来る客層ではない。古賀が気になったのは、携帯電話に向かってしきりに言葉を浴びせている緊迫した様子だ。試しに若者二人のほうにファインダーを戻してみる。青年がまた「はい」と答え、何やら訊き返す。黒ずくめの女にパンする。電話相手の質問を聞いてから、的確に返答している顔つきだった。

両者の会話だと古賀は判断した。黒ずくめの女が電話を切る。若者も電話をブルゾンのポケットにしまう。

公子が言っていた三人目の犯人、主犯格の女ではないのか。

古賀は黒ずくめの女をカメラで狙った。ファインダーの中で女が移動を始める。こちらに向かってくる。スタンドの階段を何段か上がり、画面に背を向け、イベント会場を広く見渡す位置に女は立った。

車椅子の少年は軍隊のアトラクションにも飽きたのか、父親を見上げて何事か訊いている。父親がイベント会場のはずれを指差す。公子もそのほうを見た。ポップ・コーンの出店があり、その向こうにはトイレのマークがある。

一緒についていこうとする父親に「いいよ、一人で行けるよ」とでも言ったか、少年は車輪を器用に転がし始めた。

金髪男は執拗《しつよう》に追跡している。足音もたてずに忍び寄るハイエナさながらだった。

ところがペアで行動していたサソリの女が別の動きを見せた。金髪男から離れ、車椅子の少年が向かう方角とは逆に移動を始める。公子は躊躇うことなく金髪男のほうを見さだめた。別行動の女の姿はたちまち視界から消えた。

スタンドの古賀を振り返る。公子が振り返るのを待っていたかのように、古賀が何やら合図を送ってよこす。耳に当てる受話器の仕草。さっき金髪男が携帯電話を手にしていたことを言っているのか。古賀は自分のいるスタンドの下のほうをしきりに指差している。家族連れがベンチを埋め尽くしていた。古賀は何を伝えようとしているのか。

金髪男との距離が開く。見失うまいと公子は前方に向き直った。金髪男の凶手が車椅子の少年に襲いかかろうとする時を狙って、背後から急襲をかけるつもりだ。右手が尻ポケットにある大型カッターナイフを握る。早鐘《はやがね》の如き心臓の鼓動と気管支の震えが共鳴を始めた。

佐山裕介《さやまゆうすけ》巡査は神奈川県警保土ケ谷署の外勤警官だが、戸部署管轄のみなとみらいの警備に駆りだされた。

指名手配中の警視庁捜査一課の婦人警官が、現在も厚木から横浜にかけての神奈川県東部に潜伏している可能性があり、本部から電送されてきた写真のカラー・コピーを朝礼で渡された。

手配中の婦人警官は一児の母親だが、所帯じみた匂いのしない凛とした顔立ちである。やや丸みがあって顔の中心で自己主張をしている鼻の形が、佐山巡査がつき合っている歯科衛生士の恋人に似ている。

朝礼で課長が言った。指名手配された者はむしろ人込みを保護色にする。だから雑踏警備に配属された者は集中力を切らすことなく警戒に当たれ、と。

婦警の実年齢は三十四歳だが、本厚木のパソコン・ショップで目撃された時は髪型を変えていたという報告も入っている。店員には二十代半ばに見えたということなので、佐山巡査は視界に入ってくる女性を広い年齢層で選り分けた。

どこかで風船が割れた。周囲の人間たちが驚いて振り返る。佐山巡査の注意も自然とそちらに向いた。割れた風船の残骸《ざんがい》を手にして、幼児が泣いている。母親が「またもらってあげるから」となだめているが、泣き声は止まらない。

乾いた銃声にも似た風船の破裂音に、誰よりもびくっと振り返った女がいた。青ざめた表情をしていたが、音源は風船だと分かり、ほうっと大きな息を吐いた女は茶色のメッシュの入った短髪、どことなく年齢不詳、丸い鼻。

佐山巡査の目が引きつけられた。制服の胸ポケットから今朝配られたカラー・コピーを取りだす。女と手元の写真を何度も見比べるうち、じりじりと焦げつくような確信の念がみぞおちから上ってくる。

保土ケ谷署から一緒に配属された同僚警官のほうを見る。道に迷った年寄りの応対をしていた。一緒に警官詰め所までいってやる様子だ。

佐山巡査は応援を呼ぶことを諦め、公子の背後へと一歩踏みだす。十歩ほどで辿りつける距離だった。

誘拐犯グループと共犯の可能性がある警視庁の特殊犯捜査係の婦人警官を、職務質問によって逮捕。神奈川県警の外勤警官としてはこれ以上の勲章はない。

泉水は智永の指示通りに、群衆の外周りを迂回し、婦人警官の背後に回りこんでいた。だらりと垂らしたタンクトップのシャツの下には、ジーンズの腰に差しこんだミリタリー&ポリスがある。

ポリ女はやがて篤志をうしろから襲うに違いない。採石工場の夜と同じ間違いを犯す。あの時と同様に銃把《じゅうは》で殴りつけたあとは、その口に銃口を突っこんでやろうと、泉水は舌なめずりの顔つきでその背中を凝視した。

「舐めてみろ」

そう言ってやる。お前が男のモノを咥《くわ》えた時のように、四インチの銃身を舐めてみろ。いや、お遊びはあとだと泉水は思い直す。とにかく人目につかない所で殴って、気を失わせて、人込みで具合が悪くなった身内のように篤志が背負い、駐車場の車に運びこむという段取りだ。

車椅子の少年は雑踏を抜け、ポップ・コーンの屋台を通り過ぎ、トイレへと向かっている。篤志が少年に最接近したのを見るなり、ポリ女は「幼児誘拐の現行犯逮捕」とでも叫ぶつもりだろうかと泉水は嗤《わら》った。

視界を邪魔する風船をかき分け、泉水が婦人警官との距離をまた何歩かつめようとした時だった。

目の前の光景に異変を見た。白い制服の警官がポリ女に近づこうとしている。警官はもう少しでポリ女の肩に手がかかる距離まで来ていたが、バギーを押した家族連れに阻《はば》まれている。

予想外の事態で泉水の思考回路が混乱をきたす。お巡りがポリ女を呼び止めようとしている。ポリ女は指名手配されているとはいえ、警察の人間だし、すなわちそのお巡りは仲間なわけだから、事情を話すだろう。あの若い男が車椅子の少年をさらおうとしている。お巡りは仲間を呼ぶ。篤志は取り囲まれる。やばい。やばい。やばい。からからに渇いた泉水の喉から、恐慌状態の叫びが間欠泉《かんけつせん》のように噴きだそうとしていた。

「すいません。ちょっと……」

公子はうしろから肩を摑まれた。びくっとして振り返ると、制服警官の汗にまみれた顔があった。「ちょっとお尋ねしますが、どちらからおいでですか」

マニュアル通りの職務質問だったが、声は上擦《うわず》っていた。公子は不意を食らってまごつく。制帽の下には、指名手配犯に辿りついたと確信しつつも、どことなく怯えた制服警官の眼差しがある。

公子は向き直る。金髪男は車椅子に接近している。ブルゾンのポケットから両手が出たのが見えた。凶手だ。

「お名前は?」

制服警官は順序だって質問を始めた。公子の目は彼方にある。篤志は車椅子に迫っている。

「有働公子だな」

制服警官が内なる葛藤《かっとう》から解放されたかのように、性根《しょうね》を据えた声で公子にまた一歩近づいた。

「違います」

公子が毅《き》然《ぜん》と言葉を返すと、制服警官に一瞬の隙ができた。制止しようとする制服警官の手をすり抜けて、車椅子の少年に毒牙《どくが》を剝こうとしている金髪男めがけて公子は走り始めた。

「待ちなさい」

お巡りの甲高い声があがったと同時に、泉水は腰からミリタリー&ポリスを抜いた。自制の網を突き破って、喉の奥で出口を求めていた雄叫びが泉水の口から放たれた。群衆がその奇声に度胆を抜かれた直後、風船の破裂音とは比べようもない轟音《ごうおん》があたりを席捲した。

ミリタリー&ポリスの四インチ銃身から放たれたウィンチェスター製造の三十八口径スペシャル弾は、十メートルの距離を何の障害物もなく突き進み、お巡りの後頭部に深くめりこんだ。

背後からの強烈なインパクトでふっ飛んだお巡りの体が、逃げようとしていたポリ女の背中にのしかかる。ポリ女はその重みを背負ったままアスファルトに倒れ伏した。

何が起こったのか分からない群衆の一瞬の静寂は、誰かの悲鳴が爆心地点となってパニックを呼んだ。聞こえたのは銃声。見たものは流血の惨事。阿鼻叫喚《あびきょうかん》の群衆が四方八方へと散らばる。子供の頭を抱えて地面にかがむ親。おろおろと逃げ道を探す者。将棋《しょうぎ》倒しになった子供たちを踏み越える者もいる。泉水は愉快だった。

「馬鹿」と智永の叱責《しっせき》が聞こえた気がした。パニックで揺れるスタンドで、この騒ぎを引き起こした泉水に対して呆れ返っているに違いない。篤志のほうを見ると、銃声に振り返って泉水の行動にひたすら驚愕し、蜘蛛《くも》の子を散らしたように逃げる群衆に突き飛ばされている。

泉水は群衆の反応を存分に楽しむと、ハンドガンの基本的な構え方で二発目を狙う。二日前に殺しそこねたポリ女の血を見なければ満足できない。逃げ惑う人々が視界を遮る。地面に伸びきったお巡りの手足が痙攣《けいれん》しているのが見える。その体を楯にしてポリ女が伏せている。

「馬鹿、よせ」という篤志の声が遠くで聞こえた気がしたが、すでに泉水はトリガーを絞りきっていた。この高らかな銃声。放たれた第二弾は誰かの肩を撃ち砕き、澄みきった初秋の青空に鮮血の霧が見えた。銃弾はポリ女には届かなかった。

公子は恐怖にがんじがらめにされていた。助けを呼ぼうとスタンドを見た。古賀の姿が見えた。ビデオカメラのファインダーから目を外し、この無秩序な群衆の動きを茫然《ぼうぜん》と眺めている。懸命に公子の姿を探しているようだ。

ここから救いだしてほしかった。古賀は駆け寄ろうにも人々に阻まれている。うしろから突き飛ばされ、階段を慌てて駆け降りる人間ともつれあって三段ほど転げ落ちたのが見えた。


公子は手の中にあるものを見た。カッターナイフを握っている。すぐ目の前に制服警官のベルトがある。恐怖の波をかいくぐって、応戦しなければと職業本能が告げている。もつれた手つきでホルスターからニューナンブ拳銃を取りだし、拳銃とホルスターをつなげているループ状の紐をカッターでしごくように切断した。痙攣が最高潮を迎えている制服警官の体を楯にし、照準に射撃対象を捉えようとした。

サソリの女が見える。ニューナンブより一インチばかり銃身の長い拳銃を、銃把に左手を添える基本的な射撃姿勢で構えている。照準越しに一瞬、目と目が合う。またしても恐怖の塊が公子の喉を塞いだ。何人もの人間が視界を通り過ぎていく。拳銃所持の凶悪犯と向かいあったとしても、決して発砲してはならないと警察学校で教えられた状況だ。そもそも拳銃を握った右手がガチガチに凍りついて、トリガーを引くどころではない。

サソリの女から三発目が放たれた。公子は首をすくめる。制服警官の死体が躍りあがる。横っ腹に弾丸を食らったのだ。弾丸に脂肪の厚みを貫通する能力はなかったため、公子は命拾いをした。たまらず地面を回転して死体から離れる。応戦は無理。ならば撤退《てったい》。公子は人込みに逃げこもうとしたが、押し寄せる人々に倒され、立ち上がりかけてもまた倒された。膝ががくがくと笑っている。何とか中腰で走り始めることができたが、今にも背中に銃弾が突きささる恐怖に公子の口が絶叫の形になった。

四発目が聞こえると、公子も群衆と同様に、警官らしからぬあられもない黄色い声を発した。銃弾の嵐にさらされたのは、警官になって初めての経験だった。息子を取り返そうとする強靱《きょうじん》なはずの母性も、その恐怖を克服できないでいる。

走って走って、多くの人間たちに混じってゲートをくぐり、公子は駐車場に辿りついた。カリーナを見てはじめて、古賀をスタンドにおいてきてしまったことに気づいた。会場に戻ろうとしたが、頰を膨らませて呼子《よぶこ》を吹いて会場に駆けつける制服警官の姿にひるんだ。とにかくこの場を離れなければならないと本能が急きたてる。

公子は一目散に臨港パークから走り去る。その手には人目をはばからずニューナンブが剝きだしで握られていた。

智永のセルシオは、みなとみらいから放射状に広がったパニックからようやく脱した。渋滞を抜けたところで、対向車線をパトカーが耳障りな音をまき散らして通り過ぎていく。

携帯電話で篤志と連絡がとれた。泉水とともに人込みに紛れて逃走できたようだ。落ちあう場所を山の内埠頭《ふとう》の突端と決めた。電話のバックに泉水の意味不明の嬌声《きょうせい》が聞こえた。興奮状態だった。

埠頭には智永が先に到着した。

パトカーと救急車、それにテレビ局の中継車。みなとみらいの騒乱を対岸に見て、篤志のワゴンを待つ。やがて白いハイエースが泉水の興奮にあてられたような乱暴な運転で、倉庫の向こうから現われた。

停車するなり、泉水が躍りでてきた。

「すかっとしたよ。見たろ。全部見たよな。あんなところでぶっ放したことないだろ、先生。逃げ回るんだ奴ら。子供を放りだして逃げる親もいたよ。本性だよあれが。人間の本性なんだよ、ざまあみろ！」

真っ赤に上気した顔で泉水が言葉をまき散らした。

「さっきからこの調子なんだよ」篤志が苦笑している。

「ざまみろ、もっとやってやる、撃ちまくってやる」ミリタリー&ポリスを抜いて海に向かって発砲しそうになったところで、篤志が「おいおいおい」ともぎ取った。

「屑だよ、人間なんて屑だよ、そう思うだろ、なあ思うだろ」

泉水は血走った目で篤志の胸を何度も突く。

「分かったよ、もう落ち着けったら」篤志はうんざりしていた。

智永は一直線に泉水の前に来ると、渾身《こんしん》の力でその頬を打った。泉水はキャップを頭から飛ばして地面に転がった。すると今までの躁状態は嘘のように、泉水は萎れきった。憑《つ》き物が落ちて放心状態。篤志が上目遣いで智永の怒りを窺っている。

叩いた智永の手がひりひりした。空中で何度も手を振って、痺《しび》れを払い落とすと、智永は携帯電話を取りだし、短縮番号を押した。相手はすぐにでた。

「あたし。子供は連れていけない。すぐ船を出して」

グレイ・ウォンは「もう遅い」と告げた。台風十一号はやや迷走状態になり、進路を西に向けているという。

「今、出港して、蛇頭の船が待機している対馬海峡に向かっても、台風の暴風雨圏内は避けられない。台風が通り過ぎるまで待つしかないようだ。子供の調達はゆっくりやってくれ」

湾の彼方、みなとみらい一帯はパトカーの赤色灯で埋め尽くされている。智永はグレイ・ウォンとの電話を終えると、放心している泉水や篤志と同様、しばらくその光の瞬きを眺めた。

「やるわよ」

海風に言葉を乗せた。

何を？　と篤志が目で問いかける。

「身代金をあと一億」

篤志はぽかんとしたあと、目をらんらんと輝かせる。泉水もその言葉が引き金となって生気を取り戻しつつある。

計画はまだ漠然としている。だが秩序だった思考とは違うもの、原始的な何かが智永を内側から突き動かしていた。脳裏をよぎるのは、採石工場から逃げのび、みなとみらいで篤志を追いつめようとした公子の姿だ。変装して逃亡者となり、同時に追跡者となったあの婦警の存在が今の自分を次の行動に駆りたてているのだと、智永は自分の心を分析できた。

「その前に片づけておかなきゃならないことがある……」

荒れ野のような自分の魂に呟きかけ、智永は二人をおいてセルシオの運転席に戻った。

「部屋に帰って、おとなしくしてなさい」

「はい」と篤志が言い、「はい」と泉水も殊勝な顔で続く。

エンジンをかけたあと、智永は「泉水」と運転席から顔をだして呼んだ。泉水はまた叱られるのかと上目遣いの顔になる。

「人を撃ち殺したのは、あなたが最初ね。私たち三人の中では」

泉水はどう答えていいか分からず、こっくり頷くだけだった。

「心配いらないわよ」

「……え？」

「私も同じ罪を背負うから」

智永は母親のように表情を和《やわ》らげた。泉水も篤志も意味を汲みとれない顔をしている。

智永の微笑みの顔に固い意志がみなぎっている。車を発進させ、ぼうっと立ち尽くす二人の若者の前から走り去っていった。

19

みなとみらいのイベント会場で発砲事件発生。警官一名が頭部に被弾《ひだん》して殉職。一般客一名が重傷。神奈川県警からの入電に玉川署の捜査本部は張りつめた。

発砲したのは二十代前半の女。狙われたのは、殉職した警官に職務質問を受けていた女性で、茶色のメッシュが入ったショート・ヘアでサマーセーター姿という目撃情報が入った時、益岡だけでなく捜査本部の誰もが、手配中の有働公子だと直感した。

事件発生から三時間後の午後一時、益岡にとっては絶望的な報告が県警幹部から電話でもたらされた。

後頭部を撃たれて即死した警官の体から拳銃が奪われていて、そのプラスチック製のホルスターから検出された指紋が、有働公子のものと一致したという。

楢崎あゆみちゃん誘拐事件については報道協定が結ばれているため、県警は発砲事件について有働公子の公開手配をたった今行なったと益岡に告げた。まったくの事後報告である。

益岡が茫然と受話器を置いた直後、警視庁の広報担当から電話が入った。桜田門の記者クラブは有働公子巡査部長についての情報開示を求めて、会見場で怒号《どごう》をあげているという。県警が「有働公子のプロフィールについては、警視庁のほうに問いあわせてください」と会見を切りあげたために、マスコミは警視庁に殺到したらしい。県警は発表するだけ発表しておいて、面倒はすべて警視庁に押しつけた恰好だった。

益岡も了承し、有働公子の顔写真と経歴が発表されることになった。

午後二時、すでに発砲事件について報道していた公共放送が、「現職の婦人警官が発砲事件に関与、重要参考人として指名手配」と速報で流し、午後のニュースを放送していた民放各局も、みなとみらいの現場中継のレポーターを通じて、「警視庁の婦人警官が殉職した警官から拳銃を奪って逃走中」と報じた。

カメラの前の県警の刑事部長は、「警視庁の」という言葉を何度も強調し、「逃走中の婦人警官の発見に全力を尽くす」と迫力たっぷりに語った。五十歳で警視正、大卒ノンキャリアにしては最短距離で刑事部長にのぼりつめた男だけあって、会見に官僚的な匂いはなく、言葉の端々《はしばし》に日本人特有の精神主義が色濃く漂っている。それが聞く者にとって説得力をもつ。

「わが神奈川県警では前例のない大規模な捜査態勢を敷いて、全身全霊、命を賭《か》けて県民の皆様の安全をお約束します」

自分にはこんな喋り方はできない、と益岡はテレビを見てつくづく思った。

しかし全力を尽くすのは婦人警官の発見ではなく、本来、拳銃を乱射した犯人検挙のほうではないか、と益岡は異論を唱えたい。有働公子の情報が先行しているこの状況は、警視庁の汚点をことさら喧伝《けんでん》しようとしている県警の作為がぷんぷんと匂う。みなとみらいの現場検証から警視庁の人間は締めだされたという話も聞こえてきた。

誘拐事件は何の進展もない。犯人側から連絡は途絶えたままで、身代金と交換で楢崎あゆみが解放される約束は果たされていない。捜査本部は厚い雲がたちこめたように、絶望感に覆われている。少女は死体で見つかるのだろうかと誰もが考えている。

誘拐犯グループの検挙と有働公子の発見が捜査本部の使命であり、益岡のキャリアを首の皮一枚でつなぐ生命線でもある。

横浜髙島屋の婦人トイレに公子は閉じこもっていた。

黒の毛染液、マタニティーのワンピース、中綿がウレタンのクッション、ガムテープとハサミ、これらを個室トイレに持ちこんで悪戦苦闘の最中だった。すでに髪の染直しは終わり、サマーセーターとストレッチ・パンツを脱ぎ捨てて下着姿になっている。

クッションをハサミで解体し、中のウレタンを取りだし、自分が貴之を腹に宿していた頃を思いだし、臨月の腹を再現する。ウレタンを切り、かさね、ガムテープでとめ、膨らみの曲線を作りあげていく。

出来あがった臨月の右の脇腹にハサミで切り込みを入れる。そこがニューナンブを隠すためのホルスターになる。マタニティーをかぶり、右のポケットに穴をあけた。手を突っこんで腹綿に隠した拳銃を抜けるようにする。何度か練習してみた。

この作業の間、公子に雑念はなかった。きりきりとこめかみが軋むほどに集中し、拳銃携帯の妊婦を作りあげた。

自分の目の前で射殺された制服警官を悼みながら、公子は武器を手にする。

米国スミス&ウェッソンをモデルに作られたミネベア製ニューナンブM60三十八口径。全長十九・八センチ、六百七十グラム。弾丸は六発入るが、警察では暴発予防のため撃針が当たる部分の一発目は空けるようになっている。総弾数は五発だった。

警察には「拳銃事故防止三大鉄則」という標語がある。「取りだすな、指を入れるな、向けるな人に」という五七七。これでは「ただ持っていればいい」と言わんばかりである。

実弾練習もあまりやらない。警官たちは年に二度、警務課から呼びだしがあって、深川の術科センターで射撃訓練を行なう。二十三メートル離れた直径五十センチの標的に向かって、五十発の実弾を撃つ。

公子は教官から「こんなに弾痕《だんこん》不明が多くてどうする」と叱られてばかりだった。弾痕不明とはつまり、標的のボードにすら当たらないということだ。射撃は苦手中の苦手である。教官は握力の弱さが原因ではないかという。衝撃ではね上がった銃身を元の位置に補正できない。しかも緊張による震えで照準が左右に揺れる。

「拳銃携帯の場面に出くわさないことを祈っているんだな」と、教官もしまいにはさじを投げた。

射撃訓練の成績が人事考課に加えられることがないのが救いだった。そもそも大半の警察官は現場の仕事が忙しくて、警務課から呼びだしがあっても射撃練習どころではなく、警察学校卒業後、射撃の練習など一度もしたことのない者も多い。ほとんどの警察官が、退官するまで、現場で拳銃を抜くことはない。

ニセ腹の右半分に拳銃の重みを感じながら、公子は婦人トイレを出た。眼鏡売場で伊達《だて》眼鏡を買ってかけると、野暮《やぼ》ったい妊娠八ヵ月の妊婦が完成した。

東急東横線のホームから上り電車に乗る。高校生が公子の体を気遣って席を空けてくれる。公子は遠慮せずに座らせてもらった。腹全体を両手に支えて「よいしょ」と腰かけ、目的地に到着するまで約三十分、泥のように眠った。多摩川駅到着のアナウンスがあると自然に目が覚めた。眠っていても神経は張りつめている。

駅前に下りたつと、暖かく湿った風を感じた。台風が刻々と日本列島に接近していると思わせる、不穏な風だった。

タクシーに乗って、昨夜ひと晩張込みをした田園調布本町にやってきた。

午後四時すぎの斜光がマンションの煉瓦色をあぶっていた。四階を見上げる。今そこに冨家がいるという保証はない。しかし彼は必ずここに来ると踏んだ。エントランスの中に入ったが、オートロックの自動ドアは住人でなければ開けられない。ここで冨家を待つしかないかと公子は立ち尽くす。

主婦の住人がエレベーターから下りてきて自動ドアをくぐると、公子はやり過ごしてから、閉まろうとする自動ドアに身をくぐらせる。突きでた腹がドアにひっかかったが、侵入に成功した。

四階までエレベーターで上がる。右手をマタニティーのポケットに突っこみ、ウレタンに埋まったニューナンブを握る。

四階の、おそらく四〇五号室だと見当をつけた。ドアノブに手をかけて回してみる。鍵は開いていた。

部屋の空気が流れでてきた時、鍵のかかっていない不用心な部屋でどんな光景が待っているのか、本能的に察知できた。

匂いだ。むせ返るほどの鉄分の匂い、血の生臭さだ。排泄物《はいせつぶつ》の匂いも混じっている。

マタニティーからニューナンブを抜いて、廊下を壁伝いにいく。

フローリングの先に十五畳ほどのリビング。銃口から先に入る。まず目に飛びこんできたのは白と赤のコントラストだった。白い壁には噴霧器を使ったかのような血飛沫《ちしぶき》の模様がある。ブラウンの床には一面、羽毛が飛び散っている。羽毛の雪景色の中、ふたつの肉体が投げだされていた。ひとつは冨家。額と頰に二発の弾痕がある。黒目は眼窩の上に消え、白目だけのおぞましい表情だった。口がムンクの『叫び』を思わせる形で床に押しつけられ、最期の瞬間まで自分の死が信じられないという顔つき。

もうひとつは百七十センチ以上はある大柄の女。絹のスリップを血で染め、やはり額に一発を食らっている。ソファの背もたれに均整のとれた体を預け、無表情で天井を見上げている。美術品のような長々とした足を伝って排泄物が流れだしている。転がっているクッションに黒く焦げた穴が三つあいていた。犯人はこれを銃口に押し当てて銃声を消したのだ。

公子は部屋に足を踏み入れた姿勢のまま凍りついていた。伸びきった腕の先のニューナンブが小刻みに震えている。酸素を求めて喘《あえ》ぐと、ヒュルル、ヒュルル、と気管支が鳴り、激しく咳きこんだ。本格的な喘息の発作に近づいている。何より咳きこむことで体力を消耗する。

公子は咳を無理やり飲みこみ、大きく深呼吸をした。落ち着け、と自分に言い聞かせ、現場に触るな、と警察官としての注意を自分に促す。

先を越された。犯人グループにつながる糸を断たれてしまった。その事実だけが頭の中を駆け巡り、公子は虚脱した。次の行動が思い浮かばない。

ドクドクとこめかみを打つ血管の音しか聞こえない静寂が、不意に破られた。玄関ドアが開いて誰かが廊下をやってくる足音がすると、公子は銃口をドアに向けて「あっあっ」と恐怖に引きつってトリガーを絞る。ダブルアクションで撃鉄が上がろうとした時、目の前に現われたのが古賀だと分かって、トリガーに食いこむ人差し指から力を抜く。危なかった。発砲するところだった。

古賀は公子の姿を見るなり、自分に向かっている拳銃の狙いにひるんだ。銃口がそれると、部屋の光景に息を呑んだ。

「君が……」

古賀が呟きかける。公子が二人を射殺したのではと思ったようだ。

「死んでた。来た時には」

公子は誤解されたニューナンブを腹のホルスターにしまう。古賀は信じてくれたようだ。あとは公子と並んで惚けるしかなかった。

ふたつの死体から流れでた血液が床一面に広がっている。ブラウンの床では光の加減で分からなかった。二人の足許まで血の海が迫っている。

「出よう」

古賀は公子の両肩を引き寄せ、出口へ連れて行く。長居は無用だ。二人はぎくしゃくした足どりで惨劇の部屋をあとにした。

マンションからワンブロック離れた道端に智永のセルシオが止まっていた。

エントランスから男に支えられた婦人警官がもつれるようにして出てくるのが見えた。西陽を受け、白く血の気を失った婦人警官の表情が、智永のいるところからでも分かる。

冨家の始末は終わった。しかしあの婦人警官は、また別の糸をたぐり寄せるに違いない。篤志と泉水の顔を見られている。泉水の言う通りだ。採石工場で殺しておけばよかったと智永も後悔した。

あの時は、床に倒れた無防備な人間に銃弾を浴びせる勇気がなかった。今なら智永は何だってできる。この手で人を殺してきたばかりだ。

冨家とその愛人に銃をつきつけ、リビングのソファに並んで座らせた。愛人のモデルは銃口にひるみながらも、いきなり訪ねてきた智永に「何なのよあんた」と歯をむき、蒼白な表情で固まっている冨家に「この女、あんたの何なのよ」と吠《ほ》えたてた。金切り声がうるさかったので、智永はまず女のほうを黙らせた。くぐもった銃声で、クッションから羽毛が吹き上がり、部屋にふわふわと雪が降った。初めての殺人だった。四ヵ月前、間接的に子供たちの命を奪ってはいたが、自分の指一本で他人の心臓を止めるというのは初めての経験だ。特に感慨はなかった。智永はソファにもたれた女の体を眺め、男たちにとってはさぞ金のかかる体だっただろうと考える余裕すらあった。

冨家の命乞いは言葉になっていなかった。智永が二発撃ちこむと、冨家が愛してやまなかった脳死がその身にも訪れた。血液が流れでて心臓が止まれば、それは完璧な死に至る。冨家の臓器は誰かのために役立つのだろうか。

部屋から車に戻って一時間ほどで婦人警官が現われた。今度は妊婦に変装かと智永は笑った。ほとんど時を同じくして、一台の車がマンションの前に止まった。どこかで見たことのある男だと思った。どこかの部屋のインターホンを押して、宅配便の業者を装ってオートロックの扉をくぐった。ワンダーランドでさらった子供の父親だ。他の被害者の親と並んでテレビに出演したり、ミルク・パックに息子の写真を印刷して週刊誌で話題になったことがある。

婦人警官は四ヵ月前の事件に突きあたることで、冨家の存在をあぶりだしたに違いない。二人が乗ったカリーナは走りだし、路地に消える。

婦人警官はみなとみらいの拳銃乱射事件で指名手配になっている。冨家の線から核心にどこまで迫っているのか分からないものの、智永たちは彼女が逮捕される前に決着をつけなければならない。

婦人警官が知りえたことは、まだ警察当局には伝わっていないだろう。婦人警官が逃亡者でいるうちに、彼女と、彼女の協力者となったあの父親を始末しなければならない。有働貴之から聞きだした携帯電話の番号がある。電話一本で彼女は駆けつけてくるに違いない。対決にふさわしい場所はどこだろうか、と智永はほくそ笑んで考える。

都心は渋滞していた。車は遅々《ちち》として進まない。公子は咳きこんでばかりいた。心配そうな古賀に喘息の発作だと説明する。咳がいったん遠のくと、はあはあと肩で息をした。空《から》っ風のような雑音が喉から洩れている。

「みなとみらいでは、すいませんでした。古賀さんを置き去りにして」

「あんなことがあったんだ。動転してしまうのは仕方ない」

「怪我はなかったですか？」

「階段で転げ落ちて、腰をちょっと……。大丈夫です」

「あの子……車椅子の。無事だったかしら」

「両親が一目散に駆けつけて、安全な場所まで連れて逃げた」

「よかった……」

安堵の溜め息とともに、ヒュルルと喉が鳴る。

「もう一人、女がいるのを見た。若者二人に携帯電話で指示を送っている女だった」

「どんな？」公子は気色《けしき》ばんだ。

「ビデオに撮ってある」

夕闇が迫る頃、やっと市谷《いちがや》の文洋社に到着した。古賀は勤務先に公子を連れて来るしかなかった。自宅の留守番電話を聞いてみたら、片野坂という神奈川県警の刑事から、「四ヵ月前の事件についてお訊きしたいことがあってご自宅をお訪ねしましたが、お留守のようなので、また改めて伺います」という電話が入っていたという。

古賀の自宅には行けない。都内のホテルも広域手配が行なわれている間は、どこでもチェックが厳しい。

みなとみらいで撮影したビデオを公子が見る必要もあったため、古賀は社にいる部下に電話をし、契約ライターとの打ち合わせという名目で小会議室を確保した。

古賀は職員通用門の守衛に通行証を見せ、公子を来客として通す。

公子は古賀に続いて編集フロアを足早に通り抜ける。妊婦のライターがいたとしてもおかしくないだろうが、人の注意を引きたくない。小会議室に入って椅子にぐったり座りこんだ公子は水を求めた。古賀が差しだしたコップの水にかぶりつき、喉を充分に潤《うるお》す。

古賀は部屋に鍵をかけ、八ミリビデオをテレビに直結し、再生の準備を整えた。

スイッチを押すと、手ぶれが激しいものの、雑踏をいく若者二人のうしろ姿が映しだされた。若い女の肩にサソリのタトゥーがくっきりと見える。古賀のカメラはやがてスタンドに移動して、会場を俯瞰する位置に立つ。携帯電話を手にしている三十代の女をカメラが捉える。若者二人にパンする。女の指示を受けて頷いているように見える。女が電話を切ると、金髪男も電話を切る。両者が会話しているのは間違いないと公子も思った。

黒いシャツの女だった。シャギーの髪が内側に反り返って両頬にかかっている。目鼻立ちのはっきりした端整な顔。年齢は自分と同じくらいだろうと公子は見当をつけた。

女は画面方向にやってくる。古賀のいる場所とは離れているが、女も会場を見下ろすポジションに立つ。

古賀が示したボディアクションの意味が、公子には初めて分かった。携帯電話の相手がこのスタンドの下にいる。そう言いたかったのだ。

やがて銃声が響き渡り会場は恐慌状態に陥る。悲鳴の渦《うず》に翻弄され、カメラはただ激しくぶれるだけ。古賀はテープを戻して、青年に指示を送る黒シャツの女の姿でストップ・モーションにした。

「見覚えは？」

古賀に訊かれて、公子は二日前の夜の記憶を振り絞る。車のヘッドライトをバックに、工場の食堂跡に現われた主犯格の女。ビデオに映っている女がそれだとは断言できない。

「分からない……」と正直に首を振った。

古賀は溜め息をつき、「しばらくここで休んでてください。僕はやることがあるんで」と席を立った。

「データベースで冨家の経歴を調べてみる。医療関係の人名録も確かあったはずだ」

古賀が出ていくと、公子は会議用のテーブルに突っ伏し、深呼吸を繰り返しながら、今まで知りえたことを整理してみた。

四ヵ月前の連続幼児失踪事件には、少なくとも四人の人間が関わっていることが分かった。ビデオカメラで撮影した主犯格かもしれない女。そして若者二人と冨家。

古賀の息子を救急治療した冨家は、楢崎あゆみの担当医師でもあった。つまり冨家が医師として接した二人の子供が誘拐された。古賀直樹の失踪事件では身代金要求はなく、楢崎あゆみの場合は公子を利用して一億円の現金奪取を実行した。これは何を意味するのか。なぜ、楢崎あゆみだけを金と引き換えようとしたのか。

いや、四ヵ月前にいなくなった子供たちも金に換わったのではないか。身代金の形をとらなくても、子供が金に換わることはありえるのでは、と公子は考えた。

人身売買。この古めかしい言葉が公子の脳裏をよぎった時、不意に童謡「赤い靴」の歌詞が思いだされた。

「赤い靴、はいてた、女の子、異人さんに、つれられて、行っちゃった……」

公子はテーブルから顔を上げた。記憶のへりに引っかかるものがある。昨夜見たもの。昨夜感じたもの。事件の鍵となるものが記憶の闇の中にぶら下がっている感覚。ひどくもどかしかった。

資料調べの終わった古賀が部屋に戻ってくる。大した収穫はなさそうな顔だった。プリンター用紙を手に、冨家の経歴について読みあげる。

「永和大学医学部卒の四十歳。専攻は外科。生体肝移植手術では永和大学の成功例を一手に引き受けている。九五年からタイの国立医大に招かれて、アジアの臓器移植の現状について意見交換をするシンポジウムに参加……」

「それだ」と思わず公子は声をあげた。

臓器摘出手術によって、永和大学の通用門から次々と臓器運搬車両が町に出ていく光景がまざまざと甦る。

古賀が公子を見返している。

この一連の事件における富家の役目を、公子はようやく理解できた。人間は金に換えることができる。人間は切り売りされる。三人の子供たちは、つまり富家の手によって……。

公子は古賀に話すことができない。古賀の鋭い視線を受けて、目が泳いだ。どう告げていいものか。息子の生存の可能性について、古賀から一縷の望みさえも奪ってしまうことになると思うと、口にできない。

「それって、何ですか」

黙ったままの公子に古賀が苛立った表情を見せた時だった。

臨月の腹の中で、携帯電話が振動した。

バイブレーション機能のドコモは、貴之を宿していた頃の胎動を思わせた。公子ははじかれたように左側のウレタンから抜きだし、通話状態にした。

久しく聞いていなかったボイス・チェンジャーの声が耳を打つ。

「あの警官はお前の身代わりに死んだ」

公子はテレビを振り返り、ストップ・モーションの女を睨めつける。

「お前があんな変装をして指名手配になっていなければ、あの警官の人生はもっと先まで続いていた。感想はどう？」

女の言葉は公子の胸にひっかき傷をこしらえたが、公子は毅然と言い返した。

「三十代半ば、身長百六十五センチ、肩までの髪にシャギー、黒いシャツ」

画面に映っている特徴だった。一瞬、間ができた。相手は虚《きょ》を突かれたようだ。公子はほくそ笑む。人相まで特定していることを教えてやったのだ。

ごそりとボイス・チェンジャーを外す音がして、女は肉声になった。

「協力者は古賀英寿。お前が突きとめた様々なことは、その男も知っている」

意外にも女らしい艶のある声だと公子は思った。

女の反撃だった。生き証人は残らず始末するつもりであることを暗《あん》に告げている。冨家の身に起こったことが古賀にも起こり得ることを何よりも恐れた。

「そうよ。あなたがさらった古賀直樹君の父親」

公子は開き直った。古賀がテレビを指差し、まさかこの女が電話を？　と目顔で問いかける。公子は頷いた。

「楢崎あゆみをさらって一億の正札をつけた。あとの子供たちはいくらの値段をつけたの。

あなたがどんな商売をしているのか、やっと分かった。子供の内臓でしょ。子供たちは冨家の手によって臓器を摘出された。違う？」

古賀の表情から血の気が引く。古賀の前では言いたくなかったが、犯人を追いつめるためには仕方がない。

「あんたの息子もそうならないことを祈ってなさい」

女のただれた笑い声が耳に届いた時、公子の皮膚の下に冷たい恐怖が走った。公子に金を運ばせるために貴之は誘拐された。それだけでは済まないのだ。小指を切り取っただけではなく、他の子供たちと同様に、貴之の体からも臓器を掻きだそうというのか。激烈な憎悪が公子のこめかみにずきずきと脈打つ。

「子供を返してほしいか」

「……何をすればいいの」

憎悪がやみくもに吹きだそうとするのを懸命に堪《こら》え、公子は冷静に問いかける。

「お前の子供が通っている学校に一人で来い。今夜十時。教室で待っている」

電話は切れた。

そこで貴之を返してくれるというのか。いや、これは罠だと公子は首を振った。貴之を餌にして呼び寄せようとしているのだ。

「相手は何と……？」

古賀がじっと公子の目を覗きこむ。

「行かなきゃ」

「どこへ」

行く先を言えば古賀はついてくる。これ以上危険な目に遭わせるわけにはいかない。

「このビデオは大切な証拠です。保管をよろしくお願いします。古賀さんもくれぐれも用心してください」

「一緒に行く」

公子は首を振る。

「さらわれた直樹がどうなったのか、やっと分かった……」

古賀は涙目になり、悲しみをエネルギーに変えようとするかのようだった。「僕にも手伝わせてくれ」

頼りにしてみようか、と公子は一瞬思う。これから何が自分を待ち受けているのか、よく分かっていた。みなとみらいで銃弾に追われた時の恐怖が稲妻の如く甦る。

「それが駄目なら、警察に、あなたの仲間に全部話そう」

公子はやはり首を振った。犯人が学校に貴之を連れて来ないことは分かっている。現場が警察に包囲され、犯人グループが投降したとしても、別の場所に拉致されている貴之が解放されるという保証はまったくない。共犯者が貴之のそばにいたとしたら、逃走する際に足手まといになるものは始末するに違いない。

指定された場所に公子が単身で乗りこみ、犯人側をねじ伏せ、貴之が監禁されている場所を聞きだすしかないのだ。

そんなことが自分にできるのか。調書を書くしか能のない女だと片野坂は言った。その通りだ。非力な肉体をデスク・ワークでカバーしてきた。こうして拳銃を手にしても、現場でどれだけ使いこなせるか、公子はまったく自信がない。

気力が萎えそうになり、公子は犯人たちへの憎悪をかきたてた。このままでは奴らの手によって貴之の肉体から心臓がえぐりだされてしまう。行くしかない。やるしかないのだと自分を奮いたたせる。

「連絡しますから」

空元気《からげんき》の笑みを浮かべて会議室を出ようとすると、古賀が立ちふさがった。

「一人で行っては駄目だ」

「どいて」

「駄目だ。一緒に行く」

内線電話が鳴った。古賀は公子が出ていかないように見つめ、受話器を取る。

「……もしもし……はい。誰？　神奈川県警の刑事？」

公子もはっとした。

「……分かりました。ちょっと待たせておいてください」

電話を切って、困惑の面持ちで公子に伝える。「受付に刑事が来ている。僕に何か訊きたいことがあるらしい」

県警の刑事。片野坂かもしれない。

「出口は他には？」

「この時間はひとつしかない。どこかで刑事をやり過ごして脱出するしかない」

「四ヵ月前の事件を調べている私が、古賀さんに接触したんじゃないかと警察は疑ってるんです。もう古賀さんにお会いすることはできないでしょう。ここまでありがとう。あとは私一人でやります。息子さんの行方も必ず突き止めます」

古賀は苦渋《くじゅう》の顔つきになる。刑事が訪ねてきた以上、公子を一人で逃がすしかないと納得したのか、頷いた。

「また逢えるね？」

「ええ……それを信じてます」

「気をつけて」

「古賀さんも、どうか気をつけて」

今、通じあっているこの気持ちは何だろう、と公子は思った。これまでは子供を奪われた親同士として、精神の固い部分だけで通じあっていた。

限りない優しさだった。この男を自分の手で癒してやりたいと公子は思った。古賀直樹がどんな形で五年の人生を終えたのか知らせてやることは、この男に絶望しか与えない。しかし少なくとも、息子のぬくもりを取り戻そうと暗闇を彷徨《さまよ》うような日々からは解放される。古賀英寿にとってそれがせめてもの救いになるのだとしたら、公子は傷だらけになっても真実に辿りつきたかった。

「お願いがあります。車を貸してもらえますか」

古賀は黙ってカリーナのキーを渡してくれた。

この感情の先には秘めたる海があるように思えた。そこに続く水路を断ち切るように、公子は言った。

「長く待たせると不審に思います。刑事を通すよう電話してください」

古賀は電話を取った。

守衛に「五階の事典部にお越しくださいとのことです」と言われ、片野坂はエレベーターに乗った。

みなとみらいの拳銃乱射事件に有働公子が関与していることが判明して以来、県警本部は捜査員を現場近辺に大量動員して目撃情報を集めていた。拳銃を手にした女が、現場から横浜駅方向へ逃走する姿も目撃されている。

殉職した警官の弔い合戦という思いで、犯人検挙と有働公子の発見に同僚たちが狂奔《きょうほん》していたが、玉川署の捜査本部に出向している片野坂は蚊帳《かや》の外である。片野坂にできることといえば、有働公子がパソコンで閲覧していた捜査資料を追うことしかなかった。

五階に着いた。突き当たりのドアの前に古賀英寿がいた。片野坂も週刊誌の記事で顔を知っていた。

「お忙しいところすいません。神奈川県警の片野坂と言います」

「どうぞ中へ」

古賀はどことなく緊張した様子で、片野坂の視線を避けるように事典部のフロアに招き入れようとした。

この男は何か知っている、と片野坂は直感した。もしかしたら有働公子が接触を図ったかもしれない。

どんな表情も見逃すまいと古賀を凝視し、片野坂はフロアに足を踏み入れた。

牢獄《ろうごく》の闇にくるまれている貴之は、自分の気管支の音の他に、啜《すす》り泣きを聞いた。あゆみが泣いていた。空腹の涙だろうか。二度目の食事も、貴之は一人で食べるしかなかった。デビルがトレイの中身を平らげるまで許してくれなかった。その時もあゆみは目を閉じ、空腹を堪え、貴之が食べ終わるのを待っていた。

「お腹が、減ったの……?」

ドアの向こうから洩れている裸電球の明かりが、牢獄の中にも微かに届いている。薄い闇に、あゆみの丸まった背中がかろうじて見える。

「近くに行って、いい?」

あゆみは応えてくれない。ところが貴之がそろそろとにじり寄ると、あゆみは支えを求めていたかのように貴之のズダ袋の端を握った。

「どうしたの?」

「思いだせないの」

「何が?」

「お父さんとお母さんの顔が、思いだせないの」

その気持ちは貴之にもよく分かった。自分が自分でなくなるほうが楽なのかもしれないと思い始めた頃から、貴之の脳裏でも母親の顔が薄れ始めている。

二段ベッドの下で眠りにつく母の顔も、コーンフレークにたっぷりミルクをかけてくれる母の顔も輪郭をなくしている。

「もう会えないのかな。会えなくて、どんどん忘れるのかな」

「大丈夫だよ。きっとまた会えるよ。教えたろ。僕のお母さんは婦人警官なんだ。きっと助けに来てくれるよ」

あゆみの嗚咽《おえつ》は止まらない。

「じゃあさ、こうしようよ。前のことを思いだすんじゃなくて、今から新しいことを考えるんだ」

「新しいこと?」

「そう。たとえば町を作ろうよ。自分が住んでみたい町を作るんだ。電車を降りて駅前に出ると広場があるんだ。いろんなお店が並んでるんだ。スーパーでしょ、本屋でしょ、マクドナルドでしょ、あとは何がいい?」

「…………」

「考えてよ。僕一人じゃ町は作れないよ」

「……ケーキ屋さん」

あゆみも想像の遊戯に加わってきた。

「よし。じゃあ広場を抜けると、駅前からずっと遠くまで一本、桜とか銀杏《いちょう》とか、いっぱい木が生えている道があるんだ」

「並木路?」

「そう、並木路。交番がなきゃね。消防署もなきゃね。その先には公園があるんだ」

「公園なら美術館があったほうがいいな」

「びじゅつかん……?」

「たくさん絵が飾ってあるところ。行ったことない？」

「よし、美術館を建てて、野球のグラウンドを作って、貸し自転車屋を作ろう」

二人の目の前の薄闇に、緑の風景があった。木々を吹き抜ける風でしゃぼん玉が舞っている。ピクニック・シートを敷いた家族連れがいる。フリスビーを犬がキャッチしている。

「自転車は乗れる？」

「補助輪なしで？　まだちょっと無理かな……」

「駄目だな。僕なんか五歳で乗れたよ。この公園で教えてあげるよ。まずね、ハンドルをしっかり持たなきゃいけないんだ。正面を向いて、目の前じゃなくて、ちょっと離れた先を見て漕げばいいんだ。やってみて」

「ぐらぐらする」

「大丈夫。僕がうしろを支えているもん。一人で走れそうになるまで、支えててあげる」

うしろの荷台を持ってやる。あゆみは恐る恐る走り始める。まだ横にぐらついている。肩に力が入りすぎてるんだ。楽になって楽に。ほら走ってる。離すよ。倒れちゃったね。さあもう一度頑張ろう。大丈夫、きっと漕げるようになるから。貴之は荷台を持ち、あゆみの支えになってやる。

あの日、貴之は母親の歓声で気がついた。お母さんはとっくの昔に手を離していた。僕は一人で漕いでいたのだ。「やった、やった」とお母さんの声がうしろの遠くに聞こえ、貴之は城北公園の散策道をすいすいと自転車で走って、最初のカーブも楽々と曲がりきる。左側の視界にお母さんが見えて、「凄い、凄い」と小躍りしている。

思いだせない。どうしてお母さんの顔が思いだせないんだろう。貴之は記憶の器を探る。

「ブランコのあるところで、夕方になるまで遊んでいようよ……」

思いだせない辛さを噛み殺して、貴之はあゆみに語りかける。二人は過去を振り返るのではなく、未来を作らなくてはならないのだ。

「そのうち君のママが呼びにくるから。そろそろ晩ごはんだよって呼びにくるから……」

いけない、涙声になってしまった。泣いちゃ駄目だって言ってる本人がこれじゃどうしようもないと自分を諫めた。すると嗚咽とともに激しい咳きこみが襲う。

咳。咳。咳と涙。あゆみが「大丈夫?」と貴之の背中をさすってくれる。貴之は「ごめん、水、水を飲めば、少し治るんだ」と切れ切れに応えた。目蓋のスクリーンには緑の風景がまだ残っている。幻にすがり、口を開け、新鮮な空気を求めた。

闇に亀裂《きれつ》が走った。光が差しこんだ。船室の扉が開いて、仁王立ちのデビルがそこにいた。

「喋るなと言っただろう!」

悪魔の怒号で緑の風景も消える。せっかく作った町がデビルに壊された。

「罰として、トイレのバケツはそのままだ」

排泄物がすでにいっぱいで、臭気は耐えられないほどだった。そろそろバケツの交換時間のはずだ。

「じゃ、どこに、すれば、いいんですか」

貴之は呟きこみながら言葉を繰りだし、デビルを睨みつける。怒りの涙が目尻を濡らす。

「そのまま垂れ流せ」

黒々とした影でそびえ立つデビルが、氷のような声で言う。

殺してやりたいと貴之は思う。そんな気持ちになるのは初めてだった。腕と足を全部ちぎってやる。僕の小指を切り落としたように、骨を砕いて、手足をもぎ取ってやる。胴体と顔だけになって苦しめばいいのだと、貴之は残酷な想像に支配された。そんなことを考える自分が恐ろしくなった。

「お母さんが、きっと、お前を、捕まえるからな」

大粒の涙をこぼして貴之は言い放つ。デビルは薄笑いで見下ろしている。

「お前なんか、死刑に、してやるからな！」

「飯を食わないことだ」

デビルに動じる様子はない。「飯はだしてやるが、部屋をこれ以上臭くしたくなかったら、食わないことだな。食えば下から出る。食えば食うほど部屋は汚くなるんだ。分かるな？」

デビルの高笑いが降り注ぐ。

「水をちょうだい！」

あゆみが叫んだ。「タカユキ君、咳が止まらないの。病気なの。水をください、お願いします！」

貴之は全身を波立たせ、咳きこんでいた。しかしデビルは無視した。世界は闇に戻る。デビルは扉の向こうへ消えた。

「あいつを殺してやる……」

貴之は咳と咳の隙間で、あゆみに囁く。「あいつを、公園の広場で、はりつけに、するんだ。下から、槍《やり》で、突き刺して、火を、燃やして、あいつが、苦しむ、ところを、見物、してやるんだ……」

どんなに想像しても飽き足らない。背中をさすっているあゆみの手から、震えが伝わってきた。そんなことを想像している僕が恐いのだろうか。

僕はどんどん僕じゃなくなっているんだ、きっと。貴之は口の中に唾液を溜めこんでから飲み下し、喉を潤した。

五歳で自転車に乗れたことに歓喜した母の姿は、すでに新緑の風景の彼方へ消え去っていた。

20

午後九時四十五分、公子は練馬区立早宮北《はやみやきた》小学校から百メートルの路上に、古賀から借りたカリーナを止めた。

マタニティーはもう必要なかったが、他に着るものがない。腹に巻いたウレタンだけは抜きとって、ポケットにドコモとニューナンブを入れた。

気管支が呼吸をするごとにヒュルルと鳴る。咳きこむ間隔が短くなっている。自動販売機で買ったミネラル・ウォーターで喉を湿らしたが、その効果もなくなっていた。

公子は抑えられない咳を続けながら、車から降りたつ。湿った南風が頬を撫でた。学校へ続く闇路。校庭の広がりから屹立《きつりつ》する四階建ての校舎が見えてくる。

新一年の父兄として、入学式と保護者会で訪れたことがある。校門の脇の桜は満開だった。入学式の時も風の強い日で、記念写真を撮るためしゃちこばって整列をしていた貴之に桜の花びらが降りしきっていた。あれからまだ半年もたっていない。公子にははるか昔の風景のように思われた。

桜の樹が嵐の前触れの風でざわざわと揺れる。台風十一号は明日の午後遅くにも関東を直撃するという。

校門の脇に一台の車が止まっていた。民間警備会社のワゴン車だ。公子は内部を覗き見る。誰もいない。

今の小学校は昔のように用務係の人間が常駐してはいない。人件費の節約のためなのか、都内の小中学校は夜になると無人になる。そのかわり民間警備会社と契約をして、校舎に誰か侵入するとアラームが鳴り、警備員が駆けつけてくる。

校舎は静寂に包まれ、車が止まっているだけで警備員の気配はない。

重い鉄柵のゲートが一メートルほど開いていて、公子を手招きしているかに見えた。身をくぐらせ、校庭の砂利を踏み締めて校舎に向かう。夜空では黒い雲が南の嵐に追われて逃げ惑うかのように流れている。

校舎の通用門も半開きになっていた。窓が割れている。アラームは警備会社に伝わった、なのに警備員の気配がないことを不審に思いつつ、公子はニューナンブを抜いて通用門を入った。

リノリウムの廊下が奥まで続いている。職員室前を抜け、保健室と家庭科室の前を通り過ぎると、一年生の三クラスが並んでいる。貴之の教室は二組だった。

学校の絵画コンクールで賞に輝いた水彩画が、職員室前の廊下に展示されている。壁がたくさんの顔で埋め尽くされていた。テーマは家族の肖像。光のない場所で見ると、どの表情も魔物めいて見える。

自分の咳が空気を裂き、廊下に金属的に響き渡った。ニューナンブを両手で構えて二組の前まで来た。扉の窓から覗き見る。何者の気配もない。扉を開けて、三十五の机と椅子が並ぶ無人の教室に足を踏み入れた。

貴之の席を探す。窓際の一番うしろの机に見慣れた手提げ袋を見つけた。公子が縫ったキルティングの袋だった。そこで公子は思いだす。机の中にこの咳を止めるものがあるはずだ。闇の中を手探りする。ノートや文房具でごちゃごちゃした机の中。探り当てた。インタールの吸入器だ。予備を教室においておくようにという公子の言いつけを、貴之は守ってくれた。ノズルを口にくわえ、二度吹きこむ。荒れた喉の壁に薬が吹きつけられ、閉じようとしている気管支を押し開いてくれた。公子は机の下にへたりこんだ。荒い息が静まっていく。気管支の雑音も遠のいていく。呼吸がたちまち楽になる。貴之が助けてくれたのだ。

静寂が突き破られた。その声は教室の闇にのしかかった。

「着席しましたか？」

教室や廊下中に響き渡る。校内放送用のスピーカーだ。教師然とした物言いが妙に板についていた。あの女は放送室にいるのだ。公子はビデオに映っていた女の顔を思いだした。

「出席をとります。有働公子はいますか。一億円の身代金を奪って仲間からうしろ指をさされ、死んだ警官から拳銃を奪って逃走している有働公子。いたら返事をするように」

バックで若者の笑い声も聞こえる。例の二人だ、と公子は思った。「校舎の四階にいる。

ここに来るためには玄関脇の階段を上ってくるしかない」

公子は廊下に出る。三組の教室の向こうに、子供たちの下駄箱《げたばこ》が並ぶ正面玄関があり、四階まで続く階段がある。

「想像できる？」

女の声は一転、低く押し殺し、残虐な響きを帯びる。「お前の子供の体から、ひとつひとつ、内臓が掻きだされていくのよ。お前が血と肉を分け与えて作りあげた内臓がね。まず腎臓、次に肝臓、そして膵臓《すいぞう》、肺……」

公子は階段の下に立った。階段の闇は犯人たちが潜んでいる場所へと黒い口を開け、公子を待っている。

「目をひん剝いて角膜を剝がして、全身の皮膚をめくり取って、最後に心臓を取りだして、やっとお前の息子は死ぬことができる。見せてやろうか？　こんな地獄を見るくらいだったら子供なんて生むべきじゃなかった、旦那と子作りのセックスなんてするんじゃなかったと、後悔するような風景よ」

公子の怒りをあおっている。公子を四階に誘おうとしている。

敵の罠を承知の上で、階段へと一歩目を踏みだした。公子はその時、真っ黒な破滅と向きあっていた。

三階から四階の途中の踊り場に、ミリタリー&ポリスを両手に持った篤志と、ポンプ式ショットガンを下界の闇に向けた泉水が潜んでいた。放送室から出てきた智永が二人のうしろに立ち、揃って闇を見下ろす。

「さて問題です」

泉水が闇から顔を動かさず、背後の篤志にクイズを出した。

「ダーティハリーの一作目で、ハリー・キャラハンが犯人に向かってブラフをかける台詞は？」

「俺は何発撃ったか覚えていない。弾が残っているか賭けてみるか、てやつだろ」

「正確に全部言うと？」

「わかんねえよ」

泉水は一語一句で自分をかきたてるかのように、解答を口にした。

「俺の銃に弾丸が残っているかどうか、お前は考えてるんだろ。実は俺にも分からないんだ。だがこの44マグナムは特注の代物だ。これでズドンとやられりゃ、脳味噌はぶっ飛び粉粉よ。さあ、よく考えるんだな」

「何べん聞いてもいい台詞だよな」と篤志がほれぼれする。

「くるわよ」

智永が二人に声をかけた。

校舎に侵入したのは三十分前だった。その十分後に警備員二人が到着すると、暗闇に潜んでいた智永たちが襲いかかった。警備会社に「異常なし。警報の誤作動だった。今から戻ります」と報告させたあと、ガムテープで縛りあげ、裏の体育用具倉庫に放りこんだ。

そして放送室に陣取り、婦人警官の到着を待った。

泉水が構えるポンプアクションの散弾銃ウィンチェスターM12は、タトゥーの入った肩から銃身の先まで、さながら一本の肉体のように揺るぎがない。グアムの山奥で一週間ぶっ続けで射撃訓練した成果だった。

装塡《そうてん》した五発の弾丸は、鹿撃ち用のバック四号装弾。これを一発撃つだけで、二十七丁の銃から一斉に二十二口径の弾丸を浴びせることに匹敵する。散弾銃ほど見通しのきかない状況で携帯するに適した武器はない。一発でカバーする送弾面積が、弾丸の直径でしかないライフルや拳銃弾より数百倍も広いのだ。十メートルで二十センチの散開率、二十メートルで散弾が描く死のリングは四十センチに広がる。ショットガンは十メートルから四十メートルの射程距離においては最強の戦闘兵器といえる。

階段の手すりと手すりの間から見える黒々とした下界。何ひとつ動く気配はなかった。

智永も四階の廊下で武器をチェックした。腰のベルトに差したコルト・パイソンの弾倉を開ける。黄金の弾丸が六発詰まっている。かつてはコルト社のロールスロイスと言われるほど精度の高かった高級リボルバーは、銃身の上にあるベンチレーター・リブが特徴で、これは銃身を安定させる重しであると同時に、熱せられた銃身の冷却効果を高めるためについている。実際に撃つとトリガー・コントロールがパイソンほど難しい銃はない。名前の由来は「毒蛇」だが、「じゃじゃ馬」と呼ぶほうがふさわしい。

冨家とその愛人を殺した銃だった。一発目で額を撃つつもりが、冨家の頬にそれてしまい、もう一発357マグナム弾を費やしてしまった。二・五インチという銃身の短さが原因である。

「来ないよ」

泉水がショットガンの照準から目を離さず、うしろの智永に言う。

智永は舌打ちすると、放送室のマイクに戻った。

「どうしたの。お前の息子がここにいるのよ。助けに来ないの」

スピーカーの声は校舎内を駆けめぐる。校庭のスピーカーはオフにしてあるので、学校周辺に声が聞こえることはなかった。

無人の学校ほどこの対決にふさわしい場所はない。見通しのきく校庭。暗視双眼鏡で単身校門をくぐってやってくる婦警の姿を捉えた。校舎という密室では音は洩れにくい。

何より、息子が通っていた学校に呼び寄せられたことで婦人警官は冷静さを失うはずだと智永は考えた。

しかし、階段の闇に反応はない。踊り場にずっと同じ姿勢でショットガンを構えている泉水は焦れ始めたようだ。

「何やってんだよ、あの女……」

つのる焦りは怒号になる。「早くしないとてめえのガキにぶちこんでやるぞ!」

智永は放送室を出て、「しっ」と泉水を制した。こちらの焦りを相手に悟られてはならない。

篤志も「仲間を呼びに戻ったんじゃねえか……」と弱音のような震え声を吐く。

仲間などいるはずがない。あの古賀という男では何の助けにもならない。相変わらず有働公子は指名手配されたままで、孤立無援のはずだ。

四階への入口はこの階段しかない。非常階段はあっても扉は固く施錠《せじよう》されている。鍵を壊そうとすれば音が聞こえる。

婦人警官は何を考えているのか。智永の額の生え際に冷たい汗が浮かんだ時だった。静《せい》寂《じやく》の遠くから複数のサイレンが聞こえてきた。

パトカーだ。篤志も泉水も耳を澄ます。音は一秒ごとに大きくなる。確実にこの学校を目指している。

智永は廊下の窓から暗視双眼鏡を向ける。環八方面。点滅するいくつかの赤色灯の輝きが緑の画面の中で過剰な光を放っている。

パトカーが到着するまで三分もないだろう。

「呼んだんだ、あの女が」と篤志が悟った。

「てめえも捕まるぞ。ガキはどうするつもりだ！」泉水の叫びは虚勢に聞こえる。

智永は有働公子の考えていることを瞬時に読みとった。パトカーの到着を恐れて智永たちが逃げようとする。下界への出口はこの階段しかない。今度はあの婦人警官が下で待ち構える。

「チキン・レースだ、こりゃ」

篤志の言う通りだった。婦人警官は捨身だ。どちらが先に臆病風に吹かれるかで勝負は決する。智永は「なるほど」と、口許を曲げて笑った。

パトカーの音は接近していた。二台か、三台か。ぐずぐずしていると学校を脱出して安全圏内に逃げこむ時間がなくなる。

篤志と泉水が階段から見上げる。智永の鶴のひと声を待っている顔だった。

「行くわよ」

待ちに待った智永のひと声で泉水が放たれた。手すりと手すりの間に銃身を突っこんで、下界にまず一発目を放った。

公子は二階から三階の途中の踊り場に身を隠していた。

パトカーの音は近づいてくる。もちろん犯人一味と同様、公子も捕まるわけにはいかない。貴之はここにはいない。パトカーの接近を恐れてこの階段を駆けおりてくる敵と戦い、貴之の居場所を聞きださなければならない。

「学校で銃声を聞いた」とドコモで一一〇番通報をしたのは公子の賭けだった。こちらに有利な状況で接近戦に持ちこむしかない。早く一味がこの階段を下りてきてくれないと、貴之を救いだす確率も減っていく。警察が校舎内に来る。その時にまず相まみえるのは公子である。指名手配の婦警が拳銃を携帯して潜んでいたとなれば、警察官たちも混乱し、四階にいる犯人一味に逃走の隙を与えてしまうかもしれない。

早く下りてきなさい。何をしているの。お前たちが何よりも恐れる警察が、すぐそこまで迫ってきてるのよ。公子はニューナンブを闇に向け、ひたすら待った。接近戦をしなければ当てる自信はない。おそらくこちらが撃つ前に、相手は一斉射撃で襲いかかってくるだろうと思うと、三インチ先の照星《しょうせい》が右に左にぶれた。

拳銃の震えが最高潮に達した時だった。轟音が耳をつんざき、公子の目の前で火花が降り、空気が断裂した。手すりの漆喰が吹き飛ぶ。これは拳銃ではない。散弾銃の威力だ。公子は反射的に撃ち返す。敵は見えない。弾丸を大切にしろと自制心が吠えたてる。膝がへらへら笑ったまま中腰で後退する。バランスを崩して階段を三段ばかり転げ落ちた。

泉水は駆け降りながら奇声をあげて連射した。二発目が踊り場の窓を木端微塵《こっぱみじん》にし、三発目が壁に二十七個の穴を開ける。泉水の視界が硝煙でかすむ。密室でこのショットガンを撃つならば耳栓を持ってくるべきだった。銃声のたびに鼓膜がじんじんと響く。

やっと泉水の視界にポリ女が入った。階段から廊下へ飛びこんでリノリウムの床に仰向けに倒れたところだ。泉水はウィンチェスターのポンプを引き、チューブ弾倉から五発目を薬室に送りこむなり撃った。仕留めたと思ったら、廊下から階段へとポリ女はまた飛んでいた。

泉水のチューブ弾倉が空になる。「リロード！」と声をあげると、前線を篤志と交代する。泉水は下がり、ウエスト・ポーチから四号装弾を取りだしてチューブに装塡《そうてん》する。

篤志は二丁のミリタリー＆ポリスを撃ちまくる。マズル・フラッシュの嵐。閃光が階段を照らす。泉水が弾を装塡しながら見やると、ポリ女はその視界の中を齣《コマ》抜き画面のようにぎくしゃくと逃げ回っている。

「死ね、死ね、死ね！」

なぜ命中しないのかと篤志も焦っていた。

階段の途中で体勢を立て直した公子は、窓がなくなり、壁に大穴が開き、漆喰が雨あられと降り注ぐのを見た。四発目の散弾でまた壁に無数の穴が開くと、応射するより後退すべきと判断、膝にまとわりつくマタニティーをたくし上げ、階段の下へダイビングするしかなかった。

右の肩から落ちて激痛が走ったが、他のあらゆる痛みで誤魔化される。顎を階段で打ち、肘も膝も打ちつけた。公子は階段を転がり落ちて、二階から一階の踊り場で止まった。

窓枠の金属部分で跳ねた弾丸が公子の耳をかすめる。今度は拳銃だった。乾いた銃声がリズムを打つ。公子は踊り場でニューナンブを両手で構える。初めて拳銃が手に馴染んだ感覚があった。今なら外さない自信がある。二丁拳銃を連射しながら下りてくる人間が見えると、公子は撃った。何発撃ったのか分からない。相手がひるんで階段の手すりに隠れたのが分かる。「リロード！」という男の声が聞こえた。「リロード」というのは「弾をこめる」という仲間への意思表示だろう。一方が弾をこめている間に、もう一方がやってくる。次はまた散弾銃か。悲鳴が舌に張りつく。公子は床から尻を離して、踊り場から一階の廊下へ駆け降りる。

篤志がミリタリー&ポリスにクイック・ローダーで弾をこめている横を、泉水がポンプで一発目を送りこんで銃を構えた。一階の廊下に駆け降りたポリ女が横っ飛びで視界の外に消えていくところだった。トリガーを引くタイミングが一瞬遅れ、今までポリ女が倒れていた廊下の床が爆裂する。いくら撃っても照準の外に逃げられる。「くそったれ！」と泉水は毒づいた。その横に智永が追いついて言った。

「あの女は私がやる。外を何とかして」

智永がコルト・パイソンを腰から抜いた。

パトカーのサイレンが間近で聞こえている。窓に赤い光。校門のゲートを開放して、パトカーは校庭に辿りついたのだろう。逃走路を切り開くのが先決ということが泉水にも理解できた。

篤志とともに一階に駆け降りた泉水は下駄箱を突っ切ると、窓一面にパトカーの赤い光が覆い尽くしているドアへ撃った。鍵の部分が砕け飛び、篤志が玄関ドアを開ける。

パトカーが三台、五十メートル先の校庭に停車したところだった。

「篤志、ほら見てみろ！」

泉水はらんらんとした目を釣りあげて笑い、振り返った。それだけで言いたいことは篤志に伝わったようだ。

闇にそびえる警官隊。数には雲泥《うんでい》の差があったが、カンザス・シティのキャンプ場に潜伏していたボニーとクライドの一派がミズーリ州のハイウェイ・パトロールに包囲されたシーンを思わせた。

ドアの横に追いついた篤志もぎらぎらした笑顔で応え、「撃ちまくるぞ」と囁いた。二人は同時に外へ飛びだすと、目映《まばゆ》いヘッドライトを正面に浴びて乱射を始めた。泉水の四号装弾が、篤志の三十八口径スペシャルがパトカーの赤色灯を砕き、ボンネットを裂き、タイヤを潰す。ドアに手をかけて外に出ようとしていた警官たちは、パトカーの中に身を伏せた。応援を呼ぶ警官の金切り声が聞こえる。

このまま警官たちを釘づけにして、校舎を回りこんで、裏の柵を越えれば外の道に出られる。ニューナンブで撃ち返す警官がいたが、弾丸はどこへ飛んだのか分からない。泉水は邪魔な蝿《はえ》を追い払うように、ショットガンで掃射した。

一階の廊下に立った智永は、婦人警官が消えた方向へ足を向けた。三組の教室を覗き、婦人警官の気配を感じたところでコルト・パイソンを目の高さに上げた。気配は思ったより近くて、不意を突かれた。ドアの横に潜んでいた婦人警官が背中に飛びかかってきて、羽がいじめにされた。

その拍子に手から拳銃が落ちる。肉弾戦になった。ぴったりと背中から離れない婦人警官を振り落とそうと、智永は壁にぶち当てる。婦人警官はそれでも離れない。ニューナンブを持つ手が智永の首を絞めにかかっている。「子供はどこ」とせっぱつまった母親の声が智永の耳に熱くふりかかる。

「どこなの、子供は」

背中に密着している婦人警官の腹。子供を世に送りだした子宮が雄叫《おたけ》びを上げているのか。智永は右の肘で攻撃する。手応えがあった。肘は婦人警官の横っ腹にめりこんで、首にかかっている手から力が失せた。智永は渾身の力で相手を振り落とす。教室の床に倒れた婦人警官がニューナンブをこちらに向ける。撃たれる、という恐怖が智永を金縛りにしたが、相手に一瞬の躊躇《ためら》いがあった。智永は右足で蹴りあげ、婦人警官の手から拳銃が飛んだ。しかし智永のコルト・パイソンもない。素早く見回すと廊下に落ちている。智永は走った。その間に婦人警官は机の陰に隠れた。パイソンを摑んだ智永は教室内へ連射した。357マグナム弾を受けた机がはね上がった。ひとつ、ふたつ、みっつと宙に飛ぶ。智永も冷静さを失っていた。婦人警官の姿を照準に捉えられないまま、六発を撃ち尽くしてしまった。

「行けるぞ先生！」

表から篤志の声がする。教室の暗がりに姿を消した婦人警官を深追いせず、智永は弾の装塡を諦めて玄関に向かった。

泉水のショットガンで蜂の巣になった三台のパトカーは、鉄屑と化している。中に身を潜めている警官に戦闘意欲などない。智永たちは楽々と逃走路を走ることができる。校舎を回りこんで、金網の柵を越えた。セルシオとハイエースはワンブロック先の路上に止めてある。

三組の教室、机と机の間に体を隠していた公子は窓の外を覗いた。校庭の警官たちはやっと車外に動き始めていた。公子にも時間の猶予はない。教室の床に転がっているニューナンンブをひっ摑んで廊下に出ると、校舎に入ってきた時と同じ道を走った。家族の肖像が両側から見つめる。廊下を突っ切り、職員室前から通用門を出る。

パトカーから用心しながら出てきた警官たちは、自分たちの斜め後方を疾風の如く逃走する公子に気づかず、校舎の裏へ逃走した犯人一味に気をとられている。が、もう遅い。一味はすでに学校の外に逃走している。

公子が校庭を抜けて校門に辿りついた時だった。視界いっぱいに光が溢れて目がくらみ、心臓が縮みあがった。道の向こうを曲がって現われたパトカー二台。なぜサイレンが聞こえなかったのか。公子はそこで初めて、銃声の嵐によって耳が聞こえなくなっていることに気づいた。

仲間に助けを求めたい。その弱気は一瞬で消えた。公子はヘッドライトの視界の外へ逃げた。彼らは追いかけてくるだろうか。彼らは今や仲間ではない。まだ捕まるわけにはいかない。融通の利かない事情聴取が繰り返される間にも、貴之の命の残り時間は少なくなる。公子はいくつもの路地を折れ、振り向かずに夜道を走った。聴力を取り戻しつつある耳が、サイレンの音を捉え始めた。自分の背後に接近する音だろうかと考えながら、公子は腕を振り、足を繰りだし、全速力で走った。

人っ子ひとりいない墓場の闇路にも似た住宅街を駆け抜ける。パトカーのサイレンは後方へ遠ざかっていく。見覚えのある表通りに出た。古賀から借りたカリーナが街灯の下で公子を待っている。

目と鼻の先の自宅に帰って、傷の手当てをし、一時間ほど休息したい欲求にかられたが、それでは警察の思う壺だと思い直す。官舎のアパートには捜査一課の刑事が張りついているはずだ。

公子は現場からできるだけ離れることに全神経を集中した。すでに主要道路に検問が敷かれるかもしれない。カリーナの運転席に入った公子は、環八方面へと車を走らせた。谷原《やはら》の交差点から笹目《ささめ》通りを南下する頃から、行き交うパトカーの量は減り始めた。緊急の検問設置は早宮北小学校から半径二キロ程度の範囲と考えられる。

肩がずきずきと痛み始めた。車を止めて傷口を見る。散弾のひとつが肩の肉をえぐり取っていた。傷口をしばらく押さえておけば止血できる。エンジンを止めて弛緩《しかん》させた体をシートに預けると、体のあちこちが熱を帯びて痛んだ。マタニティーをたくしあげると、すねから膝にかけて青痣《あおあざ》がいくつもできている。階段を転げ落ちた時の打撲だった。目を閉じて痛みが遠のくのを待つ。

吐息にまた雑音が混じってきた。ポケットの中には貴之の机の中から持ってきたインタールがある。発作がひどくなっても、それさえあればひとまず安心だ。

女と格闘した際のアドレナリンが、まだ筋肉のあちこちで疼《うず》いている。公子は女の首に両腕を絡め、うなじに顔を埋《うず》めた。なめし革のような女の肌の感触が唇に残っている。床に倒された公子が拳銃を構えた時、一メートルほどの距離だった。公子の腕でも命中させられた。が、女を殺しては貴之の居場所は聞きだせなくなるという自制が働き、その一瞬の間隙《かんげき》を突かれて拳銃を蹴られた。女はやがて乱射してきた。公子は机と机の間で身を丸くして移動した。着弾した机が自分の横ではねあがる。公子はその時、冷静に相手の銃弾を数えることができた。ショットガンの脅威に追われて階段を転げ落ちたパニックが嘘のように、智永との対決では状況の分析ができた。警察官としての成長かもしれない。

教室での格闘は肉と肉のぶつかりあいだった。犯人の人生と今、確かに交わったと思える一瞬でもあった。あの女は子供を生んだことがあるのだろうか。ないに違いない。でなければ、子供の臓器を切り売りするなどという残虐なことは考えられないはずだ。

目を開けて、現実に戻る。

フロントガラス越しに、路上のゴミ捨て場が見えた。カラスがゴミを食い散らかさないように緑のネットがかかっている。半透明の袋がひしめき合う中に、紐で縛った衣類らしきものが見えた。

公子は車を下りてゴミを物色する。古着の束だった。手にとって車に戻る。マタニティーを頭からすっぽり脱いで、束をほどき、破れたジーンズを選んではいてみる。男物だった。長い裾は折って調節できる。緩い腰回りは、古着を縛っていた紐をベルト替わりにして引き絞る。たっぷりした白いTシャツをかぶる。やっと楽に動ける恰好になれた。

マタニティーのポケットに入っている物を助手席に出す。ドコモは異常なし。ニューナンブの弾倉を開けて残りの弾丸を見た。撃針で突かれた空薬莢《からやっきょう》が四つある。残りは一発だけだった。

一発では三人の敵は倒せない。当たり前の計算を頭から追い払って、公子は拳銃をジーンズの腰に差し、上からTシャツで隠した。

エンジンをかけて車線に入る。目指す場所は渋谷区代官山《だいかんやま》。それは公子に残された最後の手がかりだった。

男の住所は捜査報告書に書いたことがある。公子は暗記していた。

早宮北小学校で銃撃事件発生の署活系無線が飛んで一時間後、片野坂も現場にやってきた。

文洋社に古賀を訪ねたが、川口と入間の親と同様、有働公子と接触したことはないという答えだった。これで捜査ファイルを起点とした糸は完全に断たれたと落胆し、玉川署の捜査本部に戻ったところでその報を聞いた。

警官と鑑識が埋め尽くす小学校の校庭には投光器も設置され、銃撃戦が繰り広げられた校舎を照らしだしている。生暖かい風が荒々しく校舎を吹き抜けている。砂塵《さじん》がライトを浴びて、砂嵐の様相を呈している。大型台風が接近していることを思いだした。

怪我人はいなかったが、救急車も到着していた。体育用具の倉庫から二人の民間警備会社の人間が助けだされた。警官に事情を訊かれ、救急車で運びだされるところだ。

片野坂は野次馬と報道陣の輪をかきわけ、立ち入り禁止の黄色いロープをくぐる。なで肩の男が現場の人込みからやや離れた場所で一人立ち尽くしている姿に出くわした。

益岡だった。どういうわけか、キャリアの本部長が現場にいる。練馬署の警官から事情を聞いた捜一の刑事が、それを幹部に伝え、幹部が益岡に伝えにやってくるという回りくどい情報伝達の風景があった。片野坂は益岡の斜めうしろに立って、もたらされる最新情報に耳を傾けてみた。

捜査本部の会議では益岡と並んで雛壇に並ぶ玉川署の刑事課長が、益岡に告げている。

「銃を乱射していたのは二人の女と一人の男で、三人は校舎の裏から逃走しました。警備員も犯人グループは三人だったと証言しています。あとから駆けつけたパトカーが校門を出てくるもう一人の女を目撃しています。妊婦が着るような服で、右手に確かに拳銃を握っていたそうです。どうやら有働公子のようです」

呻きにも似た益岡の溜め息が聞こえる。我が身に次々と振りかかる不幸を嘆いているようだ。銃弾の嵐を受けた警官の中に負傷者がいなかったことだけが不幸中の幸いである。

「男女三人のグループと有働公子は、別々の方向に逃げたということだな」

刑事課長から捜一の刑事へ、捜一の刑事から練馬署の警官へと質問が駆けめぐる。益岡は業を煮やし、銃撃された状況をめんめんと語っている練馬署の警官につかつかと歩み寄る。

「男女三人のグループと有働公子が、校舎の中で撃ちあいを演じていたということか！」

髪にフロントガラスの破片が光る練馬署の外勤警官は、直立不動になって「はい、そうであります」と答えたものの、「実際に目撃したわけではありませんが」とつけ加えた。

片野坂は益岡たちの輪を通り過ぎて校舎の中に足を踏み入れる。大勢の鑑識係員が壁や床から弾丸の摘出をしている。漆喰にはクレーターのような弾痕が無数ある。散弾銃とニューナンブの戦いか。有働公子は圧倒的不利の状況をはねのけ、引き分けに持ちこんだのだろうかと片野坂は思った。

この小学校は確か、有働公子の息子が通っている学校のはずだ。彼女の自宅官舎もここから徒歩十分の距離。なぜ息子の学校が銃撃戦の舞台になったのかと片野坂は考える。

益岡が破壊された玄関ドアをくぐり、取り巻きを連れて入ってくる。

緊急配備を敷いても犯人グループと有働公子は引っかからなかった言い訳を練馬署の幹部から聞いている益岡は、今にも「揃《そろ》いも揃って馬鹿ばかり」と言いだしかねないような渋い顔だ。犯人グループと目の前で遭遇したにもかかわらず取り逃がした現場警官の不手際に、そもそも呆れ返っていた。

「いたのか。早いな」

片野坂を見るなり益岡は眉をひそめ、ハイエナを見るような目で言う。

「みなとみらいの捜査で忙しかったんじゃないか」

「お忘れですか。私はまだ玉川署の捜査本部の人間です」

「そうだったな」

片野坂から顔をそらし、益岡は階段と隣接する三組の教室に足を踏み入れた。着弾を受けて穴のあいた机がいくつか転がっている。

殉職した県警の外勤警官から銃を奪っただけではなく、それを実際に有働公子が発砲したことで、益岡の責任を追及する声は高まるに違いない。

片野坂の知ったことではない。鑑識の人間が道を空けてくれる。現場を見るために階段を上がろうとした時、玄関から曽根と持田が強ばった面持ちで足早に入ってくるのが見えた。

「本部長は」

目があった片野坂に訊く。片野坂は顎でしゃくった。新しい報告のようだ。現場を見るのはあと回しにして、曽根の報告を益岡と一緒に聞くことにする。

「本部長、楢崎宅に送られてきた小指が誰のものか、判明しました」

「小指?」

遠い昔の出来事のように聞き返す。みなとみらいの拳銃乱射事件以後、混乱状態から脱していない益岡だった。

「楢崎あゆみの部屋にあったテレホン・カードの指紋とだけ一致した謎が解けました」

「謎……？」

「あのテレホン・カードはおそらく、有働が楢崎あゆみの部屋に置いたものです。先ほど、有働の自宅から検出した子供の指紋と小指の指紋が一致しました。あれは有働の息子の小指だったんです。有働が送られてきた小指が息子のものではないかと思い、鑑識にテレホン・カードの指紋を照合させて確かめようとしたんです」

「どういうことだ。なぜ、有働公子の息子が……」

「分かりませんか」

片野坂はすぐに理解できた。有働公子の息子が犯人グループに拉致された。だから有働公子は職務を逸脱した。警官であることを捨て、母親であることを選んだ。

「有働が現金を持って逃走したのは犯人側の指示だったんです。金を届けなければ子供を殺すと脅したんでしょう。有働は共犯ではない。みなとみらいでも、この学校でも、有働は犯人と遭遇し、息子を取り返すために銃撃戦に及んだに違いありません」

「ならなぜ、捜査本部に報告しない。一人で行動しているのはなぜだ。それほど同僚が信頼できないということか？」

曽根は言葉を詰まらせる。益岡の言うことはもっともだった。犯人像に辿りついているのなら、有働公子は捜査本部にすべてを打ち明けるべきだ。

片野坂は益岡と捜一の刑事が雁首《がんくび》を並べている教室をあとにして、弾痕だらけの階段をゆっくりのぼった。壁や手すりに食いこんだ弾丸を鑑識課員がピンセットで取りだし、ビニールの袋に入れていた。

母性愛だけをバネにして、子供を奪還するために都会を突っ走っている母親の熱気が、まだ現場の空気に漂っているかのように片野坂には感じられた。漆喰が欠けた階段の手すりには、短く飛び散った血痕もある。

母親が流した血に違いない。片野坂は公子の苦痛を思った。

21

誘拐事件発生からすでに十日以上たち、身代金が犯人側に渡ったはずなのにあゆみは返ってこない。日増しに楢崎夫婦の絶望は高まっている。

楢崎彰一の片腕であり、犯人から身代金を運ぶ役目にも指名された白石は、それ以後も何度となく朝と夕方、食事を持って楢崎宅を訪ね、二人の相談相手になっていた。被害者対策として母親役を務めていた婦人警官が身代金を奪ったということに、二人は相当のショックを受けている。

ひょっとしたら、犯人の手先だったあの婦警が一人で金を持ち逃げしたのかもしれない。だから犯人はあゆみを解放しないのかもしれない、と楢崎彰一はこぼす。

白石の慰めの言葉も尽きた。徹底的に内向する彰一をよそに、香澄のほうは一点を見据えて座りこみ、生気のない表情の中でふたつの目だけが異様な光を帯びていた。心労が続くと人間はこういう形で内側から崩れていくのか、と鬼気迫《ききせま》るものがあった。

白石は今朝も楢崎宅を訪問したあと、会社にいって取締役に報告をした。役員会議で一億の身代金を保険金で肩代わりするべきかどうかで議論が始まった頃から、会社側は白石に、楢崎夫婦の様子と警察の捜査の進展ぶりを報告させている。

彰一は昨日あたりから、直属の上司である建設部長に「ふたたび身代金要求があった場合に、追加支援を受けられないでしょうか」と内々で打診をしているようだ。二度目の要求がもしあった場合、九条物産と保険会社が金を出し渋ることがどんな社会的な反響につながるか、役員会議で取締役たちが顔を突きあわせ、シミュレーションを行なっている様子が想像できた。楢崎家に足を踏み入れることを許された白石は、会社側にとっては貴重な情報源なのだ。

夕方、食事を届けに楢崎宅を訪れると、「会社の様子はどうだ?」と今度は彰一に訊かれた。微妙な綱引きをしている彰一と会社側、白石はその板挟みにあって胃が痛い毎日を送っている。

午後十一時、身代金を積んだこともある自前の四駆を駐車場に止めて、マンションのエントランスをくぐった。住宅街を吹き抜ける風が、エントランスのドアで甲高い音をたてる。

カーラジオが台風の予想進路を説明していたことを思いだす。明日は大荒れの一日だという。

ニュースはみなとみらいの拳銃乱射事件報道に多くの時間を割《さ》いていた。一億円を奪った婦人警官は、死んだ警官から拳銃を奪って逃走しているということだった。

子供を奪われた香澄と心を通わせ、犯人からの電話に適切な応対をしていた婦人警官の顔を白石は思い浮かべる。人間は分からない。ひと言でそう突き放し、人間理解を放棄するよりない。

エレベーターを下りて、途中の酒屋で買ってきたビールの袋を左手に持ち替え、ポケットから鍵を取りだした時だった。

背後の闇から襲いかかってきた何者かに白石は背中を突かれ、ドアに体を押しつけられた。首筋に鉄の感触。銃口が突きつけられる。

「声を出さないで」

白石は促されて、ゆっくりと振り返ることができた。髪型は違っていたがあの婦人警官だった。指名手配されている婦人警官がなぜ自分を襲うのか。

「ドアを開けて、中に入って」

言われた通り、白石は鍵を開けて、婦人警官に銃を突きつけられたまま自宅に入る。震える手で電気をつける。ひとり住まいの二DKの床には昨日着たワイシャツが落ちている。現地駐在を終えて日本に帰ってきて二ヵ月になるが、タイ語の印刷された引っ越し用の段ボール箱はまだ梱包《こんぽう》を解かれず、いくつか部屋の隅に積まれたままである。

急きたてられて靴を脱ぎ、キッチン前の二人用ダイニング・テーブルの前に座らされた。ちゃんと婦人警官の姿を見ることができた。破けたジーンズに黄ばみのめだつTシャツを着ていて、浮浪者を思わせた。

「あなたに訊きたいことがある」

婦人警官は銃口を下げたが、変な動きをすればふたたび狙いをつけられるようにしっかりと握ったまま、問いかけてくる。

「あなたと楢崎彰一の赴任先はタイだったわね」

白石は小刻みに頷く。

「冨家浩紀という外科医は知ってるわね」

白石は頷いた。

「あなたたちと冨家の関係について、話して」

白石は咳払いをしてから、返答した。

「楢崎課長のお嬢さんが交通事故に遭われて、その怪我を救急病院で治療したのが冨家さんです」

「知ってる。それ以来のつき合いってことね？」

「タイに冨家さんがやってきて……課長は接待のためにレストランを予約するよう私に……」

バンコク郊外の「タムナクタイ」だった。建物、収容人数、メニュー、スタッフの多さ、すべてのスケールで類を見ないガーデン・レストランである。七十の東屋《あずまや》を中国スタイルで配置し、高床式あり、七重の塔あり、それぞれの建物を巧みにつないでいる回廊を、ローラースケートをはいたウェイターが料理のトレイを手に、びゅんびゅんと走り回っている。

年率約十パーセントの高度成長を維持するタイ経済を象徴しているようなこのレストラン経営者は新世代のタイ華僑で、客も観光客の他は華僑が大半を占めている。タイ発展の活力の根源は、彼らの旺盛《おうせい》な食欲にあると納得できる光景だった。

冨家はすぐに雰囲気に溶けこんで、旬《しゅん》の上海蟹《シャンハイがに》に食らいついた。食事が終わると、女たちがひしめきあって指名を待つクラブに連れていった。日本人の来客をもてなす時の定番コースである。

「冨家さんはその後、二度ほどタイにやってきたと聞いています。課長の奥さんも同席することがあったようですが、僕は最初の食事会のあとはご一緒する機会はありませんでした」

「あなたが知っている範囲で、冨家医師が楢崎彰一に臓器ビジネスの話を持ちかけたことはなかった？」

それはわずかな共通項から割りだした、ひとつの可能性だった。結びついてくれることを公子は祈って、白石の返答を待つ。

「……臓器ビジネス？　闇ルートでドナーから臓器を摘出して売買するっていう、あれですか？」

訊き直したあと、白石は苦笑まじりに首を振る。「課長がそんなことに関わるはずがないでしょう。ただ以前……」

公子が落胆しかけた時、白石は不意に思いだしたように言葉を続けた。

「以前、何？」

「課長のゴルフ仲間にタイ政府の大臣がいたんですが、その娘さんの胆道閉鎖症の治療に課長がひと役買ったという話は聞いたことがあります」

「胆道閉鎖症……？」

「元気になった娘さんは課長にクリスマス・カードを送ってきました。大臣との関係も密になって、課長の人脈も広がりました。胆道閉鎖症というのは、完全に治療するには肝臓を移植するしか方法がないんです。ということは、大臣の娘は……」

公子は新しく知りえたこの事実をいったん胸の奥におさめ、ダイニング・テーブルの向かい側に腰を下ろす。

「聞いてほしいの」

白石に洗いざらいぶちまけてみるつもりだった。「私が指名手配されていることは知ってるわね」

「知ってます」

「私は確かに身代金の強奪にひと役買った。なぜそんなことをしたのか今から順を追って話す。しっかり聞いてほしいの」

白石をじっと見つめ、彼が冷静に物事の真偽を見極めようとする顔つきになるまで待った。

当惑で揺れていた白石の眼差しが、公子の視線を逃げずに受けとめる。機は熟したと思い、公子は語り始めた。

自分の息子が誘拐された。息子の小指が楢崎宅に送りつけられた。楢崎あゆみの指紋と一致しなかったのは当然だった。自分の身近に犯人側と通じる者がいると思われた。だから公子は誰にも事情を打ち明けることができなかった。身代金の運び屋として犯人側と接触できる時が唯一のチャンスだと思った。しかし犯人側のほうが策略に勝った。犯人たちが四ヵ月前の連続幼児失踪事件に関与していることを突きとめ、その被害者の親と接触した。古賀直樹の担当医師が、楢崎あゆみを救急治療した医師と同一人物だということが分かった。冨家を追ううちに犯人を発見することができたが、銃撃戦に発展し、みなとみらいで一人の警官の命が奪われることになった。今度は犯人側から連絡があり、息子の通う学校で対決となったが、犯人一味は逃走した。

　白石はじっと聞き入っている。

「冨家は臓器の摘出や、海外で移植を受ける患者に同行して、手術に立ちあう外科医だと聞いたわ。タイにも仕事で何度か訪れている。あなたと楢崎彰一の赴任先もタイだった。この共通項でしか疑うことはできないんだけど、楢崎彰一が冨家や犯人側とつながっていると考えると、すべての辻褄《つじつま》があってくる」

「じゃあ、こういうことですか」

　白石は唇を湿らせ、言葉を返してくる。「課長は自分の娘を使って、会社から一億の金を引きだして犯人たちと山分けしようとしてるってことですか。これは一種の狂言誘拐だって言うんですか」

　そんな単純な構造ではないのかもしれない、と公子は思いを巡らす。しかし、被害者が犯人と結託していると考えれば、様々な謎が解けてくる。身代金の運び役になぜ公子が指名されたのか。被害者対策として楢崎夫婦と心を通わせた公子は、自分には息子の存在だけがすべて、と香澄に話したことがある。息子のためなら何でもやりかねない婦人警官だということを、楢崎彰一は妻から聞いて知っている。あの婦警は身代金の運び役にはうってつけと犯人側に知恵を授けたのは楢崎彰一ではなかったのか。

　何より、誘拐事件の被害者の親は捜査態勢の隅々まで知りえる立場にある。被害者対策では、警察は被害者の親を安心させるため、捜査状況を逐一《ちくいち》話してやることになっている。だから、もし公子が息子を誘拐されたことを同僚に打ち明けたとすれば、榿崎彰一の耳にもすぐに伝わるはずだった。その時点で計画を中止させることもできたのだ。

榿崎彰一は犯人側と通じている。公子はやはり確信した。

「信じられません」

白石は首を振る。

「何が信じられないの」公子は当惑しきった白石の目を正面から見据えた。

「課長にとってもあゆみちゃんがすべてなんです。日本で交通事故に遭ったと知らせが入った時、課長の狼狽《ろうばい》ぶりには凄まじいものがあった。大事な仕事をキャンセルして奥さんと一緒に帰国したんです。そういう課長が、誘拐犯にあゆみちゃんを差しだすなんて、到底考えられません」

それも一理あるとすれば、他にどういう可能性が考えられるか。

「なら、こういうのはどう。榿崎彰一と犯人グループは仲間割れを起こした。榿崎への制裁の意味であゆみちゃんは誘拐された。榿崎彰一は警察に通報したけど、なぜ自分の娘が誘拐されなければならなかったのかについては喋ることができない。犯人グループとつながっていることが明らかになれば自分の首を絞めることになるからよ」

「どちらにしたって、僕は無関係です。バンコクに駐在している時は、お互いのプライベートなことについては立ち入ることはありませんでした。課長にどんな人間とつき合いがあったのか、実はほとんど知らないんです」

公子は正義感に溢れた白石の顔つきをじっと見返す。信じていいのだろうかと、まだ迷っていた。三年のバンコク駐在で魑魅魍魎《ちみもうりょう》を相手にしてきたわりにはすれていない青年、初対面のその印象だけが頼りでここにやってきた。

「最近の楢崎彰一の様子は？」

「会社側にお伺いをたてているみたいです。また身代金要求があった場合、身代金の追加措《そ》置《ち》をしてほしいって」

「で、会社側は？」

「保険会社の話し合いでは議論沸騰してるみたいですけど、金額によっては支払いに応じる用意があるようです」

「ということは……二度目があるわね」

二度目の身代金受け渡しは、公子に二度目のチャンスをもたらすことになる。

改めて白石を見つめる。この男を信じて大丈夫だろうか。

白石が犯人側に通じている可能性もあるが、目の前の人間を信じることしか突破口はなかった。楢崎彰一の懐にもぐりこめる人間は白石しかいないのだ。公子は白石に賭けてみようと思った。

「お願いがあるの。あなたしか頼めない。楢崎彰一の行動を監視してほしいの。彼は必ず犯人側とコンタクトをとる。次に身代金要求があった場合、きっと運び役に楢崎彰一が指名される。警察は被害者の親が誘拐犯人と結託しているとは夢にも思っていない。その盲点を突いてくるに違いない」

「なら、課長が横浜の関内で運び役をやらされた時、なぜ犯人は受け取りに現われなかったんですか」

「配備が厳重で、犯人が金に近寄るチャンスはなかったのよ」

「だったら今度も同じことです。一億の現金を奪われたんですから、警察は今度こそ威信をかけて、二度目の身代金強奪を食いとめるでしょう」

白石の言うことはもっともである。公子より冷静に現状を分析していた。楢崎彰一が金を犯人側に届けようとしても、蟻の子一匹這いでる隙間はないのだ。

沈黙が下りてくると、窓を震わす風の音に公子は耳を傾けた。大型台風は明日、関東を直撃する。貴之はどこでこの嵐を聞いているのか。

あの主犯の女が言うように、貴之の肉体はすでに部品として解体されてしまったのか。いや、臓器ビジネスを海外で繰り広げている以上、摘出手術は渡航先で行なわれると考えていい。貴之がまだ海を渡っていないとすれば、生きている可能性は高いと公子は信じることができた。

「分かりました」白石は頰を強ばらせて頷いた。「課長には確かに疑われても仕方がない点がある。できることなら潔白を証明してあげたい。言う通りにします」

「私を信じてくれるのね」

「婦警さんを信じたいけれど、それ以上に課長のことも……」

「携帯電話の番号を教える」

公子はドコモの液晶に番号を映して白石に見せた。「犯人から二度目の要求があって、楢崎彰一が動きだすことになったら、教えてほしいの。いいわね、私と連絡を取っていることはくれぐれも周りに知られないようにして」

「分かってます」

お互いの番号を教えあって、白石のマンションを出た時だった。公子のドコモが着信音を奏でた。

たちまち全身が武装し、通話ボタンを押した。

「はい……」

相手は沈黙。二秒後、通話は向こうから切れた。公子はあの女だと確信した。こちらの生存を確かめようとしたのか。「生きててよかったわね」というあの女の声が聞こえてきそうだった。

カリーナに戻り、パトカーに用心しながら裏道をめぐって夜を明かす場所を探した。

住宅街の切れめに廃車置場を見つけた。スクラップを待つ車検切れの車がうずたかく積まれている。木《こ》の葉は森に隠せという諺がある。公子はカリーナを廃車の群れに埋もれる形でとめ、エンジンを切った。

シートを倒して目を閉じる。あとは白石からの連絡を待つしかないという他力本願《たりきほんがん》が、張りつめていた体をやっと落ち着かせた。睡魔が温かな湯船の如く全身を覆い始める。

強い風にあおられた廃車が、赤ん坊の泣き声にも似た軋み音を奏でている。

これは貴之の泣き声に似すぎている、と深く考える前に眠りの世界に落ちた。銃弾に追われ続けた一日の緊張と疲労が、公子に一時的な死を与えた。

智永たちは銃弾を放ち続けた一日の緊張と疲労を癒す間もなく、次の行動に向かって準備を始めていた。

北新宿の部屋で弾丸の補給と装備の点検を終え、智永はセルシオに、泉水と篤志はハイエースに乗りこんだ。拳銃と弾薬はスポーツ・バッグに、ウィンチェスターはゴルフ・バッグにすっぽり収まって、ワゴンの荷台に放りこまれた。

台風の前触れの風は激しいビル風となって、車に乗りこもうとする智永たちを追いたてている。間違いなく自分たちにとっては追い風になるに違いないと智永は思った。

智永は二度目の身代金奪取を決断した。次の方法は婦人警官の母性愛を利用した最初の強奪計画と比べたら正攻法で、不確定要素も絡んでくる。警察が台風直撃という悪条件でも頑張りを見せ、身代金受け渡しを阻止するようであれば、あっさりと計画を中止するつもりだった。

智永の狙いは今や、金ではない。

あの婦人警官はすでに冨家と楢崎彰一のつながりに気づいているに違いない。二度目の計画では、楢崎彰一が被害者づらをしてこちらに金を届けにくることも分かっているだろう。こちらが楢崎彰一と接触する時を狙い、婦人警官は必ず逆襲に転じてくると智永は確信していた。

指名手配中の婦人警官が、いかにして警察に追跡された楢崎彰一の動きを捉えることができるものか。お手並み拝見、という気分だ。

婦人警官をあぶりだすことが今の智永の最優先課題だった。

名前は有働公子というらしい。

有働公子は智永のうなじに唇を押し当てて「子供はどこ」と囁き、首に腕を絡めてきた。呼吸ができなくなった時に、一瞬、セックスの高みにも似た感覚が智永を襲った。それは快感なのか恐怖なのかをゆっくりと吟味《ぎんみ》する余裕もなく、有働公子を背中から振り落とした。

有働公子を征服したい。

この感情は何なのか。母親の強さに畏怖《いふ》しているのだろうか。立ちはだかるあの女を倒さない限り、自分はどこへもいけない。人生は先には続かない。教室の闘いでは顔をはっきり見ることができなかった。どんな強さを表情に刻んだ女なのか。征服し、殺す前に、有働公子の顔を間近で見つめてみたい。

はたして有働公子は小学校から逃げることができたのか、智永は確かめたくて携帯電話の番号を押した。二度目のコールで「はい」と出た。

小学校に呼び寄せたと同じ方法で誘いだすことはできない。無言が続いた。お互いに無駄な会話は必要ない。智永は挑発の言葉のひとつでも投げかけてやろうとしたが、そのまま切った。すると、暗黙のうちに有働公子と心が通い合っているのでは、という漠《ばく》とした思いに駆られた。まるで自分は恋する相手と満足に会話もできない生娘《きむすめ》に似ている、と智永は失笑した。

「道は分かるわね」

車のボンネットに道路地図を広げ、群馬県嬬恋《つまごい》に至るコースを篤志と確認する。

「先生、俺が仕留めるからな、あの女は」

智永と泉水を前にして篤志が男の沽券《こけん》を振りかざし、これまで聞いたことのない重々しい声音で言う。泉水が「どうしちゃったの」と笑っている。

「うるせえよ。俺にまかせろよな」

智永は、頼りにしてるわよ、と微笑みで答えた。

目白《めじろ》通りから関越《かんえつ》自動車道に入り、篤志と泉水が乗るワゴン車は智永のセルシオに導かれて走る。

車内には若い二人に似つかわしくない沈黙があった。篤志も泉水も、闇路の果てに待っているものを予感している顔つきだった。

「いつか私たちは死ぬだろう」

泉水が助手席で呟く。「二人はともに土になる／何人かの人にはそれは悲しみ／法に平和がもたらされる／それこそがボニーとクライドの死」

ボニー・パーカーが残した詩だった。

「悲観的になんなよ」

篤志が軽く笑い飛ばす。八十七発の弾丸を浴びて死のバレエを踊ったあの映画のラストシーンが、二人が迎える最期の理想形だった。銃弾でずたずたに引き裂かれた体から、血の最後の一滴まで地面に吸いこまれてほしい。

「第一あのヤワなポリ女に、テキサス警備隊がボニーとクライドを待ち伏せたような芸当ができると思うか？　役者不足だよ」

「なら、どうやってポリ女はあたしたちのことを突きとめたんだよ。あまく見たら、やられるよ」

「言ったろ。俺が仕留めてやるって。まかせとけって」

偉ぶる篤志の言葉をよそに、泉水は沈みこむ。

「……ちゃんと狙ったつもりが、まったく当たんねえんだもん」

小学校での銃撃戦を思い返していた。婦警はことごとく泉水の狙いからそれていった。

「お前の弾じゃ死ねるかって、あの女は嘲笑《あざわら》ってんだ……」

「考えすぎだよ。動く的《まと》を撃ったのはお前も俺も初めてなんだ」

「あの女のほうが勝ってると思わない？」

「勝ってるって、何が」

「遊びで銃を撃ちまくるあたしらみたいな人間と、子供のためにまだ死ぬわけにはいかないって思ってる人間の違いだよ。勝負なんて最後はそこで決まるんだよ」

篤志も黙りこんでしまった。あとは二人の元担任教師が切り開く道を前に見つめるだけだった。自分たちにいつ八十七発はもたらされるのかと、泉水は血みどろの最期に恐怖しながら、反面、のしかかる死の可能性に魅せられていた。

22

関東地方は朝、台風の暴風雨圏内に入った。南大東島の付近で一度迷走した台風十一号は、伊豆半島を上陸場所と狙いをつけてからは気象予報士の予想通りのコースをとり、毎時二十キロという自転車よりも遅いスピードで北上している。

中心付近の最大風速は四十メートル。関東地方は午後から夕方にかけて被害の拡大が予想された。

彰一はベランダにいた。リビングには刑事はいない。妻と二人きりの雰囲気に息が詰まり、外気にあたっている。

湿った南風に雨がまじり、ベランダから分厚い雨雲を見上げた時、リビングで電話が鳴った。

風呂の脱衣場でコーヒーを啜っていた持田は、電話の音を聞くなりリビングに駆けつける。香澄は鳴り続けている電話の前で、おろおろと立ち尽くすばかりである。

「一億円を午後四時までに用意して、父親に持たせろ」

ボイス・チェンジャーの声はそう言った。電話に出たのは楢崎彰一本人だった。

「お金は約束通り払ったじゃないですか」と彰一が抗弁《こうべん》すると、犯人は「金はこちらに届いてはいない。有働公子が持ち逃げした」と機械的に告げた。

犯人グループと公子の間に仲間割れが起きたために、金は届いていないと言いたいようだ。電話を聞いている誰もが、犯人たちがあと一億をせしめるための口実としか聞こえなかった。

「白石圭二に車を運転させろ。お前は金を持って助手席に座っていればいい。取引場所については携帯電話に指示する」

犯人の電話が切れると、楢崎彰一はただちに九条物産の専務取締役へ直通電話をかけた。

役員会議はさらに支払い要求がある場合を想定して、すでに保険会社との根回しを終えていた。

マスコミはどんな対応をするか。報道協定が解かれたあとに、「繰り返し要求に応えたことは企業の弱腰を喧伝したことに等しく、同種の犯罪続発のきっかけを作ってしまった」と彼らは報じるか、あるいは「人道的見地から、一人の社員の家族を企業ぐるみで救ったことは評価できる」と報じるか。

日本のマスコミの体質としては後者であろうと、多くの役員が楽観的に判断した。

たとえ犯人側の身代金釣り上げに応える結果になろうとも、ここで金を出し渋って楢崎あゆみが死体で戻ってくることになったら、九条物産と保険会社は日本の全マスコミに叩かれ、株主総会は怒号の嵐になることは明らかである。

万が一、犯人側に金が渡っても、日本警察はこれまで誘拐犯を一人残らず逮捕している。

有働公子という悪徳婦人警官がいたとしても、警察全体への信頼感に異論を唱える者はなく、九条物産から申請を受けた保険会社はあと一億円の追加措置を決めた。

こうして白石の自家用車である四輪駆動のランド・ローバーに現金入りのジュラルミン・

ケースが積まれた。

白石が運転席に、助手席に楢崎彰一が座ってシートベルトを装着する。

午後三時半、荒れ狂う雨と風に捜査員の傘は役にたたず、車を取り囲む捜査本部の人間たちは全員濡れネズミだった。

都心部で瞬間最大風速三十三メートルを記録し、神田川は例によって氾濫《はんらん》し、首都高でも各所で入口の規制が始まろうとしている。それでも台風のピークはまだまだ先だということだった。身代金受け渡し時の大混乱が予想できた。

運転席の窓を細く開けた楢崎彰一に、曽根が強風に負けない声を張りあげる。

「携帯電話にかかってきた指示を無線で伝えてください。追跡班はジュラルミン・ケースにつけた発信器の電波を百メートル後方で捉らえて、ぴったりあとを尾けています」

そして白石のほうを覗きこむ。「こんな天気ですから、くれぐれも安全運転を」

追跡班の捜査員がそれぞれの車に入った。バケツを引っ繰り返したような雨が、待機中の車の屋根を打ち続けている。

彰一の青ざめた能面のような顔に、フロントガラスを流れる雨が縞模様《しまもよう》を投げかけている。白石はその表情の奥にあるものを探りながら、呟きかけた。

「あゆみちゃんを必ず連れて帰りましょう」

遠くからの声のようにその言葉を聞き、彰一はふらっと振り向いた。

「できるだけのことをさせてもらいます。僕を頼りにしてください」

「本当だな」

彰一が念を押す。瞳が熱く潤み始めている。「本当に力を貸してくれるんだな」

「何をすればいいのか言ってください。課長の言う通りにします。僕を信じてください」

含みのあるその物言いに、彰一は目をそばめた。

「お前……何が言いたい」

「僕の勘です。課長は警察に隠れて犯人側と裏取引をしたんじゃありませんか。警察の追跡を撒《ま》いて金を届けろというのが要求だとしたら、僕にできることは……これです」

ハンドルを叩き、握り締めた。交通規則など知ったこっちゃなく、バンコクの渋滞道路を抜けて、サンペン小路《こうじ》を暴走した。一度パトカーに追われたこともあったが、見事に撒いて、白石は彰一を乗せて時間通りに商談場所に到着することができた。

ふたたび黙りこくってしまった彰一の横顔を盗み見る。部下のこの気概に賭けるべきか、賭けざるべきか、彰一の内部で葛藤が渦巻いている様子だ。

四時きっかり、彰一の携帯電話が鳴った。犯人からだった。彰一が通話に全神経を集中している間、白石は背広の内ポケットに手を差しこみ、携帯電話の短縮番号のスイッチを押した。公子のドコモに通じる番号である。

白石の携帯電話は通話状態のまま内ポケットにおさまり、車内の声を残らず公子に伝えることになった。

今朝、彰一を助手席に乗せて現金の運搬を犯人に命じられたと公子に報告した時に、こうすることは打ち合わせ済みだった。


「出てこい」

デビルは檻の扉を開けると、あゆみに向かって手招きをした。

「いや」とあゆみは首を振る。夢を見ている時に起こされたようだ。恐ろしい夢の続きにデビルが誘いこもうとしているように感じられたのかもしれない。

「何するんだよ」

貴之がデビルの前に立ち塞がった。喘息の発作は小康状態にあったが、咳をひとつするごとに体力を奪われ、貴之は肩で喘ぎながらあゆみを守ろうとした。

「どけ」

「いやだ」

デビルは貴之を平手で張り倒した。

「家に帰るんだ。来い」

その言葉に、あゆみは目を見張る。

「……ほんとう？」

デビルが邪魔な貴之の体を足で押しやり、あゆみの手を掴んで檻の外に連れだす。デビルが檻の扉を閉じると、貴之とあゆみは鉄格子を間にして向かいあった。

「よかったね」

貴之はデビルに叩かれた真っ赤な頰で精一杯笑った。あゆみは言葉が喉につまって出てこない。

「また逢おうね」

あゆみは「うん……」と頷き、涙を浮かべる。貴之も別れは辛かった。

「絶対だよ」

貴之の笑顔は長続きしない。もう二度と逢えないことは分かっている。それでいながら、温かな家に帰り、両親の腕に包まれるあゆみの幸せを貴之は心から喜ぶことができた。

「僕らが作った町で、逢おうね」

駅前にはケーキ屋があって、銀杏の並木路の突きあたりには緑の公園があって、貴之はあゆみに自転車の乗り方を教えてやった。二人が想像の世界で作りあげた町だった。きっと現実に存在する町だ。二人で探せば見つかる。それを信じて、貴之は鉄格子の間から手を差し伸べた。小指のかけた左手を。

あゆみが手を伸ばして握ったが、デビルによってすぐに引き離された。

貴之は見送った。あゆみは船室から連れだされていく。デビルが扉を閉めて、檻がふたたび闇に閉ざされると、貴之には新しい敵が忍び寄っていた。孤独という名の敵だった。

気管支が堪えきれなくなり、咳のかたまりが飛びだしてくる。孤独の他にも、発作という恐ろしい敵が貴之を待ち受けている。

喘息の発作が始まり、薬もないまま咳が続けば死ぬこともある、とお母さんはよく言っていた。船はやがて海に出る。どこを目指して航海するのかは分からない。この発作は治まらないだろう。貴之は「死」というものが自分の行く先に待ち構えていることを子供心に理解した。

「眩しいぞ。目を閉じておけ」

外に出る前にデビルが言った。あゆみは言われた通りに目を固く閉じる。デビルにひょいと抱きかかえられて外に出る。目蓋にカッと太陽を感じる。潮風があゆみの鼻に流れこんでくる。

デビルに「歩け」とうしろから導かれ、恐る恐る足を前に繰りだし、あゆみは試しに目を細く開けてみた。目蓋の隙間から強烈な白光《びゃっこう》が襲いかかって悲鳴をあげそうになった。ゆっくりと光に目を慣れさせる。辛くても、今、何かを見ておかなくてはならないという使命感に駆られた。貴之のためだ。貴之が閉じこめられている船の場所を覚えておくためだ。瞳が焼けそうになっても、目を開かなければ。

視覚神経の痛みに耐えるうち、白茶けた世界に淡く輪郭が見えるようになった。板で作った長い道が海から浜辺に続いているのが分かる。その先に一台の車が止まっている。かつて自分が引きずりこまれた白いワゴン車であることをあゆみは思いだした。顔を上に向けるともっと眩しかったが、空中でひらひらしているものが確認できた。

旗だ。吹きつける風でたなびく四角い旗に模様がある。大きな魚が背中から水を吹いている。親子の鯨の絵だ。

空の色も分かった。檻の中では寝ている時間だったが、本当は西に太陽が傾いている時間帯なのだ。南から雲の一群が押し寄せようとしている、夕方間近の晴れ間だった。

外界の明るさは少しずつあゆみの視界に馴染んでいったが、うしろにいるデビルには、目を閉じたまま歩いているように見せかけた。長い板の道を、よろけながら浜辺まで連れられていく。

「ここに来る途中、二人拾ってきた」

聞き覚えのある声に薄目を開く。白いワゴン車の運転席から出てきた男。

あたしをさらった金髪の男だ。直後、目隠しをされて闇の世界に戻され、いつかのように濡れた布を口と鼻に押しつけられた。イヤイヤする間にもハッカの匂いのする眠り薬があゆみの意識を奪っていく。ここで見たものを覚えておかなきゃ、忘れちゃ駄目よ……と自分に言い聞かす声も遠のいていく。

　ぐったりしたあゆみを、グレイ・ウォンはハイエースの荷台にひょいと乗せた。

　そこに寝かされて運ばれてきた二人の子供を、篤志が浜辺に下ろす。一人はジャイアンツの帽子をかぶっている。もう一人はたて笛を握って離さない。どちらも小学校の低学年だった。篤志にとってはすでに手慣れた仕事になっているようだ。

「田舎の学校の帰り道は物騒だよな。人っ子一人通らない道を、笛を吹きながら歩いてんだ。どうぞさらってくださいってお願いしてるようなもんだよ。やるなら田舎道に限るな。車を止めて、道を訊くふりをして、薬を嗅がせて、簡単なもんだ」

「台風は今晩中に本州を縦断して、日本海で温帯低気圧になる。船は明日の朝早くにも出せる」

　グレイ・ウォンは篤志にそう言うと、二人の子供を軽々と両肩に抱きあげた。子供たちの目蓋が動き始めている。そろそろ意識を取り戻す。

「明日の朝には全部カタがついてるよ。今度は一人あたり二千五百万だ」

「二千万だろう？」

「頭数は四人になった」

「何があった」

「あのお医者様にお仕置をしたみたいでさ、ウチの先生が」

それだけの説明でグレイ・ウォンは悟った。

「新しい医者を探さなくちゃか……」

智永が冨家に見切りをつけたのなら仕方がない。子供の体を切り開いて「刈り取り」をする医者。臓器を求める患者の家族から「何とかしてほしい」と日々泣きつかれている医者。心当たりは他にもある。

眠るあゆみを大きな段ボールに隠し、篤志は「成功を祈っててくれ」と親指を立て、砂浜から去っていった。

ワゴン車が砂を嚙みながら無事に道路に出たのを見届けると、グレイ・ウォンは両肩にかかえた二人の子供を船に運びこんだ。着ている服を全部脱がせ、ズダ袋をかぶせた。

貴之は孤独という敵からすぐに解放された。目の前に見知らぬ子供二人が連れてこられたのだ。

檻に新入り二人が投げこまれると、貴之は先輩としての使命感と責任感で自分を奮《ふる》いたたせた。この子たちの頼りになるのは僕しかいない、頑張らなくては。

二人の少年はやがて細々と目を開け、ここはどこだろうと薄暗い檻の中に視線を這わせる。貴之は優しく語りかけた。

「大丈夫だよ。一人じゃないから。きっと帰れるから……」

嘘をついてはいけない、とお母さんに教えられている。でもこの檻の中では、つかなきゃいけない嘘があるんだ。貴之は絶望の涙を飲みこみ、懸命に咳を飲みこみ、二人の子供を希望に導く「兄」であろうとした。


彰一にもたらされた最初の指示は「環七に入れ」だった。

駒沢陸橋から左折して環状七号線に入り、風と雨のカーテンで十メートル先もさだかでない道を白石は走った。彰一は背後の警察車両をしきりに気にしている。ランド・ローバーのリア・ウィンドーも降りしきる雨に遮られて、ほとんど何も見えない。

「頼む。警察の車を撒いてくれ。どうしてもこの金を犯人に届けたいんだ」

彰一の目はぎらぎらと血を噴きだしそうに充血していた。

「やっぱりあったんですね、裏取引が」

「この一億さえ向こうに届けば、今度こそあゆみは返ってくる。だから白石、頼む」

いつも冷静沈着な彰一にしては珍しく、心のたけをぶつける哀願めいた口調だった。ワイパーがせわしなく動くフロントガラスに目を凝らしながら、白石は彰一の涙声に彼の嘘を感じた。あの婦人警官には「課長を信じたい」と言った。しかし信じるに値しない男かもしれないと思い始める。

裏取引などという生易しいことではない。楢崎彰一は最初から会社を裏切り、警察を手玉に取ろうとしている。自分の娘を助けようとする一方で、何の罪もない子供たちの体が引き裂かれ、内臓が掻きだされていくことに加担している。

メコン川に第二架橋を建設するプロジェクトに、白石は彰一とともに三年間を捧げてきた。現地ゼネコンの共同出資を仰ぎ、タイ政府の要人との折衝《せっしょう》を繰り返して、プロジェクトはやっと軌道に乗った。橋の完成を見ることなく日本に帰国したが、バンコクで彰一と苦労をともにした三年間は、白石の誇りでもある。

「トゥクトゥク」と呼ばれる三輪タクシーが入り組んだ路地を疾走し、はちきれんばかりの満員のバスに人々がたわわにしがみつく。両側にそびえているアパートの軒先には、洗いざらしの擦り切れた下着が湿った風に揺れている。シンハ・ビールを手にしてサンダルばきで路地を歩く。屋台の汁物売りが商売を始める。

路地また路地の迷宮で、魚醤の生臭さや、熱気の中に漂うジャスミンの芳香に惑わされ、白石や彰一のような旅人は最初は道に迷うばかりだった。

白石は知らなかった。彰一はいつしか暗い路地に迷いこみ、人間の道までも踏み外していたということか。

彰一の携帯電話が鳴った。

「……はい……はい……。川越《かわごえ》街道ですね。何とかします」

彰一が犯人からの指示を白石に伝える。「警察の車を振りきって、最終的に川越街道に入れと言っている」

「川越街道ですね」

白石は胸ポケットの携帯電話にも聞こえるように復唱をした。

彰一は無線器を取りあげた。犯人からの指示を警察にどう伝えるべきかと迷っている。

「道路地図を見せてください」と白石が促した。彰一が現在走っている場所のページをめくって、白石の視界に広げた。

「大原《おおはら》を抜けて水道《すいどう》道路を渡ってすぐのところに、環七をぐるりと迂回してからふたたび環七に戻る道があるでしょう」

「和泉通りか？」彰一が地図で確かめた。

「五百メートルほど環七と並行している道です。そこに入ってみて、警察がついてくるか試してみましょう」

「発信器があるんだ、警察が見逃すはずがないだろう」

「肉眼で見えないところまで振り切れば、発信器を取り外すことができます。やってみましょう」

「分かった」

「その前に今こちらの車が追跡班に見えているか、確かめてください」

彰一が無線器のトークボタンを押す。

「こちらが見えますか。どうぞ」

図太い曽根の声が雑音まじりに聞こえてくる。

「悪天候で見えにくい。ウィンカーをつけてみてください。どうぞ」

白石は左のウィンカーをつけて、左車線に移る。

「ああ、分かりました。三台の車を間に挟んでいます。どうぞ」

「安心しました。こちらからはよく見えないもので。どうぞ」

「犯人から何か指示があったのですか。どうぞ」

「環七をしばらく北上しろとのことです。どうぞ」と彰一は嘘の報告をした。

大原の首都高の高架下を通り抜け、水道道路を越えたところで、白石は左にハンドルを切る。ウィンカーを出せば悟られるので、危険は承知でおもむろにハンドルを切った。左車線の後続車が激しくクラクションを鳴らす。白石は和泉通りにそのまま突入した。


雨と風でけぶる曽根の視界。クラクションを浴びながら左車線へ切りこんでいったランド・ローバーは肉眼で捕捉できなかった。

悪天候は覚悟していたが、これほど追跡対象が肉眼で確認しづらくなるとは曽根は思ってもいなかった。

犯人の要求があった直後、玉川署で緊急に開いた捜査会議では様々な状況が想定された。犯人側には今回の身代金受け渡しで、どんな勝算があるのか。最初の成功で警察を欺くことなど造作ないと夕カをくくっているふしがあるという、心理面での驕《おご》りを指摘する声があった。そうであってほしいという希望的観測にすぎなかった。

被害者の親が犯人と裏取引をしているのではないかという危惧を口にする者もいた。益岡はそれに対して、「たとえ楢崎彰一が裏取引に応じたとしても、車を運転するのは白石であり、いくら仲のいい上司の頼みとはいえ、警察の裏をかく犯罪的行為に白石までも加担するとは考えにくい」と答えた。

それも楽観的すぎる。楢崎彰一は刃物を手にして白石を脅すことだってできるのだ。「娘を助けるために協力をしてくれ。さもなければ刺すぞ」と言われて、白石がどこまで抵抗できるか。

益岡はこう言った。

「百歩譲って、白石が楢崎の頼みを聞き入れたとしよう。警察を敵に回す度胸もあるとしよう。だが現実に何ができる。有働公子のように警察の配備の盲点を突いたり、警視庁と神奈川県警の縄張り争いを利用したりする芸当は、あの白石という若僧には無縁だ。犯人が指定するコースに車を運転するだけで精一杯のはずだ」

白石のバンコク時代の運転テクニックについて、益岡は軽く考えている。そもそも十一日前、最初の身代金受け渡しで白石が指名された時も、犯人側は白石の運転技術を知っていて、受け渡し役にはうってつけと狙いをつけているのだ。

「心配なのは、今日の悪天候でどれほど追跡態勢に支障が出るかだな」

益岡が捜査会議で口にした不安材料はその一点だけだった。

その天候の読みもあまかった。これは「支障が出る」というレベルを越えていた。百メートル先でさえランド・ローバーが見えない。カー・ナビ画面の電波追跡装置だけが頼りだった。

「左折しました」と、ハンドルを握っている刑事が知らせる。肉眼では見えない。カー・ナビ画面では確かに光の点が左折していた。

「こちら追跡班、応答せよ。今どこを走っている。聞こえるかどうぞ」

無線は返答しない。

曽根は背中に寒いものを覚えた。


楢崎彰一と白石が現金を積んでマンション前を出発した時から、公子は環八にほど近い馬事公苑の路地で待機していた。楢崎宅からわずか北へ三キロの地点である。路上駐車の不審車両をチェックするパトカーにだけは気をつけた。

楢崎彰一と白石の会話は筒抜けだった。公子はイヤホンで聞いている。ドコモに着信した音声はくぐもっていて、楢崎彰一から伝えられる犯人の命令は、白石が胸元に向かって復唱しなければよく聞き取れない。

和泉通りに入ったランド・ローバーが曽根の追跡を撒こうとする頃、公子は環状八号線の上用賀を走っていた。

白石は彰一と道の確認をしている。「このまま裏道を抜けて、井の頭通りから環八に入って、パトカーがついてこないようだったら発信器を捨てて川越街道に入りましょう」という白石の声がドコモから聞こえる。

このまま北上すれば、高井戸《たかいど》で環八に入るランド・ローバーと合流できると公子は考えた。

いや、むしろ先回りをするべきか。川越街道の入口付近でランド・ローバーを待ったほうがいい。公子はアクセルを踏みこんだ。

川越街道に入るまでにランド・ローバーが追っ手を振りきれるかどうかにすべてがかかっている。おそらく犯人側は身代金運搬車を埼玉県警の庭場に連れだし、警視庁との連携が現場レベルでゆき届いていない埼玉県警を手玉に取るつもりだ。

しかもこの天気だ。山崩れや河川の氾濫《はんらん》という危険に遭遇する地方では、災害対策が警察の最重要課題になる。警視庁が要請する広域手配に埼玉県警がどれだけ人員をさいてくれるかは疑問だった。

関東に上陸した台風十一号は、災害の爪痕《つめあと》を各地に残しながら、ゆっくりと北上を続けている。

益岡の首の皮一枚は、あえなくちぎれようとしていた。

玉川署の捜査本部に「車が連絡を絶って、こちらを振り切ろうとしています」という曽根の報告が入った。

「ランド・ローバーは井の頭通りを西に進んでいます。所轄の捕捉班に肉眼で確認させてください」

曽根の声は落ち着いている。益岡も「落ち着け」と自分に言い聞かせ、刑事課長に高井戸署への連絡を指示した。

有働公子の時と同様に自分の手から現金運搬車がすり抜けていくのではという恐怖が、益岡の中で被害妄想のように膨れあがっていく。

やはり犯人側と楢崎彰一に裏取引があったのか。白石もそれに協力をしたのか。ひょっとしたら有働公子が警察の裏をかく術を教えているのではないか。悪いほうへと考えればきりがなかった。

十五分後、高井戸署から連絡があった。西永福の信号で環八方面へ走るランド・ローバーを肉眼で確認したという。それを受けて、外周待機の追跡班に直近配備が受け継がれ、曽根の追跡班は後方支援に回ることになった。

益岡は安堵の吐息を洩らした。

警察からの無線がコール・ランプを点滅し続けていたが、彰一と白石は徹底的に無視を決めこんだ。

彰一が「きっと、まだついてきてるな……」と、豪雨で視界が白濁しているリア・ウィンドーに目を凝らす。追跡班は必ずそこにいる。白石もあんな小細工で警察の配備を突破できるとは思っていない。

「掴まっててください」

白石の注意に従い、彰一が正面に向き直って姿勢を固める。白石はギアを入れ替え、アクセルを踏みこんだ。ここからが腕の見せどころだ。

風速二十メートルの風が吹き荒れる井の頭通りを、ランド・ローバーはみるみる速度を上げ、百二十キロで疾走した。クラクションを鳴らしっぱなしにして信号を無視する。この天気で外出している人間が少ないので助かった。

やがて後方の視界にパトカーの赤色灯が点滅するのが見えた。追っ手がそこにいるのが分かった。一度離された距離をだんだんと詰めてくる。

白石はブレーキをかけながら左にハンドルを切り、一方通行の道を逆走して入った。幅六メートルの公道を直進してくるトラックがいた。ランド・ローバーはその横をぎりぎりで通り抜ける。トラックは一方通行の道を猛スピードで逆走してきた車に驚き、急ブレーキをかけたため後輪が滑り、車体が道を塞ぐ形となった。後続する警察の覆面車両はそこで足留めを食らうだろう。

白石のランド・ローバーは高井戸の住宅街にもぐりこんだ。曲がりくねった路地また路地を走り回り、追跡班の攪乱を始める。電波発信器だけを頼りにして、今頃、外周の捕捉班が慌てて駆けつけているだろうと白石は推測する。

「この一帯に警察を集めてから環八に出ましょう。そこで車を止めますから、ケースから金を出してください」

車を止めるなり、二人はシートベルトを外して車外に出て、ランド・ローバーの荷台を開けた。横殴りの雨で彰一も白石もすぐにずぶ濡れになる。雨粒が矢のように突きささる横殴りの風で立っているのもままならない。

ケースを開けると引っ繰り返し、中身を荷台にこぼした。百万の束が百個、一億円の山ができた。電波発信器は簡単に取り外された前回の失敗に懲りたのか、ケースの裏側に固定されている。彰一もやるべきことは分かっていた。電波発信器をケースごと捨ててしまえばいいのだ。

空のジュラルミン・ケースを道の脇に放り投げて、二人は車に戻った。

追っ手を振りきることの快感が白石にあった。有働公子もおそらく感じたであろう快感だった。ランド・ローバーは次に環八への侵入路を探す。

「課長、うかがいたいことがあるんです」

道から道へとハンドルを切り、体を左右に激しく振られる車内で白石は問いかける。「バンコクにいた頃、貧しい子供たちの養子斡旋を手伝ったことがありましたね」

「こんな時に、何の話だ」

大使館のパーティで知り合ったフランス人の画家夫婦が、切実に子供を欲しがっていた。香澄がボランティア活動をしていたバンコクの孤児院に夫婦を案内し、彰一は親のいない五歳の少女との養子縁組を仲介してやったと白石は聞いている。

「タイに冨家先生がやってきた直後ぐらいから、課長はあの孤児院を何度か訪ねていますね。あとで孤児院の院長と話す機会がありました。院長は言葉を濁していたけど、課長はあれから何度も子供をもらい受けていたそうですね。誰が子供を欲しがっていたんですか？」

「何が言いたい」

「子供たちはどこに行ったんですか」

「養子の斡旋は、お前に手伝ってもらった最初の一件だけだ。孤児を里子に出す仕事は女房がボランティアでやっていた」

「冨家先生とはどういうおつき合いだったんですか」

「話したろう。娘の担当医師だった人がタイに遊びに来たから接待をした。それだけだ」

「もうひとつお訊きしていいですか。例のタイ政府の大臣……ほら、娘さんが胆道閉鎖症で臓器の移植を希望していた」

「また何の話だ」と、彰一はうんざりした様子で困惑の表情を浮かべている。

「娘さんは病気が全快して、課長にクリスマス・カードを送ってきましたよね。つまり大臣の娘は肝臓移植を受けたんじゃないですか」

「多分そうだろう」

「手術は冨家先生が？」

「もちろん現地の医者だ。観光で来ている医者に執刀をまかせたりするか」

「移植手術ではなくて、摘出手術のほうです。大臣の娘に差し上げる肝臓を用意したのは冨家先生だった。肝臓を抜かれたのは孤児院にいた子供だった。違いますか？」

彰一は黙ってしまった。目が泳いでいる。

「ところがタイにも新型肝炎が流行しだした。東南アジアの子供たちの汚れた臓器では商売ができなくなった。すると冨家先生が新しいアイデアをもちかけた」

「もうそのへんにしておけ」

「それからはどこで子供を調達したんですか」

「白石！」

彰一は目を剝いて睨みつける。その反応だけで白石には充分だった。環八が見えてきた。タイヤが雨に濡れた路面を滑る。車の尻を振り、信号を右折して環八に進入した。

現金運搬車両が追跡班の呼びかけを無視して高井戸の住宅街に入り、やがて電波の発信地点が停止すると、捜一の追跡班と外周を移動していた所轄と方面本部の第一線配備は大挙してランド・ローバーの発見に向かった。

第二線配備に片野坂がいた。

高津署の後輩を運転手にして、現金運搬車が移動する外周を走っていた片野坂は、現金運搬車両が無線の呼びかけに答えなくなった時点で、有働公子の時と同様の事態を想定した。ランド・ローバーはどこかで発信器を捨てたのち、高井戸を脱出して環八に入ると見た。犯人側が次に手玉にとろうとしているのは埼玉県警しかないと踏んでいる片野坂は、環八に入った現金運搬車は必ず北進すると考えた。

高井戸駅の高架下に車を止めさせ、待機していた。

予想は的中した。雨と風のカーテンが視界を灰色に潰していたが、猛スピードで目の前を駆け抜けていく車を見ただけで、それが逃走中のランド・ローバーだと分かった。片野坂は赤色灯をつけて追跡を始めた。

現金運搬車が犯人の手に渡って逃走を始めた時は、赤色灯とサイレンで追跡することが許されている。今の段階ではたして犯人側に現金が渡ったのか確認はできていないが、ランド・ローバーには逃走の意志がはっきりしている。

片野坂の覆面車両は赤々とした点滅光とサイレンで存在を誇示しながら、ランド・ローバーをぴったりと追尾《ついび》する。

「現在、現金運搬車両は環八の高井戸を北に逃走中」

片野坂は捜査本部に報告をした。いつの間に高井戸の住宅街からランド・ローバーが脱していたのかと、捜査本部の人間たちが唖然としているさまが想像できた。現場の捕捉班は電波の発信場所の特定にまだ奔走している。本当に現金運搬車なのかと、片野坂は捜査本部からしつこく確認を求められた。

「肉眼で確認済み。前方五十メートルを逃走中」

今頃、一度崩れた外周の配備を立て直すのにどうすべきか、益岡は頭を抱えているに違いない。片野坂は愉快に思うより、むしろ益岡に哀れさえ感じた。多磨霊園に配備を固めて南を手薄にさせた最初の過《あやま》ちをここでも繰り返している。

「離されるなよ」

片野坂の言葉に、高津署の後輩は緊張した横顔で頷き、ハンドルを握り直す。ワイパーはほとんど意味をなしていない。逃走車も追跡車も海の中を走っているのも同然だった。

白石はバックミラーに赤い点滅光を見ていた。

「もう一台、どうしてもついてきますね」

幼児売買。臓器売買。白石は上司への追及を中断して、目の前の現実打開に神経を集中した。

「この一台を振りきれば……」と彰一が隣で願をかけている。

「できるだけ早いうちに振りきらないと、さっきかわした追跡班が集まってきます」

「どうする」

「幹線道路は避けましょう。この先の地図を見せてください」

彰一が道路地図のページをめくり、白石の視界に掲げた。

「今走っているのは青梅《おうめ》街道を越えた桃井《ももい》一丁目だから……井草《いぐさ》の先、旧早稲田《きゅうわせだ》通りを左に入って石神井《しゃくじい》公園に入りましょう」と、白石は胸の携帯電話にも聞こえるようはっきりと言った。

彰一は眉をひそめてこちらを凝視している。現在地までご丁寧に声に出して言ったことに、不自然なものを感じたのかもしれない。

環八の先、谷原の交差点で待機していた公子のカリーナは、ドコモから白石の現在地点を聞くと石神井方面へ車を切り返した。

富士《ふじ》街道から左折して公園沿いの道に入る。柳の枝が風に荒れ狂っている三宝寺《さんぽうじ》池《いけ》の前を抜けて、石神井小学校前の道に止める。旧早稲田通りに入ったランド・ローバーは、あと数分もすれば目の前の道を走ってくるに違いない。

高井戸に投入された捕捉班はそろそろ態勢を整える。ランド・ローバーにやがて覆面車両も追いつくはずだ。ここで追跡車を振りきっておかないと、ランド・ローバーに二度と包囲網脱出のチャンスはない。とにかく警視庁管内で追っ手を一台残らず振りきって、目と鼻の先の埼玉県に次の舞台を移すしかない。

東京は暴風雨のピークにあった。視界は轟々と唸りをあげ、どこかで剝がれたらしいトタン屋根の残骸が舞っている。

公子は見た。乳白色にけぶる道の彼方から、赤色灯を背後に従えたランド・ローバーがやってくる。捨身覚悟で公子はハンドルを握り締めて、急発進に備えた。

片野坂の目の前、石神井小学校前の交差点をランド・ローバーが水飛沫《みずしぶき》をあげて左折した時だった。

視界にライトをつけた対向車が突っこんでくる。運転手の後輩刑事は声にならない叫び声をあげて夢中でハンドルを切る。よけきれず対向車の鼻先に激突し、洪水状態になっている道路脇のぬかるみにタイヤがとられた。覆面車両は横転し、車の中で片野坂の体は攪拌《かくはん》された。

気がつくと世界が逆転していた。車の屋根が地面にある。シートベルトに助けられ、フロントガラスに頭を打つこともなく、膨らんだエアバッグで片野坂の逆立ちした体がシートに押しつけられていた。

片野坂の逆さの風景に、近づいてくる人影があった。激突した相手の車。その運転席から降りたったジーンズとTシャツの女。

激しい風雨に顔をしかめ、地面に膝をつき、車の中を覗きこんだ女は有働公子だった。相手が片野坂だと分かって、公子は「奇遇ね」とでも言いそうな顔。

「大丈夫ね？」

水滴の窓の向こうから有働公子が大声で問いかけてきた。隣を見ると、運転手の後輩刑事もエアバッグに包まれて、ぼんやりした目で虚空《こくう》を見ている。外傷は大したことはなさそうだ。

片野坂は窓外の公子を燃えたぎる眼光で見返すしかない。逆さの顔では怒りの表情がうまく作れない。

片野坂たちに命に別状がないことを確認すると、公子はさっさと車に戻っていく。片野坂の手は無線器にさえ届かなかった。捕捉班がやってくるまで、このままの恰好で待つしかない。

有働公子が現われた。現金運搬車が犯人側と接触する最後のチャンスを狙ってやってきた。子供を取り返すためなら、味方の組織を敵に回し、裏切り、愚弄することを厭《いと》わない。片野坂にとってはいまいましい限りだが、今や公子に対して畏怖《いふ》に似た感情を抱いているのも確かだった。

「大丈夫か？」

運転席の後輩刑事がうつろな目で頷いた。

現場の報告を受けた益岡に、茫然としている暇はない。

石神井公園付近で現金運搬車をまた見失った。追跡車両の行く手を阻んだのは、指名手配中の有働公子だった。またしても有働公子が身代金奪取に加担しているのか、と心で絶叫した。埼玉県警本部への電話を急いで部下にかけさせる。

新座《にいざ》市、朝霞《あさか》市、和光《わこう》市の一帯を固める緊急配備を県警の刑事部長に要請をしたが、「全面的支援」を約束した今日の午前中とは状況が一変していた。

朝霞市の新河岸川《しんがしがわ》が警戒水位を越えて、付近住民への避難勧告がされたという。埼玉県警は自衛隊と協力して堤防決壊に備えている真っ最中で、とてもじゃないが主要幹線道路の配備に三千人の人員はさけないという答えが返ってきた。

五百人。それが限度だという。東京と埼玉の境界線にたった五百人。それではザルだ。現金運搬車は楽々と配備を突破できる。

　この天候に責任転嫁をすることができるか、と益岡はすでに上司への弁明の言葉を考え始めていた。


　白石は幹線道路を避けた。

　大泉学園を抜けて川越街道に入ることもできたが、道の彼方にパトカーの赤い光らしきものを見ると、路地に折れてやり過ごす。

　彰一の携帯電話が鳴った。犯人が今いる場所を訊いているようだ。

「……川越街道に入りました。どこへ行けばいいんですか……。大丈夫です、言ってください、覚えます」

　犯人は身代金受け渡しの場所を告げた。「群馬県嬬恋村の青葉湖《あおばこ》別荘地一二八番地の標識前」と彰一は繰り返す。その声は車の走行音に消され、白石が胸に隠している携帯電話には届きそうになかった。

　電話を切った彰一に、白石は「嬬恋村ですね」と念を押したあと、「青葉湖の別荘地、一二八番地」と胸元に向かって復唱した。

「白石」

　彰一が氷の眼差しで呼ぶ。「ちょっと止めろ」

白石は車を止めた。「どうかしましたか」と訊き返したが、気持ちは防御に入っていた。

「何を隠してる」

「どうしたんですか課長」

彰一の手が伸びて、白石の襟を摑む。止まった車の中で小競りあいになる。彰一の手が胸の内ポケットの膨らみを探りあてた。「やめてください」と身をよじったが、携帯電話を引き抜かれた。液晶画面が明るく、通話状態のままの携帯電話を彰一は愕然と見下ろしている。

「誰だ、相手は」

白石は観念した。「有働公子さんです」

「……何だって?」彰一は目を剝いて驚愕した。慌てて通話ボタンを切ると、すぐに自分の携帯電話を取りあげ、震える手つきで暗記している番号を押した。

「……俺だ。楢崎だ。あの婦人警官は受け渡し場所を知っている」

白石は冷ややかな軽蔑《けいべつ》の眼差しで見ていた。「やっぱり、課長は犯人と通じていたんですね」

彰一は白石を見返して、舌のひりついた声で吠えた。「あゆみを救うためなんだ!」

その一点において、楢崎彰一に嘘偽りはないように思えた。

受け渡し場所に指定した嬬恋村青葉湖別荘地から四キロ離れた北軽井沢《きたかるいざわ》の貸し別荘に、智永たち三人はアジトを移していた。

とっぷりと暮れた窓の外では、白樺《しらかば》の樹が大地からちぎれんばかりに風にあおられていた。

テレビのニュースによると、伊豆半島に上陸した台風十一号は現在、八王子から北へ毎時二十五キロという速度で進んでいる。

堤防決壊、床下浸水、崖崩《がけくず》れといった災害を誘発して、いくつかの市町村で被害対策室が設置されていた。

檜崎彰一から急報が入った。運転手の白石が有働公子と通じていたという。つまり身代金受け渡し場所にあの女もやってくる。

「場所は他に変えてくれ」と訴える彰一に、智永は「その必要はない」とつっぱねた。

「何を考えてるんだ。あの女が待ち伏せているぞ」

「望むところよ」

智永はこの時を待っていた。

「あゆみは無事なんだな」不安ではち切れんばかりの父親の声だった。

「さっき目が醒めたばかりよ」

彰一との通話を切りあげると、泉水が隣の部屋から目隠しをしたあゆみを連れてきた。あゆみは昏睡中に身綺麗にされた様子もなく、汚物の匂いを染みつかせたズダ袋をかぶったままだ。

「さあお嬢ちゃん、もうすぐお父さんが迎えにくるぞ」

篤志が猫なで声で話しかけながら、濃緑《のうりょくしょく》色の軍用合羽《がっぱ》を着こんだ。

あゆみはガチガチと小刻みに体を震わせている。両親が迎えにきてくれるという話をまだ信じていないようだ。

篤志が六発の三十八口径スペシャル弾をフルに装塡したミリタリー&ポリスを腰に差して、「俺一人でやらせてくれ」とうわずった声で智永に言う。緊張はしていたが、有無を言わさぬ響きがある。

篤志は神妙な顔つきで泉水と向かいあった。智永は離れたところから二人の様子を見守った。

「俺がやられたら、まかせるからな、次はお前に」

映画の主人公を気取ったような少々深刻ぶったその言葉に、泉水はいつもの愛嬌《あいきょう》で応える。

「じゃあ問題」

「きたな」

「ウォーレン・オーツのデリンジャーは、愛人ビリーの言葉に何て答えたか」

「ビリーは何て言ったんだ」

「あなたが殺されるのは見たくないわ」

篤志は「あの頃のジョン・ミリアスはいい映画を作ってたよな……」としみじみ呟いたあと、犯罪映画史上の隠れた名台詞を思いだした。

「永久には生きられない。だが死ぬまでは生き続けるさ」

泉水がにやりと微笑む。篤志は「じゃあな」と、恋人の肩に棲むサソリにキスをした。

これが二人の愛なのか、と智永は改めて思った。

中野の四畳半のアパートで、二人は中学を卒業したあと同棲を始めた。仕事のない日は朝から晩まで抱きあっていたと篤志が教えてくれた。激しいセックスのあと、男から別の女とのセックスを聞かされるのは妙な気分だったが、智永は嫉妬《しっと》などしなかった。それはいつもサソリへのキスから始まるという。泉水の肌でぴくりと反応するサソリ。親にも社会にも見放された二人にとって、素晴らしいと思えるものはセックスしかなかったのだろう。毛穴という毛穴を密着させ、性器を性器で埋め、肉体の空洞を埋めあうことだけが幸福の手ざわりだったに違いない。

篤志が泉水のサソリから離れた。これが最後の手ざわりかもしれないと思ったのか、篤志は一瞬、悲しげな眼差しで泉水の目を覗きこむ。

そして智永を振り返った。

た。

「じゃあな先生」

篤志はあゆみを軍用合羽の中にくるむようにして、木々がたけり狂う別荘の外へ躍りでた。

貸し別荘には女ふたりが残された。

「ねえ先生」

「うん?」

「前から一度訊きたかった。篤志のこと、どのくらい好きだった?」

智永の脳裏に夕暮れ迫るアパートが甦る。学校帰りの篤志を自宅のベッドの上で抱いた。華奢だった十四歳の篤志は目を閉じて横たわり、屹立《きつりつ》する自分のものに智永が体を沈めてくるのを待っていた。

いつだって自分が篤志を抱く。篤志に抱かれた実感などない。それが智永にとっては少し悲しい事実だった。

「抱けたら満足だった。それだけよ」

恋愛感情は泉水に譲ってやろうと思った。

「それで先生に何が残った?」

智永は言葉に窮《きゅう》する。母親のような感情。そう答えるしかないのか。犯罪社会で篤志を導こうとする母親か。そんな人間が親だと言えるだろうか。

「やめよう、こんな話」

泉水が言った。まだ篤志は生きているというのに、故人を偲《しの》ぶような話を女ふたりでしている。

泉水はゴルフ・バッグからウィンチェスターのショットガンを抜きだし、チューブ弾倉と薬室に六発のバック四号装弾を詰める。篤志の敵討ちを今から準備している。どうしようもなく暗い予感に衝《つ》き動かされているようだ。

ハイエースが嵐の真っ只中へ消えて三十分後、泉水は篤志を案じるだけの沈黙に耐えられなくなったのか、ウィンチェスターのストラップを胸にかけた。

「先生、先に行っててよ」

別荘を飛びだし、銃を背負って二五〇ccのバイクに乗った。やはり篤志の許に駆けつけるつもりだ。

「必ず金を持っていくからさ、グレイ・ウォンと船着き場で待っててくれよ」

「篤志はあなたにまかせた」

泉水は頷いた。

「篤志はあなたのものよ」

泉水は笑った。少女時代そのままの笑顔だった。

「聞きたかったよ、その言葉、先生から」

泉水のバイクは泥水を跳ねあげ、貸し別荘をあとにした。

智永は大粒の雨を顔に受け、真っ黒に塗り潰された空を見上げる。とぐろを巻く巨大なものが人間世界にのしかかっていた。雨と風が頬に痛い。黒いシャツが下着をつけていない肌に貼りつく。嵐が智永を揺さぶり、この荒々しい世界で牙を剝く動物になれと天空から叫んでいるかのようだった。吐きだされる大自然のエネルギーを下界で浴びた人間たちは、どこまで狂えるのか。

智永はセルシオに乗りこむ。四つの車輪がぬかるみの大地を蹴った。グレイ・ウォンの待つ海を目指し、走り始めた。

23

白樺の木立《こだち》が狂った鞭のように、風にしなり、風にあおられ、視界に吹きすさんでいる。

青葉湖別荘地一二八番地は台風の暴風雨圏内に入ること一時間、試練に耐え続けていた。緩い地盤にたつ樹は根元から横倒しになっている。新築されたばかりの瀟洒な別荘は屋根を失っているものもある。電柱は倒れて一帯への電気供給はストップしている。もっとも、この時期に好きこのんで山ごもりをする別荘客はいなかったので、被害を訴える者はいなかった。

篤志は楢崎あゆみを後部座席に乗せて、ハイエースをぬかるみの道に止めた。

ほぼ時を同じくして、彼方の坂道をランド・ローバーが上ってきた。篤志は携帯電話で「そこで止まれ」と車に指示を送った。

楢崎彰一が降りしきる雨の中に立つ。重そうなスポーツ・バッグを持っている。ジュラルミン・ケースを捨てたあと、金を詰め替えたバッグだろう。

篤志も車外に出た。後部のスライド・ドアを引いて、あゆみを雨の中に連れだす。

「あゆみ！」

五十メートル彼方の父親が叫ぶ。あゆみの反応はひどく鈍い。篤志は大きく手招きをした。楢崎彰一はぬかるみの道に時折足をとられながら、スポーツ・バッグを運んでくる。篤志もあゆみを引き連れて前進し、車と車の中間地点、双方の車のヘッドライトが煌々と照らす場所で、金とあゆみを交換した。

彰一は感無量の面持ちで、再会できたわが子を抱きしめる。あゆみは薬の余韻か、檻の体験がトラウマとなってしまったのか、父親の顔を間近で見ても、とろんとした目を何度もしばたたくだけだった。

「これからよろしく頼むよ、楢崎さん」

雨粒にまみれた篤志の顔には、見透かしたような狡猾な笑みがあった。見上げる彰一の目にはこの十日間以上、自分たち家族を恐怖のどん底に突き落とした人間への憎悪があった。

が、身にまとった自制の鎧《よろい》は崩れることはなく、彰一はやがて気弱な顔で頷く。篤志たちとはすでに運命共同体だった。

「車に戻っていいよ。ただし、しばらくそこにいてくれ。どうせなら客がいたほうが盛りあがる。面白いもんを見せてやるよ」

彰一は意味が分からない様子だったが、とにかくあゆみを抱いてランド・ローバーに走った。白石がドアを開けて迎え、彰一はあゆみを膝に乗せて助手席に乗る。白石は毛布をあゆみにかけてやって、車を発進させようとしたようだが、彰一が「ちょっと待て」と制した。何がこれから起こるのかと、こちらを見守っている。

篤志は金をワゴン車に運びこむと、周囲に目をやった。風音があたかも原始人の雄叫びのように聞こえる。白樺の林へ叫んだ。

「いるんだろ、ポリ女！」

甲高い声が木立の間を抜けていく。

「出てこい。ぐずぐずしていると行っちまうぞ。いいのか。てめえのガキを見殺しにするのか！」

白樺林に動くものがあった。ポリ女が斜面を下りてきて、ヘッドライトの視界に現われた。ニューナンブを腰に差している。おびただしい雨の矢を顔に受けたポリ女と正面で対した。距離は二十メートルだった。

底知れない狂気の領域が目の前で大きな口をあけて篤志を待っていた。篤志の生涯の夢だった世界がそこにある。殺さなければ殺されるという世界だった。

公子のTシャツは肌に貼りつき、下着の線をくっきりと見せている。学校での銃撃戦で散弾を食らった肩には赤い染みがある。他にも擦過傷《さっかしょう》や青痣で全身が傷だらけだった。この場所に先回りをして、木立の中に潜んで三十分。雨に濡れ、風に吹かれて冷やされているはずの公子の肉体は、怒りの潮流で内側から火照っていた。

「子供を返して」

夜の嵐の真っ只中で、敵を見つめる自分の目がずきずきと痛む。

「あと何発残ってる」

金髪男が問いかけてくる。公子はニューナンブの銃身を持ち上げ、その顔に狙いをさだめて固定した。公子には一発必中しか生き残る道はないことを金髪男は察したようだ。

「一発だけか?」

と笑った。

公子は狙いがさだまらない。どんなに足を踏んばっても、吹きつける風に体が揺さぶられる。

金髪男も腰から拳銃を抜いたが、銃口を公子に向けようとはしない。弾倉を開け、一発だけを指で蓋をし、残りの五発を抜く。ぬかるみの地面に弾丸がばらばらとこぼれ落ちた。一発だけ装填したミリタリー&ポリスを金髪男はふたたび腰に差し、公子に言った。

「しまえよ」

公子は伸ばしきった腕の先にニューナンブを握ったまま動けなかった。お互いに拳銃を腰に差し、早射ちの対決をしようと金髪男は誘っているのだ。

「やろうぜ、な、やろうぜ」

「……狂ってる」

「ガキの居場所を教えてやる。俺を殺したらそこへ行けるぞ」

自分が殺されたら、仲間を窮地に陥れることになるという可能性など、まるで念頭にない様子だった。それだけ自信があるのだろう。

「新潟の海岸だ。クジラボトケっていうしけた漁村に、建設中のヨットハーバーがある。息子がぴいぴい泣きながら、あんたが来るのを待ってるぞ」

公子は銃口を下げた。篤志と同様に拳銃を腰に差し、うしろから照りつけるヘッドライトに向かって言った。

「さあ行って!」

あゆみたちを退避させたかった。

「見せてやろうぜ、あいつらに」

金髪男の言葉を無視して、公子は「行って！」と腕を振った。ランド・ローバーのエンジンが唸り、方向転換をして道の彼方へ去っていく。金髪男は残念そうに舌打ちをしている。一方のライトがなくなり、ワゴン車のライトを背中に受けてシルエットになった金髪男が、公子の前に仁王立ちでいる。

雨に打たれ、風に削られ、大地は鳴動している。それ以外は静寂だった。嵐の中の対峙だった。

「先に抜かしてやるよ」

金髪男はゆらりと腕を垂らし、公子が拳銃に手をかけるのを待つ。

銃把を掴もうとする公子の右手の指は、小刻みに震えていた。二十メートルの距離、一発で的に当てる自信はまるでない。相手はこちらの弾丸の行方を見届けてからでも、楽々と撃てる。公子に勝機はなかった。それでも腰の拳銃を掴み、この一発に賭けなければならない。

「どうした。抜けよ」

こんな場所に自分の死体が転がるのか、と公子は想像する。体の中心部を撃ち抜かれ、おびただしい血をぬかるみの大地にぶちまけて絶命する自分の姿が目にちらつく。

公子は腰の拳銃にどうしても手がかからなかった。

「先に抜けって言ってんだよ！」

相手の声が公子の肌に牙をたてる。右手は相変わらず銃把の十センチ上で止まったままだった。雨で冷やされた頰に熱いものがしたたり落ちてくる。どうしても拳銃を抜けない臆病な自分を責め苛む涙だった。

「教えてやろうか」

金髪男がひねった声音で囁きかけてきた。「お前の息子の指を切り取ったのは俺なんだよ」

楢崎宅に送られてきた真っ白い小指が、公子の脳裏に閃光の如く甦った。

「どうやったか教えてやろうか？　厄介だったのは骨だ。ペンチを使って切り落としてやったよ。ペキンとかポキンとか、そんな音だった」

薄笑いで放つその言葉が、公子に火をつけた。猛々《たけだけ》しいものが内側で溢れ始める。右手に失われた体温が甦る。

「あんたの息子は自分の指が切り離されるところをずっと見ていたよ。目をそらそうとしても俺がそうさせなかった。目を無理やり開かせてやった。痛いんだと。たまらねえんだと。麻酔をかけてても駄目らしい。見てると痛みを感じるんだとよ」

テープで聞かされたあの声。「いやだよ、痛いよ、やめてお願い」とむせび泣く貴之。公子の下腹部がカッと熱を持った。かつて貴之の住処だった場所。空っぽのはずのそこで溶岩のように煮えたぎるものがある。

この男の血を見たい。公子はむしょうにそう思った。殺してやりたい。

下腹部で芽生えた熱は体の中心部を突き抜け、腕の血管をめぐり、右手の指先に辿りついた。その瞬間、公子は武器と一体化した。銃把に手をかけ、ニューナンブを腰から引き抜いた。

相手のほうがはるかに早かった。公子が銃を水平に構えようとする頃には、相手の銃声が聞こえた。二十メートル先から放たれた銃弾は風を切り、公子の眉間《みけん》を突き破ろうとした。銃声は一発だけ。衝撃を食らった公子の体が宙を躍《おど》り、ぬかるみの大地から泥水を跳ねあげて仰向けに昏倒した。

その時、公子は確かに聞いた。金髪男の高らかな歓喜の声だった。

ぬかるみに倒れた公子は流血の中で喘《あえ》ぐ。が、激痛に苦しむことは、すなわち「死」ではない。公子は苦痛で「生」を確認していた。眉間は砕かれてはいなかった。激痛の場所は別だ。白樺林を駆け抜けた風速二十五メートルの疾風が救ってくれたに違いない。相手の狙いは八センチずれていた。風で狙いのそれた弾丸は公子の左の頰をざっくりと深くえぐっただけだった。肉がこそげ落ちたが、弾丸は頰骨に弾かれていた。

公子は立ちあがる。頰からズルズルと血をしたたらせ、両足を踏んばり、まだ銃弾を放っていないニューナンブを右手にしっかりと握り、ぬかるみの大地に立つ。

金髪男の歓喜は頂点で凍った。

公子は頭を何度か振り、銃弾を受けた衝撃を振り払う。混濁《こんだく》していた視界が焦点を結ぶようになると、敵に向かって歩きはじめた。金髪男との距離を一歩一歩縮めていく。

自分の腕でも命中できる距離まで近づく。これが公子の選んだ闘い方だった。相手の一発が致命傷にならないことに賭けて、相手に撃たせ、自分の弾丸を温存し、確実な射程距離に歩きだす。

金髪男はだらんとつっかえ棒のなくなった表情で、近づく公子を迎える。こんな負け方をすることが信じられない様子だ。相手の心にぎりぎりと恐怖が食いこんでいるのが分かった。

公子は立ち止まる。ニューナンブの銃口から相手まで距離一メートル。

「ここなら、絶対外さない……」

一メートル先の的なら絶対の自信がある。金髪男の額を狙い、口許を曲げて公子は微笑む。左の頰を鮮血で染めていた。流れでた血は雨のシャワーによってすぐ洗い落とされるが、傷口はどくどくと新たな血を噴きだし続けている。

「くそったれ」

金髪男は毒づくしかない。

「子供は、まだ、生きてるのね」

「くそったれ」

「案内しなさい」

「撃てるもんか、てめえに」

金髪男は腰をかがめ、ぬかるみに落ちた銃弾を拾おうとする。水たまりの中で一発を探りあてた。ミリタリー&ポリスの弾倉を開けて弾を送りこもうとする動きを、公子は冷徹に見下ろしていた。

「殺してやる」

したたる血で染められた公子の唇がそう呟いた。泥水に跪いて最後の悪あがきを見せていた金髪男がはっと振り仰ぐ。その顔の中心に温存していた銃弾を与える。嵐に銃声が轟き、脳天を割られた男が泥水に崩れ落ちる。即死だった。あとは痙攣するばかりの肉体が残された。脚のばたつきが死を遠ざけようとしているかに見える。その一帯はみるみる鮮血の洪水になった。

公子は体内の熱が一挙に冷めたかのように、その場に崩れ落ちた。何も考えられない。何も考えたくない。公子は初めて人を殺した。今まで熱い血がみなぎっていた右手は、ただ冷たく痺れるだけだった。

青葉湖別荘地から走り去ろうとしていたランド・ローバーが、視界に異様な影を捉えた。排気ガスをまき散らした一台のバイクが止まり、降りたった人間が背中から長い銃を抜きだす光景を白石は目にした。

「伏せて！」と隣の二人に叫んだ。彰一は膝に抱いていたあゆみを上体でくるむ。嵐をつんざく轟音がフロントガラスに無数の穴を開けた。咄嗟にハンドルを切ったランド・ローバーは道路脇の樹に激突した。

呻き声が聞こえた。あゆみの上に覆いかぶさっていた彰一が首に散弾を食らっていた。あゆみは父親の流血を頭から浴びているが、怪我はない。

「課長！」

衝突のショックを頭から振り払うと、白石は着ていた上着を彰一の首に当てて止血しようとする。彰一は太い血管が断ち切られ、顔から血の気が失われていた。その下であゆみは震えて丸まっている。

銃弾を放った人間が車のボンネットに飛び乗り、銃把でフロントガラスを叩き割った。白石の顔にガラスの破片が降ってくる。その穴から突っこまれた銃身で胸を突かれた。

「篤志はどこだ！」

目をらんらんと輝かせた悪鬼《あっき》のような形相《ぎょうそう》の女だった。白石は言葉が出てこない。アツシとは誰か。あゆみを連れてきたさっきの男のことか。

「ポリ女はどこだ！」

白石は今やってきた道を顎でしゃくることしかできなかった。意味は通じ、女はボンネットから下りてバイクに戻る。ぬかるみから泥水をまき散らし、公子と男が対峙した場所へ走り去っていった。

　白石は携帯電話を取りあげる。警察に通報するためだった。

「しっかりしてください課長、今医者を呼びますから」

「聞いてくれ、白石」

　腕を摑まれ引き寄せられた。震える唇からどす黒い血を吐きながら彰一は言葉を送りだす。「奴らが考えついた新しい商売のためだった。九条物産から金を引きだすためもあった。だからあゆみが……あゆみがさらわれたんだ」

「喋っちゃ駄目です」

「あの婦人警官にちゃんと伝えてくれ、彼女の息子を誘拐することを思いついたのは、あいつだったんだ、あの女なんだ……」

「あの女……？」

　答えを待つ白石に、彰一はその正体を告げようと口を開く。が、喉に開いた穴がふいごのような音をたて、口から血の塊が吐きだされた。最後に残されたひと声は、目が合った娘に向けられた。

「ごめんな、あゆみ……」

　十日間以上の牢獄生活が与えた精神的負荷は、あゆみを魂の脱け殻に変えていた。父親の血を浴びた娘はきょとんとした目で見上げるばかりだった。

彰一はそれっきり意識を失った。あゆみの命を守ることができた父親は、大役を終えたような、穏やかな表情でもあった。

どのくらい時間がたったのか。

雨音も風音も届かない公子の聴覚が、ひとつの絶叫を遠くに捉えた。地面の血溜まりにぐったり虚脱していた公子は、獣の叫びが聞こえた方角へ首をねじった。

道に車輪をとられてバイクから転倒した女。サソリのタトゥーの女がすっくと立ちあがる。

女は金髪男の死体を見た。死体の横にへたりこんでいる公子を見た。悲痛と憎しみの絶叫だった。土砂まじりの雨水が流れ、踏んばりのきかない地面に仁王立ちとなって散弾銃を構えている。狙いがさだまらないままトリガーを引いた。

散弾は公子から三メートル離れた地面で爆裂し、大きな水飛沫があがる。公子は我に返った。身を翻《ひるがえ》してニューナンブを反射的に向けたが、そこには一発の弾丸もないことを思いだした。死体が手にしている拳銃。それを摑んだ。金髪男が最後の悪あがきでこめようとしていた銃弾はどこかに飛んでいた。地面から拾った銃弾だった。自ら捨てた物をぬかるみから拾いあげたのだ。公子は金髪男の足許を探る。泥水の中をかき回して、そこにまだ落ちているはずの銃弾を拾おうとする。

サソリの女は銃を構えて走り始めた。走りながら撃ったために、散弾は正確な場所には届かない。水たまりが破裂する。次の一撃は公子の耳元をかすめていく。

公子の指先に鉛の感触。拾いあげた。四発の銃弾がひと塊でぬかるみの中にあり、公子のてのひらに載る。手にしているミリタリー&ポリスの弾倉を開ける。

また轟音が聞こえた。自分のすぐ前で盛大な水飛沫があがる。距離はどんどん縮まっていた。次の一発からは到底逃げられない。手元の弾倉に一発入る。今撃つべきだと誰かが叫ぶ。亡き夫の声だ。たった一発では無理だと公子は叫び返す。二発目が入った。三発目が入った。銃弾がシリンダーの穴に落ちていく。手元は狂わなかった。視界の端には急接近している女の姿があった。チューブ弾倉から次の一発をこめる音。自分の手元では四発目の銃弾が弾倉に納まった。くるりと振り返り、猛然とやってくる脅威に対して、満足に構えることもできずトリガーに指をかけた。ぬかるみに半分体が浸かった不安定な姿勢から、公子は撃った、撃った、撃った、全部の弾丸を吐きだした。

四発目がやっと相手の腹にめりこんだ。サソリの女はもんどり打って倒れ、ぬかるんだ大地に仰向けになった。

公子は立ち上がり、歩み寄り、サソリの女を見下ろす。

瀕死の女はゆったりとまばたきをしていた。その腹は血の泉と化し、あたりの泥がみるみる赤く染まっていった。落ちているショットガンを公子は拾いあげる。チューブ弾倉を見る。残る弾丸は薬室にこめられた一発だけのようだ。

「……頼むよ……」

女が呻く。「一発なんかじゃ死にたくないよ……八十七発で……蜂の巣になって……なあ、頼むよ」

とどめを刺してくれと言っているのか。公子は一瞬、慈悲を与えてやろうかと思った。ショットガンの銃口を泉水の心臓に向ける。が、残るこの一発をもっと有効に使わなくてはならないことに思いあたった。

「悪いわね」

公子は冷たく言い放った。「銃は、私、苦手なの」

瀬死の女にそれきり目もくれず、ショットガンを手に、金髪男の死体をまたいでハイエースに向かった。鍵はかかったままだった。後部座席にスポーツ・バッグがある。中を見てみると一万円札の束がいくつもあった。助手席には道路地図がある。ページを折ってある場所。新潟県の海岸線を辿ると、「鯨仏《くじらぼとけ》」という地名が読みとれた。公子は車を発進させる。

あゆみたちを乗せたランド・ローバーが去った道とは逆方向だった。

檜崎彰一は家族を取り戻して南へ帰る。家族をまだ見失ったまま一人きりの母親は、北を目指すしかなかった。

顔一面に叩きつける雨粒を泉水は感じていた。

負けてしまった。その悔しさよりも、あといくつの感覚を越えれば夢見た死の世界はやってくるのだろうかと思った。切り裂かれた腹に真の痛みが摑みかかっていた。痛い。たまらなく痛かった。

泉水は動いた。水たまりの中を這う。篤志の死体に近寄ろうとする。腹からとめどなく命を吐きだしながら、両腕を繰りだし、ほふく前進の恰好で進む。ボニー・パーカーも望んだのだ。恋人と並んで土に返ることを。

ハイエースのヘッドライトが遠ざかると、風と雨が吹き荒れる闇だけが残った。泉水はもう一度、篤志とつながりたかった。篤志の温かな唇に自分の唇を押しあてたい。篤志の性器にみなぎるものがあったなら、またがり、自分の空洞を埋めたい。つながった歓喜の中で死にたい。それだけを夢見て泉水は手を伸ばしたが、届きそうで届かない。せめて手のぬくもりだけでいい。

精神の張りつめた糸があえなくちぎれた。泉水はそのまま泥水に顔を突っこんで倒れた。篤志の指先にさえ辿りつけないまま、泉水の頭の中に暗くて温かい水が流れこんできた。それがすなわち幾度も夢見た「死」だった。

闇に閉ざされ、威力を増す一方の嵐の中に、若者二人の死体が放置された。彼らの血は誰に邪魔されることなく、最後の一滴までも大地に吸いこまれていった。

とにかく北へ。

悪路に阻まれたら迂回し、とにかく北へ。

群馬の山奥から日本海に出るまで、およそ九十キロ。公子は地図の道を辿ることを諦め、方角だけは見失わず、車を走らせ続けた。

頬のぬめった感覚がやっと治まった。車のヒーターの風を頬に受け続け、傷口がやっと乾いて血が止まった。

貴之がいるのは港だ。つまり船に乗せられようとしている。この台風が日本で猛威をふるっている限りは、船は海に出ることはない。日本海に台風が抜けるのは翌早朝だとラジオが告げている。道を失い、迂回するばかりのこの行程ではいつになったら到着できるのかと、公子は気ばかりが焦る。

崖沿いのアスファルト道路に出た。方向に間違いはない。公子はアクセルを踏みこむ。ライトに照らされた標識が通り過ぎていく。

新潟県内に入った。このまま順調に進めば、台風が通り過ぎる前に辿りつけると公子は希望を抱いた。

海岸線はもう目と鼻の先だ、と思った時だった。

あっと叫ぶ。公子は急ブレーキをかける。目の前に土砂の山が迫る。タイヤは道をすべり、ハイエースは山に突っこむ。公子は咄嗟に体を倒した。フロントガラスを突き破った倒木の枝が、公子が寄りかかっていたシートにめりこんだ。

助手席から車の外に這いでた。崖崩れの跡に車は突っこんでいた。エンジンは煙を吹いている。車はこれ以上の酷使には耐えられない有り様だった。公子はショットガンを背負った。あとは徒歩で進むしかない。後部座席の一億円はそのままにした。

風と雨はいつまで続くのか。やむ気配はなかった。公子はワゴン車の屋根に上がると、そこから土砂崩れの山を越えようとする。

土砂にずぶずぶと足をとられながらも、山の頂点から向こう側へ転がり落ちた。アスファルトの地面で頭を打った。痛みには慣れた。顔を上げると、道は遠くまで続いている。どこにつながるのか分からない、ひたすら暗く、風にちぎれそうな、びしょ濡れの道だった。

起きあがり、歩き始めた。

ヒュウ、と体の中で誰かが囁く。気管支があの雑音をたて始める。ジーンズのポケットを探った。インタールの吸入器を口に当てて、薬を噴霧する。そして何度も深呼吸をしてみたが、気管支が楽になる気配はない。

歩いた。風が正面から吹きつけてくる。飛ばされてはならないと公子は地面を踏みしめる。向かい風が脚力を奪っていく。しかも無数の針のように突きささってくる雨粒。体内から嵐の外界へ何かが流れでている感覚があった。何が流出しているのか。魂かもしれないと思った。

貴之に協力した自由研究。台風の模型。白い布団綿で作った分厚い雲の渦。あれと同じものが頭上にのしかかっているイメージが頭をよぎる。

咳が出る。身をよじって咳をする。酸素が欲しい。苦しくてたまらない。足が絡まって倒れた。いつの間にかアスファルト道路ではなく、泥の道を這いずり回っていた。天空から落ちてくる無数の銀の矢。叩きつける雨の中で公子はのたうち回る。息ができない。どうしたらいいのだ。身をよじり、口をあけ、ここに向かって風よ吹けと公子は念じた。この体に空気を送りこんでくれ。

限界だ。これが人間の極限だ。許してほしかった。

「貴之。貴之」

公子は息子の名前を叫ぶ。私の限界のはるか彼方、そこにあなたはいる。私は頑張った。できるだけのことをした。それでも辿りつけない。どうしても無理なのだと公子は貴之に詫びた。

ついさっきまで、熱で煮えたぎったはずの場所を手でさぐる。かつて羊水《ようすい》が満たされ、貴之が優雅に泳いでいた場所だ。そこから貴之を絞りだした時の灼熱の痛みを公子は思いだす。分娩室で私の叫びと貴之の産声が共鳴した。私たちはあの時からともに人生を歩んできた。

公子の口に風が流れこんできた。インタールが効いてきた。閉じようとしていた気管支に隙間が開いて、酸素が肺に届く。まだ諦めるのは早い。人間の限界はもう少し先だ。ショットガンを杖《つえ》にして立ち上がる。

歩き続ける。

道路脇で風の拷問《ごうもん》に遭っているような標識。「鯨仏まで……」という文字が見えた。目的地までのキロ数は見た瞬間に忘れていた。無意識のうちに頭から追いやりたい数字だった。とにかく方角は間違っていない。歩け。歩け。公子は自分の両足を機械にした。意志という燃料を送り続ければ動く仕掛けにした。

足の裏から大地を踏み締める実感が消え失せていく。

私は生きているのだろうか。すでに肉体は死を迎えているのではないか。昇天できない魂が地面の上でゆらめいているだけではないのか。

あらゆるものが遠くなっていく。引き寄せなければならないものはただひとつ。ひとつの方角。

北へ。とにかく北へ。公子は海を目指した。

24

貴之。私の声が聞こえますか。

私にはあなたの声が聞こえます。どんなに離れていても、どんな暗い場所に閉じこめられていても、あなたが私を「お母さん」と高らかに呼んでくれたなら、私にはあなたの声が聞こえるのです。

私があなたと知りあって、まだ七年しかたっていません。でも、あなたの顔を実際に見る前から、あなたと私はひとつの世界で一緒に暮らしていたのですよ。

あなたは私のお腹の中にいました。お風呂に入った時に教えたことがありますね。ここらへんだよって。ここらへんにあなたは逆さまに浮かんでいたのよって。あなたはとても不思議そうな顔で、脂肪を蓄えただけの私のお腹を見つめていましたね。

あなたがひとつの命として宿った日はいつだったのでしょう。あなたを身籠《みごも》っているとお医者さんに教えられたあと、あなたのお父さんと「あの日かな」「いや、きっとあの日だよ」と話しあったことがあります。お父さんとお母さんは毎日愛しあっていました。毎日、あなたのような子供が生まれるようにと愛しあっていました。だから、いつ、あなたがひとつの命になったのかさえ分からないのです。

あなたはお腹の中にいる頃からやんちゃ坊主でした。私はいつも洗面台やトイレの前にしゃがみこんでいました。こんなにたくさん吐いたら、あなたまでもお腹の中から吐きだしてしまうんじゃないかと恐ろしくなるほどでした。

やがて、お腹にいるあなたにオチンチンが生えていることを知りました。くるくるとサーカスをしているような動きで、あなたは私のお腹の中を自由に動き回っていました。時々、蹴ったり殴ったりしたのですよ。

二十四時間かかって、あなたをこの世界に迎えることができました。

あなたはなかなか母乳を飲んでくれませんでした。だから、あなたのお父さんはミルクの作り方をすぐ覚えてくれました。あなたのアトピーはお母さんのおっぱいを飲まなかったせいかもしれません。いつもあなたの頬っぺは赤くてカサカサしていました。

夜泣きの止まらないあなたを連れて、私はよくアパートの外に出ました。覚えてはいないでしょうね。星の名前を教えてあげたら、あなたはすぐに泣きやんだのですよ。

摑まり立ちがとても早かった。私が両手を差し伸べているところまで、あなたは頑張って歩いてきてくれた。私の腕に飛びこむと、にこにこと笑いました。あなたは素敵な笑顔の持ち主でした。

でも、あなたは体が弱かった。風邪をひくと長引いて、熱の下がらない日が続きました。二歳のクリスマスは病院で過ごすことになりましたね。あなたは肺炎で入院したのですよ。

点滴の針を手の甲に刺したあなたがとても可哀そうで、私も病室で一緒にクリスマス・イブを迎えました。あなたのお父さんが仕事の帰りに、いっぱいお菓子の入った赤い長靴を買ってきてくれました。

あなたの咳が喘息のものだと分かった時、私は本当にショックだったけど、この病気を征服するために私も一緒に頑張ろうと思いました。ひとつ咳をするたびに体の力が搾りだされていくような、とても辛い病気です。あなたを見失うようになって、久しぶりに私もこの病気に苦しめられました。

お父さんが死んでしまって、私はあなたをどうやって育てていけばいいのか、とても悩みました。時にはあまやかしたり、時には激しく叱《しか》り飛ばしたり、父親と母親を一緒にやらなくてはならない私は、あなたという人間の愛し方が分からなくなりました。子供の愛し方が分からなくなることほど、母親にとって辛いことはないのです。

だから、とにかくあなたを抱きしめようと思いました。

喧嘩をしたあとでも、わがままなあなたに腹を立てても、あなたを強く抱きしめました。あなたはあなたで、いつも怒ってばかりの私に腹を立てていたから、私の腕から抜けだそうともがいていましたね。でも私は離さなかった。

あなたがかつて私の肉体の一部だったことを思いだすまで、あなたの華奢な体が折れそうになるまで抱きしめ続けました。そのうち私たちは同じ体温になりました。怒りの熱はそうやって引いていくのです。そして私はあなたの素敵な笑顔にまた出逢うことができました。

あなたを失うなんて、私は考えられません。

あなたの人生がたった七年で幕を閉じ、十四歳の初恋も経験することなく、十九歳で恋の成就《じょうじゅ》に感動することも知らず、二十二歳で社会に羽ばたく高揚感も味わうことなく、あなたが冷たい土にかえっていくなんて、私はどうしても許せないのです。

だから私はあなたを、生きているあなたを、高らかに心臓を鳴らし続けているあなたを、私の肉体の一部であったあなたを、抱きしめるために歩き続けます。

あなたは私を待てますか。あなたは私の顔を忘れることなく、希望を持ち続けることができますか。

貴之。私の声が聞こえますか。貴之。貴之。私の声に耳を澄ませてください。

この残酷な闇の世界で迷子になったあなたを救うのは、私しかいないのですから。

貴之。貴之。貴之……。

25

台風十一号は夜明け頃に、佐渡沖《さどおき》の日本海で温帯低気圧となった。

台風一過の晴天だった。砂浜から船着き場に続く百メートルのボード・ウォークは嵐によって断ち切られることはなかったものの、ところどころ板が欠け落ち、修繕が必要だった。親子鯨の旗はちぎれることはなく、ポールの上でたなびいている。

智永は台風のピークがこの地を席捲していた深夜に到着した。有働貴之を含めた三人の子供は、船が高波に襲われそうな間だけ、セルシオの中に退避させた。

有働貴之の咳は耳障《みみざわ》りだった。この少年はタイに辿りつくまで命がもたないかもしれない。海に捨てられる少年の死体に鮫が群がる光景を想像した。

グレイ・ウォンは風がおさまりつつある未明から、日本海をやってくる蛇頭の船と無線で連絡を繰り返している。

「そろそろ船を出さなきゃ」

子供たちを船の檻に戻したグレイ・ウォンは、朝の光を一身に浴びて浜辺の方角を眺めている智永に声をかけた。

篤志と泉水をひと晩待ち続けた。

「連絡がないということは、その婦人警官にやられたんだ」

「……なら、あの女はここに来る。必ず来る」

智永が待っているのは篤志と泉水ではなく、むしろ婦人警官のほうだった。

智永は一度、有働公子のドコモにかけてみた。相手は電源を切っているか、電波の届かないところにいるようだった。

智永がグレイ・ウォンを振り返る。黒い蝶の目は、底深い凶暴な怒りでぎらついていた。

「あの子たちは体をかさねて死ぬことができたと思う？」

「どうかな」

「ふたつのスプーンをかさねるように抱きあって、あの子たちは一緒に死ななきゃいけないの」

「仇をとってやるのか」

「この道に導いたのは私だから」

「智永、もう時間だ」

「待って」

「待てない」

智永は腰のベルトからコルト・パイソンを抜いた。銃口だけは向けさせないでくれ、と揺るぎのない眼光がグレイ・ウォンに告げていた。

グレイ・ウォンは溜め息を洩らし、甲板に戻る。約束の場所に遅れることを無線で連絡するためだろう。

智永が拳銃を腰に戻した時だった。苦く焼けつくような何かが胃壁にこみあげてきた。昨夜から何も口にしていない。消化器系の異変ではない。この三日ばかり、胃が断続的に投げかける不快感だった。

まさか、という思いがよぎる。昔の恋人だった産婦人科医は、智永の卵管を調べたあと、妊娠したのかもしれない。一生妊娠のできない体だとは言わなかった。妊娠しにくい体だが、一生妊娠のできない体だとは言わなかった。

子供の父親は誰かと考える。篤志に違いない。この数ヵ月、排卵日になると求めていたのは篤志の肉体だった。ベルトに挟んだ拳銃、その下に位置する場所に命が宿り始めているのか。命はすでに親指ほどの大きさで、この子宮を住処としてさだめているのだろうかと薄気味悪い思いに駆られた。

智永は混乱する。子供の肉体を切り刻む仕事に身を投じた女が、子供の肉体を創造しようとしている。神は――そんなものが存在するとしたらだが――そんな女が母親になることを許すだろうか。

笑った。智永は自分の弱気をせせら笑った。

唯一理解できそうなのは、有働公子の気分だった。母親が我が子に執着し、その命を救おうと満身創痍で闘う気持ちだけは理解できた。

母親の力が篤志と泉水を倒したのだとしたら、その力を自分にも見せつけてほしいと智永は願った。子供から引き離されたことで爆発的に変貌する母親という生き物を返り討ちにできたなら、自分は恐れることなく、この肉体に宿った命を受け入れることができそうだ。母親になるのは母親を超えてからだ。

桟橋の先から見る砂浜は、午前九時の陽光を浴び、影ひとつなく静まりかえっていた。

細い影が地平から浮きあがる。

輪郭さえも判然としない、実体が抜け落ちたような影だった。

智永は目を凝らす。斜めに傾いた影は杖を支えにして立っている。智永は遠くに焦点をあわせる。

正体が分かった。

船の燃料タンクを点検しているグレイ・ウォンに告げる。

「来たわよ」

砂浜と空の境目に位置していた影がゆらりと動き始める。砂を踏み、銃らしきものを支えに、一歩一歩、彷徨《さまよ》う足どりでこちらに歩いてくる。異様な模様を体一面に塗りたくった人間だった。

泥が乾いたまま衣服にへばりつき、顔は無雑作な白塗りのように干からびている。真夜中だったら亡霊に見えていただろう。智永は息を呑んだ。呆気にとられたグレイ・ウォンも、次第に畏怖の面持ちになっていく。

その姿は体から剝きだしになった子宮を思わせる。まさに怪物だった。背骨の一本一本を刷毛でなでられたような戦慄を智永は覚えた。

有働公子は桟橋に辿りついた。百メートルの距離で智永と向かいあった。

船のエンジンがかかった。グレイ・ウォンは怖気づいたようだ。智永は鋭く一瞥し、「見届けてから船を出して」と釘を刺す。

有働公子がボード・ウォークを歩いてくる。

智永も同じ歩調で向かっていく。二人の女の距離が次第に縮まる。公子が手にしている銃は、泉水のウィンチェスターだった。智永は立ち止まった。コルト・パイソンの射程距離にやってくるまで、公子をその場で迎えることにする。公子も引きずるような足どりから立ち止まる。肩で息をしている。口からヒュルルと雑音が洩れる。貴之も同じ雑音を奏でていたことを智永は思いだした。

乾いた土にまみれた公子の姿は、怪物というより、土中から掻きだされた古代の偶像に見えた。ふたつの瞳だけが赤々と光を放っている。

「子供を返して」

公子のかすれ声が陸からの風に運ばれてきた。ここに辿りつくまで呪文《じゅもん》のように繰り返してきた言葉に違いない。

「子供を返して。私が身代わりになる。私の体からいくらでも内臓を盗めばいい」

「銃を捨てて」

公子はそんな物に何の執着もないかのように、智永のほうへショットガンをほうった。支えを失って、体が斜めにかしいだ。立っているだけでも精一杯の様子だった。

「二人は死んだ?」

智永は問うた。篤志と泉水の結末を聞きたかった。公子は智永を睨《ね》めつけたまま、大きく頷いた。

「お前が殺した?」

公子は頷いた。

「なら、お前も死ね」

コルト・パイソンの銃身を上げた時、公子は萎みきっていた胸を大きく膨らませた。何かを叫ぶために肺に空気を送りこむ。口から放たれた声は桟橋を突き抜けて、漁船にまで朗々《ろうろう》と轟いた。

「貴之!」


それは闇に届いた。

泣き疲れた二人の新入りの子供をなだめてようやく眠りにつかせ、喘ぐ気管支を懸命に鎮《しず》めて自分も寝入ろうとした時だった。闇全体がエンジン音で震えるのを聞いた直後、貴之は母親の呼ぶ声を確かに聞いた。

グレイ・ウォンに禁じられていた声を、貴之は闇を突き抜けて遠くへ届けよとばかりに解き放った。

「お母さん！」

その直後に銃声が轟いた。お母さんが撃たれたのだと貴之は直感した。檻を揺さぶった。声を限りに母を呼んだ。

「お母さん、お母さん、あー、あー」

自分の命の源に帰ろうとする原始の欲求だった。


子供の声が聞こえるや、有働公子の精根使い果たしたはずの足に力がみなぎったようだ。ボード・ウォークを踏み、朝の空気を切り裂き、立ちはだかる智永に突っこんできた。

智永は撃った。二・五インチの銃身から放たれた357マグナム弾は公子の右足の膝上、大腿筋《だいたいきん》の組織を切り裂いて貫通した。前のめりでバタリと桟橋に倒れた公子は、激痛にのたうつよりも、残る左足で立ちあがろうとする。

智永は歩み寄り、どうしても立ちあがれないでいる公子を冷え冷えとした眼差しで見下ろした。

「死ね。死ね」

踏みつけようと振り下ろした足を、公子が両手で抱えこむ。バランスを崩した智永は膝をつき、昨夜の嵐でもぎ取られたボード・ウォークの板の間に片足がめりこむ。公子がむしゃぶりついてくる。それぞれに片足が不自由な体勢で、拳を振るいあった。公子の拳は空《くう》を切る。智永の一撃は公子の顎《あご》を打ちすえた。桟橋の穴から足を引き抜くと、智永は足で公子の顔を、腹を、血まみれの足を踏みつけた。この女の傷という傷から血を搾りだしてやりたかった。内臓など何ひとつ使い物にならなくなるほど、打ちのめしてやりたい。母親の残骸を子供に見せつけ、その恐怖を智永は聞きたかった。

その時、エンジン音を聞いた。船を振り返ると、グレイ・ウォンは智永を見限り、ともづなを解いて桟橋から離れようとしている。彼の言葉が聞こえた気がした。

勝手にしろ。婦人警官がここまで辿りついたということは、やがて仲間が大挙して押し寄せてくる。俺は逃げる。

グレイ・ウォンも動物に変貌したということだ。所詮《しょせん》、何度か体を重ねた関係にすぎない。この世界で生き残ることを最優先に考える動物だ。

「グレイ・ウォン！」

タガが外れた。智永は追いかける。右手の銃で漁船に狙いをつける。すでに撃っていた。自分でも意味不明な絶叫。グレイ・ウォンを撃ち殺したかった。すべてのものへの殺意が今の智永を支配していた。味方も敵もなかった。

背後にウィンチェスターの銃声を聞いた時、公子にとどめを刺していなかったことを思いだしたが、もう遅かった。

有効射程距離ぎりぎりの四十メートルで散開率は九十センチ。バック四号装弾から噴きだした二十七発の六ミリ粒弾が、死のリングを広げ、智永の背中めがけて放たれたのだった。

それは腰椎《ようつい》を砕いて体内に突きささり、命が宿り始めていた智永の子宮をずたずたに傷つけた。まだ性別も分からないわが子が外気に吹き飛ぶのが分かった。母性を自覚するにはあまりに遅すぎた。最後に見たものは海の青さにけぶる赤い血の霧。こんな形でしか我が子は生まれなかったということか。抱きしめて子宮に戻してやりたかった。腹からこぼれ落ちる血の塊を両手で戻そうとあがいた。二人で死ぬのか。しかし死はなかなか訪れない。激痛が体の中心線を引き裂いているだけだ。手にしている拳銃で自分を楽にしてやりたいと思った直後、智永の肉体は宙を泳ぎ、海に没した。


遠ざかる漁船へと拳銃を乱射しながら追いかけている女の姿は、息子に向かって銃弾を放っているようにしか見えなかった。公子は放り捨てたショットガンに向かって体を這わせ、銃身を摑んで引き寄せ、桟橋に肘をついて構え、トリガーをしぼった。

銃の反動のあとに公子は見た。背中から撃たれた女は両腕で何かを抱きしめているかのような姿で、海へ落ちていった。

船は沖へ出ていく。もう自分の力では止めることができない。銃に残りの弾丸はない。

「貴之!」

叫ぶしかなかった。

突然、漁船のエンジン音をかき消すほどの轟音が公子の頭上に降り注ぐ。猛烈な風があたりに巻き起こる。

ヘリコプターだった。浜のほうを振り返ると、赤色灯を点滅させたパトカーの一群が波打ち際に押し寄せていた。警察のヘリコプターが公子の頭上を通過し、漁船の上空にホバリングした。


「その船、止まりなさい」

拡声器の声の主は片野坂だった。

昨夜、白石の通報によってあゆみが保護された。警察が急行した場所で、白石の介護もむなしく、楢崎彰一は出血多量で絶命した。あゆみは群馬の病院で、父の凄絶《せいぜつ》な死を目《ま》の当たりにして心を閉ざすばかりだったが、東京から駆けつけた母の胸に抱かれ、ようやく「くじらのはた……」とひと言だけ洩らした。あゆみが海岸のポールに見たものだった。

それが建設途中のヨットハーバーの旗印だと判明するまで、さほど時間はかからなかった。

片野坂の隣には新潟県警の狙撃手《そげきしゅ》が乗っていた。国体のライフル射撃でメダルに輝いた男だと、県警幹部は太鼓判を押して同乗させた。スコープを装着したオーストリア製の狙撃銃ステアーSSGを、洋上に向かって構えていた。すでに一発目がバレルに送りこまれ、ボルトはロックされ、いつでも撃てる用意ができていた。
甲板に男がいた。浅黒い肌の男がこちらを見上げている。ヘリの羽根が巻き起こす風で髪と服がたなびく。逃走を続けようとする姿ではなかった。

グレイ・ウォンは甲板に棒立ちとなり、己れの虚無と向かいあっていた。その意識は故郷クロン・ナムサイ村に帰っていた。行水《ぎょうずい》をしている妹に襲いかかる砲弾の行方を目で追っていた。それは俺に命中すべきだったのだ。この脳天を跡形もなく吹き飛ばせばよかったのだ。長く生きすぎてしまった。故郷に帰りたかった。グレイ・ウォンは今度こそ、故郷を襲う砲弾を我が身に呼び寄せようと天空へ拳銃を構えた。
乾いた銃声が上空から聞こえた一瞬後、ライフル弾がグレイ・ウォンの眉間を割った。入口は小さな穴だったが、出口の後頭部は影も形もなかった。甲板に血と脳漿をぶちまけて、痛みなどない、単なる衝撃の中でグレイ・ウォンは絶命した。

公子は砂浜まで担架で運ばれた。時間の感覚がなかった。ボード・ウォークの先に目を転じる。海から栈橋に引き返した漁船から、三人の刑事に抱かれた三人の子供の姿を見た。そのうち一番上背のある刑事が、最も痩せこけた少年を栈橋に下ろした。

貴之だった。

公子は皆の制止を振りきって、担架から体を起こした。応急処置された右足を引きずって、ボード・ウォークを駆けだした。

貴之が気づく。長い間幽閉されて、走ることを忘れていたような貴之も不器用に足を繰りだす。

公子は右足がちぎれようとも、この海の道を走り抜いて貴之を抱きしめたかった。走って、走って、両手を差し伸べた。貴之が飛びこんでくる。胸でしっかり受けとめる。この感触。この匂い。かつて分け与えた血と肉がやっと戻ってきた。貴之の顔を離し、改めて見つめる。息子の表情は涙で溺《おぼ》れている。公子も同じだった。

「貴之……」

「お母さん……」

もう離しはしない。公子は息子の感触を貪る。髪をなでる。頬にキスの雨を降らせる。欠け落ちた小指をくわえて公子は舐めてやる。貴之の気管支が発作で震えているのを感じると、ポケットからインタールの吸入器を取りだした。貴之は薬を吸いこんでやっと楽になった。

太陽を背にして桟橋にそびえ、母と子を見守る男がいた。低空のヘリから漁船に飛び移り、真っ先に貴之を桟橋に救いだした男は、片野坂だった。

母と子が抱擁《ほうよう》している場所に歩み寄る。飛び交う銃弾をかいくぐり、誰の手も借りずに失った息子を取り戻した公子を、神々しいものでも目にしたかのように見つめた。

「さあ」

片野坂はしゃがみ、丸めた背中を公子に向ける。おぶってやる。背中がそう言っていた。公子は遠慮せず、片野坂の背中におぶわれた。

「坊主は歩けるな」

貴之は片野坂の隣で「うん」と答え、輝かしい笑顔で公子を見上げる。きらきらと銀色の波光を浴びた、それは人類が創造する最高の美に思えた。

視界の隅に濡れそぼった死体を見た。地元の警官によって海から引きあげられた黒いシャツの女だった。死顔まで見届けようと思ったが、公子の意識はもたなかった。

片野坂の背中で浮遊し、睡魔が身を溶かす。安寧《あんねい》の境地に沈むまでもっと息子の笑顔を見ていたかったが、それも無理だった。

闇に沈む。これは死ではない。すぐに貴之と再会できる。それを一途に信じて、公子は眠りに落ちた。

26

奥沢の教会に五百人を超す会葬者の列が続いている。

夏の残滓が陽光に漂っていた。南から次の台風が接近しているというが、雲ひとつない空にまだ嵐の気配はない。

檜崎彰一の葬儀だった。十字架の尖塔《せんとう》の下には、九条物産の全役員と多くの同僚たち、大学時代の友人、警察関係者が一人一人百合《ゆり》の花を持ち、祭壇への献花《けんか》に並んでいた。

マスコミ報道では、檜崎彰一は自分の命と引き換えに娘を守った英雄として扱われていた。

公子も喪服で参列していた。

杖を支えにして立ち、左の頬には大きなガーゼがあった。黒いワンピースに隠されている体は傷だらけだった。

礼拝堂の中、親族の席には顔にベールをかぶった檜崎香澄が、会葬者の誰とも目をあわさず座っているのが見えた。その横には、救出から四日たったあゆみが膝に行儀《ぎょうぎ》よく手を置いて座っている。隣には医師がつき添っている。まだ入院中であったが、父親の葬儀ということで特別に外出が許されたのだろう。

香澄がゆらりと立ちあがった。親族の人間に「すぐ戻ります」と告げた様子で、席を離れた。親族の一人が心配そうについていこうとしたが、香澄は「大丈夫ですから」と誰も寄せつけず、控え室へ続く扉をくぐっていった。

あゆみは父親の遺影を見上げている。バンコク駐在時代の写真。熱帯の花に囲まれた父親の笑顔だった。花の色は血の色を思わせる。自分を守るために父親が流した血を、あゆみは思いだしているのかもしれない。

父を失い、隣に母もいないまま、輝きを取り戻せないあゆみの瞳は宙を彷徨うばかりだった。会葬者の誰もが、献花を済ませると痛ましい表情であゆみを一瞥し、教会の礼拝堂を離れていく。

公子は杖をつき、参列者の間を縫い、礼拝堂の裏手へと回った。香澄が消えた方角だった。

裏口をくぐり、廊下の先に親族の控え室を見つけた。

部屋では一人、香澄が窓辺に立っていた。生け垣の向こうまで続く会葬者の列を、ぼんやりと見つめている。扉の音に振り返った。

「いらしてたんですか……」

公子を見て、黒いレースのベールを髪に上げた。丹念に化粧が施《ほどこ》された白い顔が現われた。かろうじて作られたような微笑。

公子はこつこつと杖をついて何歩か近寄った。それ以上に近づくことを許さない何かが香澄にあった。公子を警戒の眼差しで見ている。

「葬儀が終わるまで待たせていただこうと思いました。奥さんにお話があって参りました」

「少し気分が悪くなったので、席を離れただけです。もうすぐ出棺ですから戻らなきゃいけません……」

「手早く済ませます。よろしければ今、少しお時間をいただけないでしょうか」

低姿勢だが、公子には有無を言わさぬものがある。

「有働さんは今、謹慎中と聞きましたけど」

「査問委員会で事情聴取を受けてる最中です。いくつかの職務逸脱行為も止むに止まれぬ事情があったからと認められるまでは、まだ時間がかかるでしょう」

公子は淡く微笑んだ。

「まだちゃんとお礼を言ってませんでしたね。有働さんのおかげであゆみは何とか……」

香澄は感謝の表情を浮かべた。

「あゆみちゃんに関しては、私は何も……。林の中に隠れて、ご主人と犯人グループの取引を見届けただけですから」

「有働さんが警察を振りきって、身代金を相手側に運んでくれたおかげです」

「息子の命がかかってましたから。それに、身代金要求はあれだけで終わらなかった。二度目は予想外でした」

「本当に……」

「よほど楢崎さんは犯人側に信頼されてたようですね。この被害者一家なら必ず金を送り届けてくれると、主犯の澤松智永は確信していたんでしょう」

「何がおっしゃりたいんですか」

香澄は毅然たる表情を崩さない。

「今回の事件は、犯人側と被害者が結託していたという点で前例のない誘拐事件でした」

「主人がどんな関わり方をしていたのか、私も刑事さんから聞きました。ただただ驚いています」

「これは狂言誘拐とは意味が違います。犯人は知恵を絞って身代金奪取を計画した。被害者側も知恵の限りを尽くして、何とか相手側に身代金を渡そうとした。両者は決して馴れあった関係ではなかった。取引が行なわれないとあゆみちゃんの命がないかもしれないという恐怖を抱えながら、子供を誘拐された親も犯行計画に加わっていたという意味で特殊な事件だったのです」

公子は一歩、香澄に近寄る。杖がコトリと鳴った。「犯人側は私を身代金の運び役に指名した。澤松智永は私の身近に内通者がいることをほのめかした。私が母一人子一人で息子を育てているという事情も知っていた。はじめ私は、私のプライベートを知っている警察関係者に共犯がいるのではと疑いました。だから息子を奪われたことを誰にも打ち明けることができなかった。そうではなかったんです。この婦人警官は子供のためなら何だってする、子供のためなら職務を放棄し、命まで投げだすに違いないと犯人側に教えた人間は他にいた。

私を犯人側に推薦した人物は確かに内部にいた。奥さん、あなたでしょう？」

　香澄は鎧をまとい続けている。表情に乱れはない。

「ご主人が最後に白石さんに語った言葉はこうでした。婦人警官の息子を誘拐することを思いついたのは、あいつだったんだ、あの女なんだ……。私の息子を誘拐することを考えた『あの女』とは澤松智永のことだったんでしょうか。はじめは私もそう思いました。だけどもし、奥さんのことを指しているんだとしたら、どうなるんでしょう」

「どうなるんですか？」

　香澄はひたと見返す。

「あなたと犯人側の力関係が想像できました。主犯は二人いたんです。二人とも女だった。澤松智永と奥さんです。違いますか？　二人は敵対しながら知恵を出しあうという不思議な関係だった。澤松智永はあゆみちゃんを誘拐し、ふたつのことを要求した。自分たちの臓器ビジネスに加わること。澤松智永にとって、あなたの力なくしてそのビジネスは成りたたない。もうひとつの目的は九条物産と保険会社から金を引きだすことだった。だけどどうやってその金を運ばせるかは、『お前たち夫婦で考えろ』と澤松智永は突き放した。被害者が犯人側に通じているという大きな利点があったから、彼女は『何とかできるはずだ』と奥さんをせっついた。しかし何度か身代金の受け渡し場所を指定して、警察を振り回してみたけれど、なかなか突破口は見つからない。いくら被害者が犯人と内通していても、厳重な配備をくぐり抜けて金を届けることは難しかった。そこで奥さんが考えついたのが、私の息子を澤松智永たちに誘拐させて、私に身代金を運ばせることだった。私と奥さんは婦人警官と被害者の親という垣根を越えて、同じ母親として、お互いの子供のことを話しあう関係でした。警察官でありながら、子供のためなら殺人も厭わないと私が言った時、あなたは、一か八《ばち》かこの婦人警官に賭けてみようと考えた。警視庁と神奈川県警が現場で再三にわたって対立していたことも、あなたは目の当たりにしている。警察官を味方に引き入れることができたら、身代金は必ず澤松智永の許に届けられると確信した。違いますか？」

公子は香澄を見つめ、返答を促した。

窓から一陣の風が吹きこみ、頭に上げていた香澄のベールが顔の前に落ちた。表情を隠したまま香澄は窓辺に向き直った。焦点のさだまらない目。香澄の心は過去を彷徨っているかのようだった。

浅黒い肌の子供たちが香澄の脳裏をよぎっていた。

剝きだしのコンクリートの部屋で、汚れた膝を抱えている十二歳のタイ人の少女。瘦《や》せた背中に無数のひっかき傷。ベルトか鞭《むち》でつけられた痕《あと》だった。赤いミミズ腫《ば》れから緑がかった膿《うみ》が滲んでいる。恥骨は青く腫れて、腹には円形の土色の染みが点々とついている。煙草の火を押しつけた大きな火傷痕だった。

香澄たちボランティアのグループは、売春宿から保護した子供たちの健康状態を調べた。口内の内壁には上も下も「できもの」がびっしりと並び、ひとつの傷を成していた。児童売春婦たちに流行《はや》っている感染症だった。衛生状態が悪い中で、感染とフェラチオを繰り返すせいらしい。

香澄は孤独だった。

バンコクで対等に話しあえる友人はなかなかできなかった。現地人のハウス・キーパーと片言の英語で会話を交わすだけの日々。同じ駐在商社マン夫人たちともっと心を開いてつきあえばいい、と夫は言う。お前のその内気な性格が世間を狭くしているんだ、とも言われた。そうかもしれないと思った。夫と釣りあっていない学歴もコンプレックスのひとつだった。

あゆみが寝てしまうと、広いアパートメントで夫の帰りを待ち侘《わ》びた。へとへとに疲れて帰ってくる夫はいつも不機嫌で、話し相手にはなってくれなかった。

夫が第二架橋の仕事で出張が多くなると、香澄の孤独は募るばかりだった。あゆみを幼稚園に送りだしたあと、酒に溺れようとしてみたが、灼熱の地ではすぐにアルコールが体から蒸発した。駐在商社マン夫人のパーティで勧められたドラッグも体にあわない。恍惚感もなく高揚感もなく、激しい頭痛を招くだけだった。

孤児院のボランティアに参加したのは、最初は気晴らしにすぎなかった。香澄なりに心を開き、同じ駐在商社マン夫人に誘われるまま、バンコクのストリート・チルドレンのための孤児院でボランティアを始めたのだった。

「アジア・チルドレンズ・シェルター」では、バンコクで人身売買の餌食《えじき》となった子供たちを保護していた。モルモン教徒のアメリカ人が院長だった。

その孤児院が児童売春の中継地であることがやがて明らかになった。院長の信仰も隠れ蓑《みの》にすぎなかった。施設の子供たちが毎月決まった日の夜に、二人ずつ姿を消していた。施設で感染症を治し、明るい笑顔を取り戻した少女や少年たちが次の朝にはいない。院長には事実関係を調査しようとする意志はなかった。人買いグループと結びついていて、子供を売った金で私腹《しふく》を肥やしていたのだった。

香澄は施設の宿直をしていたある夜、見知らぬ男によって子供が連れ去られる現場を目撃した。

それがグレイ・ウォンとの出逢いだった。口止め料として渡された大金を香澄はつっぱねた。ただ、施設を出された二人の子供がどんな世界に辿りつくのか見せてほしいとグレイ・ウォンに求めた。真実を知りたい一心だった。いや、体がアルコールやドラッグにかわる刺激を求めていただけだった。

好奇心たっぷりの有閑《ゆうかん》夫人に巣くう孤独。グレイ・ウォンは見透かしたように薄ら笑いを浮かべ、香澄の腕をとり、車に乗せた。

一人の子供はパッポン・ストリートの売春バーに消えた。もう一人の少年は大学病院の職員通用門をくぐって手術室に消えた。やがてその部屋から、いくつものアイスボックスがバンコクの闇へと散っていった。手術台には原型をとどめないほど切り裂かれた少年の死体が残っていた。それを見せられた時、自分の中で何かが外れる音がした。いや、あれは外れた音ではない。スイッチが入った音だ。そもそも自分の中にそんなスイッチがあったことが不思議でならなかった。

グレイ・ウォンは子供の死骸の前で、もう一度金を差しだした。香澄は今度は遠慮せず金を受け取った。

それが、子供を持つ母親でありながら、子供の体を切り売りするという仕事に取り憑《つ》かれた最初だった。妻。母。このふたつの仮面の下に、夫にも、娘にも、とり澄ました顔の夫人連中にも、誰にも想像できない魔性《ましよう》を隠し持つ快感があった。

あとは自分の理性が滑り落ちていく様を見続け、犯罪の坂を転げ落ちた。

グレイ・ウォンに冨家を引きあわせたのは香澄だった。娘の担当医師が臓器移植の外科医でもあったことを知ると、グレイ・ウォンの臓器売買と結びつけることを考えついたのだ。

第二架橋の仕事に忙殺されている夫は、香澄がそんな悪事に加担していることなど夢にも思っていなかった。

夫が懇意《こんい》にしていたタイ政府の大臣に胆道閉鎖症の娘がいることを知ると、孤児院で調達したドナーから富家が健康な肝臓を取りだし、大臣の娘に差しだした。移植された肝臓は生着し、余命いくばくもないと言われた大臣の娘は燦々《さんさん》たる陽光の下で走り回ることができた。権力者が涙をこぼして、「あなたは娘の命の恩人だ」と香澄の前にひれ伏す。香澄はなぜ自分がこの悪事に手を染めたのか、その時はっきり分かった気がした。

香澄は男を憎んでいた。憎悪の歴史には、まず父がいた。愛していない女を妻にした父を憎んだ。そして、学生時代に自分を捨てた男たち。ひと晩の遊びのつもりが、香澄を孕《はら》ませてしまった今の夫。堕胎《だたい》することはできないと泣いてすがる香澄を、楢崎彰一は仕方なく妻にしたのだった。子供を武器にして男を結婚に引きずりこむ自分も憎んだ。

夫の出世のために「駐在商社マン夫人」を如才《じょさい》なく演じる役目、母としての役目を憎んだ。男の性器が侵入する自分の濡れた裂け目を憎み、まだまだ母性を孕みかねないその奥の子宮を憎んだ。

グレイ・ウォンに内臓が根こそぎ奪われた子供の死体を見せられた時、香澄は自分の歴史に堆積した憎悪を具体的な形に変える術を見つけたのだった。

バンコクという灼熱の地にいる限り、この熱病ははてしなく続くように思えた。

肝臓で恩を売ったあの大臣の力があれば、闇で集めた子供たちにビザを与え、飛行機で国外に連れだすことが可能だった。グレイ・ウォンと、彼の新しいパートナーになった澤松智永が欲しがったのは、香澄のこの人脈だった。

タイ駐在を終えて帰国することになって、やっと歯止めをかけるきっかけを得た。香澄は臓器ビジネスから足を洗おうとした。そもそも大金への執着があったわけではない。だから帰国を機に、すべてを終わらせるつもりだった。

が、香澄はふたたび悪夢に引きずりこまれることになった。悪夢から目を覚ますことを智永が許さなかった。日本で手当たり次第に子供をさらって国外に運びだすという智永の計画に、香澄がタイで作りあげた人脈が必要不可欠だという。

香澄は「そんな計画は無謀だ」と智永の計画を拒んだ。グレイ・ウォンや智永たちとの関係を一切断とうとした。

あゆみが誘拐された。

誰に、何のために娘は誘拐されたのか、香澄はすぐに悟った。智永たちが自分たち夫婦を恐怖のどん底に叩きこんだ。夫は何も知らない。九条物産の誘拐保険制度について知っている何者かに、たまたま自分の娘が狙われたのだと考えていた。

無知な夫の横で、香澄は何としても九条物産と保険会社が用立ててくれた身代金を智永たちに届けなければと知恵を絞った。

「被害者対策で来ている婦警の息子をさらって、言うことをきかせればいい」と香澄がもちかけた時、その大胆な案に携帯電話の向こうの智永が一瞬絶句した。香澄は小気味がよかった。今度は香澄のほうが「早くさらってこい。何をぐずぐずしている」と智永をせっつく立場になった。

　まさか娘を傷つけることはないだろうと、最初、香澄は智永たちを過小評価していた。が、子供の小指が送られてきて全身が総毛だった。智永は香澄に「婦人警官の息子の指だ」と知らせることなく、いきなりそれを送りつけてきたのだった。香澄はあゆみの体が傷つけられたのだと恐慌状態に陥った。

　もう自分一人では手に負えないと思い、夫を寝室に呼び寄せ、刑事たちには聞かれないように、すべてを語った。

　香澄は仮面を脱ぎ捨てた。娘の怪我を治療してくれた冨家を引きずりこんでタイで臓器売買に手を染めたことを話し、大臣の娘から病気全快のクリスマス・カードが届いたのも自分が肝臓を用意してやったからだということを話し、智永という女が新しい臓器密売に香澄を引きずりこむためにあゆみを誘拐したことまで、香澄は包み隠さず打ち明けた。何の取柄《とりえ》もない女と見下していた妻に悪魔の如き一面があったと知り、彰一は愕然としていた。

　彰一は「お前のせいであゆみが」と激昂し、隣室に刑事がいるのもかまわず衝動的に妻の首を絞めた。香澄は逆らわなかった。このまま殺したければ殺せばいい、と血がこぼれ落ちそうな夫の目を見返した。

　やがて彰一は泣き崩れた。隣室に聞こえないように、布団に顔を埋めて泣いた。

「俺があゆみを助けだす。あゆみを無事に助けだしたら、お前とは別れる。あゆみがもし死体で返ってきたら、その時はお前を殺してやる」と彰一は言った。

香澄は「あなたにはあゆみを助けることはできません。方法は私が考えました」と冷めた目で告げた。

一時間後、鑑識から報告がもたらされた。送られてきた小指はあゆみのものではないと分かって、香澄は呆気にとられた。彰一は「一体、どういうことだ」と香澄に説明を求めた。

その時初めて、智永たちが有働貴之の誘拐に成功したのだと香澄は知った。もっと早く教えてくれたら夫にすべてを告白する必要もなかったのにと思いつつ、ただ狼狽する夫を見つめ、心の中で薄笑いを浮かべていた。

身代金の運搬役に指名された公子には、「お願いします、あゆみのためにお金を届けてやってください」と泣いてすがった。

そして狙い通り、公子は智永たちに金を届けることに成功した。その時点から、香澄と彰一は智永たちと完全なる共犯関係になった。あゆみを無事に返されるだけでは済まない。一億円の強奪成功は、香澄がそれ以後、智永たちの幼児売買にどっぷり浸《つ》かることを意味する。

智永が欲をかいて、二度目の身代金奪取計画を持ちかけた時も、香澄は哀れな母親を演じた。

白石の運転技術と台風という天候を利用して警察を出し抜くことを考えた智永を、遠くから見守った。最初の一億円が届いたことであゆみが返ってくるのは時間の問題と分かっていたから、今度の身代金からは分け前をもらわないと割に合わない、と考える余裕すらあった。

しかし彰一は安心していなかった。刑事たちに悟られないように、智永と携帯電話で何度も打ち合わせをし、身代金の運搬車に乗り、自分の手で娘を救いだしてやるのだと息まいた。妻の言うことを信用しない、つくづく馬鹿な男だと香澄は思った。

結末は香澄の願ってもない形になった。犯人一味は全滅した。夫も死んで、事実を知る者は全員いなくなった。香澄は安全圏内に逃げこめたはずだった。

「警視庁は国際刑事警察機構に要請して、バンコクにおける奥さんの交遊関係を洗います。あのタイ人ブローカーや冨家医師、澤松智永たちとの接点はすぐ明らかになります。この葬儀が終わったあとにでも、捜査一課は奥さんを任意で取り調べるはずです。もう終わりです。全部話してください」

公子が突きつける言葉で、香澄はゆっくりと現実に引き戻されたようだった。

「少し時間……いただいていいかしら。これから喪主の挨拶もありますし」

香澄は踵を返し、公子の横をすり抜けた。

「ひとつだけ教えてください」

公子には今、どうしても知りたいことがあった。「母親がどうしてそんな仕事に夢中になれたんですか。私には信じられない。子供の体を切り刻むなんて……」

香澄はベールの奥で頬を緩めた。自問自答の末にようやく結論に辿りついたような、こざっぱりした表情だった。

「自分がどこまで残酷になれるか、私は自分に虫眼鏡をあてて、観察してみたかった」

「そんなことを観察して、どうなるんですか」

「行くところまで行かないと戻れないという感覚、分かりますか？　境界線を一度越えてその向こうを見てみないと、いつまでたっても本当の自分に戻れない気がしたんです」

「戻りたかったんですか、自分に」

「ええ、心から……。子供の体を切り裂いて、中身を取りだして、残骸を土に返す。そんなことに嫌悪する心も、私にはあったんです。嘘じゃありません」

口許に漂った笑みはすぐに消えた。二度と公子を振り返らず、香澄は控え室を出て礼拝堂に戻った。

最後の会葬者が献花を終えて、夫の棺《ひつぎ》が閉じられようとしているところだった。

「楢崎彰一という男性がこの世で皆様と少なからず関わりを持ったということを、どうか後後まで、思いだしていただきたいのです」

香澄はマイクの前に立った。妻としての最後の舞台に違いなかった。

　教会前の広場に五百人の会葬者たちが沈痛な面持ちで遠巻きにしている。公子は見渡す。人垣の外は曽根や持田、片野坂たち捜査本部の人間が固めていた。香澄に逃走路はない。楢崎彰一が荼毘《だび》にふされたあと、彼らは楢崎香澄を任意で事情聴取をする予定だった。

「夫は銃弾に身をさらし、娘のために楯となりました。そんな形で三十五年の人生を終えられたことを、主人は誇らしく思っていることでしょう。人間はいくらぶざまな生きざまを見せても、死にざまさえ間違わなければいいのだと、夫は酔った時によく申しておりました。ならば、これこそが夫の目指した人生だったのかもしれません。夫が一人の仕事人として、一人の男性としてどう生きてきたかについては、私よりも皆様のほうがよくご存じかと思います。楢崎彰一は自分に限界があることを認めようとしない人間でした。バンコクという熱帯の地で、主人は歯車が焼き切れてしまうまで自分を駆りたてて走り続ける人間でした。激しさがゆき着いた先に安らかな余生があるのだとしたら、早く燃えつきてくださいと、私はそばで何度も願いました。四日前、もし銃弾が夫の急所をそれていたら、私たち夫婦には縁側の日だまりが待っていたかもしれません。激しかった時代を懐かしむ日々が待っていたかもしれません。皆様、娘のために血を流してこの世に別れを告げた楢崎彰一を、どうか忘れないでやってください。穏やかで優しい自分に立ち戻ることができず、修羅場《しゅらば》に身を置き、乱暴に人生を終えてしまった夫に、どうか深い憐《あわ》れみをいただきたいと思います。私は今、願うだけです。悪魔が夫の死を知る前に、どうか夫が天国に辿り着けますようにと……。本日はお忙しい中、皆様どうもありがとうございました」

涙が奔流《ほんりゅう》の如く、香澄の頰を濡らしていた。その隣で放心状態のまま突っ立っていたあゆみは、最後の最後、母の過剰《かじょう》な涙を不思議そうに見上げた。

出棺が始まる。

斎場へと向かう一行が、教会前の通りを走り去っていく。

霊柩車と親族のマイクロバスのあとに、三台の警察の覆面車両が続く。

公子は会葬者の輪の最も遠い場所で、香澄の挨拶を聞いた。魔性の領域に一度踏みこまなくては平穏な人生に立ち返ることなどできないと、それぞれに自分の人生を削っていた夫婦だった。楢崎彰一には苛酷な競争社会があり、楢崎香澄には地獄の風景でしか埋められない孤独があった。ある時点から夫婦が一致協力し、澤松智永の魔性を踏み越えようとした時、彼らは初めて生きている実感を得られたのではないだろうか。

そして、初めて二人は本当の夫婦になれたに違いない。

「ここに来ると思った」

会葬者の群れに混じって教会の門をくぐったところで、公子はうしろから声をかけられた。声の主を見て相好《そうごう》を崩す。別れてまだ五日しかたっていないというのに、懐かしい顔に再会した気分だった。

古賀英寿だった。黒いネクタイをつけてはいたが会葬者の列には入らなかったようだ。

「警察の人に頼んでも、なかなか逢わせてくれなかった」

「まだ重要参考人の身だから」

「息子さんは？」

「病院の庭で看護婦さんとサッカーをしてる」

入院しているんだからほどほどにしなさいと叱ると、貴之は病室のベッドに戻って手紙をせっせと書き始めた。楢崎あゆみに宛てたものだった。そっと覗きこんだら、こんな一文が見えた。

ぼくたちの街を早く見つけにいこう……。

「怪我はどう？」

「脚のほうは、季節の変わり目に疼《うず》くかもしれないって。顔の傷は……残るみたい」

「そう……」

「車を駄目にしちゃって、ごめんなさい。ローンで弁償しますから」

「来年で車検切れの車だ。気にしなくていい。それに、しばらく日本には戻れない」

「行くのね、バンコクに」

「ああ。直樹がどんなルートに乗せられて、体を切り売りされていったのか、分かるところまで追いかけようと思う。息子の臓器を得て健康になった子供の姿をもし見ることができたら、僕も直樹も、少しは救われそうな気がする」

「私に何かできることがあれば……」

「君は自分にできる限りのことを、もう充分にしてくれた」

「日本に帰ってきたら、連絡をして」

「警察はやめていない？」

「たぶん、ずっと居座っている」

「職場に電話するよ」

古賀が手を差し伸べた。公子は握手をした。大きくてごつごつした、力感溢れる男性の手だった。そして古賀は照れ隠しなのか、すぐに公子から顔をそむけて歩きだした。その先には遥かなる旅路が待っている。

古賀の広い背中が、家路につく会葬者の人波に飲まれて消えるまで、公子は見送った。

再会の約束はきっとはたされる。公子に癒される必要もなく、古賀はバンコクの旅で次の人生の端緒《たんしょ》を摑み、晴れやかな笑顔さえ浮かべて帰ってくるに違いない。公子はそう信じることができた。

公子も歩きだす。早く傷口に蓋をしなければならない。杖を離せるようになったら、貴之の放つボールを思いきり蹴り返してやる。あの看護婦よりはうまいはずだ。

生と死の境界線を越え、公子は生の領域に戻ることができた。しかし自分の手によって奪われた三人の人間がいる。塩屋篤志。日色泉水。そして澤松智永。この厳然たる事実を一生抱えていく覚悟も、すでに腹に据えている。

銃弾が人々の理性を奪う世界を、公子は確かに生き抜いた。あの時の自分の有り様は、人間が境界線上で変貌する魔物の姿だったのかもしれない。もう二度とそんな自分の姿は見たくないと公子は思う。

湿った風が木々を揺らす。ざわざわと木洩《こもび》れ陽を降らす風に嵐の予兆を感じる。次の台風も人間社会の汚れを拭い去ってほしいと公子は願い、杖を鳴らして道を急ぐ。

病院で待つ息子の笑顔を、また想った。

【主要参考文献】

『知らなかった警察』　警察番記者倶楽部・編
『裏から見た日本警察』　警察フォーラム21　エース出版社
『誘拐殺人事件』　斎藤充功・著　同朋舎出版
『密室』　森敎／芹沢俊介／大塚英志・著　春秋社
『俺たちに明日はない』　デビッド・ニューマン著　三谷茉沙夫・訳　二見書房
『子供のねだん』　マリー＝フランス・ボッツ著　堀田一陽・訳　社会評論社
『タイのチャイナマン』　友田博・著　新評論
『タイ・うごめく「人」景』　北村元・著　現代書館
『蛇頭』　莫邦富・著　草思社
『密入国ブローカー　悪党人生』　相川俊英・著　草思社
『密航列島』　森田靖郎・著　朝日新聞社
『脳死と臓器移植』　中山太郎・編著　サイマル出版社
『脳死移植』　NHK脳死プロジェクト・編　NHK出版
『世界映画・拳銃大図鑑／小林弘隆ベストワーク集』　洋泉社
『テッド・アライの拳銃護身術』　新井国右・著　並木書房

解説

池上冬樹

やはり昨年（平成十二年）の暮れに出た傑作『深紅』（講談社）から話をはじめよう。この小説が今年、第二十二回の吉川英治文学新人賞を受賞したからである。

これは一家惨殺事件の生き残りの長女の奏子《かなこ》が八年後、加害者の娘の未歩《みほ》を捜し当て、身分をいつわって接近し、やがて心のなかに潜んでいた憎悪をかきたてるという物語。全篇に息苦しいまでの緊迫感がみなぎっていて、読み進めるのが辛くなるほど。とりわけ終盤は、悪意と冷酷さが表出されて、関係者が不幸の道をひたすら歩みそうになるのが切なく、何度か本を置いてしまうのだけれど、でもすぐに物語の先が気になって本を手にとり、息をつめながら読み進めていく。二人の女性の思い、奏子と未歩のそれぞれの思いが決して他人事とは思えないからだ。どちらにも感情移入でき、激しく心をゆさぶられるのである。

〝被害者と加害者の子供同士がこれほどまでに深く関わり合う物語など読んだことがない。この構想を思い付いただけで評価に値する。小説は作り事である。だからこそこういう世界も作れるのだ、とあらためて知らされた〟と高橋克彦氏が吉川賞の選評で述べているように、構想が素晴らしいし、それを徹底的に押し進めていく姿勢が凄い。奏子は家族を殺された怨みから未歩に破滅の人生を歩ませようとし、未歩は未歩で、父親が犯した罪をなんらかの形で引き受けなくてはいけないと考えて夫の暴力にたえかねている。そんな二人の行動が少しずつエスカレートしていき、作者は、極限状況まで追い詰めていく。

しかも興味深いのは、一方的な被害者の娘対加害者の娘という対立の図式が終盤から変わる点だろう。奏子は未歩の境遇や心情を知るにしたがい、少しずつ同情を覚えていく。悪意と憎悪をたぎらせる自分を省み、ブレーキをかけようとするのだけれど、すでに未歩は奏子に促されて犯罪へと進みはじめ、後戻りできない状況に入っていく。その辺の葛藤が何ともエモーショナルな筆致で捉えられてあり、切々とした響きをもつようになる。〝読むものを引き込む力が図抜けていた。私は野沢氏の気迫を感じた。これこそが新しい力の象徴だと思った〟(伊集院静)、〝すぐれたストーリーテリングに支えられた完成度の高い作品〟(浅田次郎)と評されるのももっともなのである。

だが、忘れてならないのは、作者がしっかりと「現代」を見据えている点だろう。近年の海外および国産ミステリでは、罪と罰の問題が大きくクローズアップされている。倫理も道徳ももちあわせていない〈怪物〉の跋扈《ばっこ》、犯した罪を問うことよりも法の手続きを重視し、被害者よりも加害者の人権が優先される法制度。そんな状況のなかでは、罪と罰が正しく機能せず、私的正義の行使の是非が問われることになる。『深紅』はそんな「現代」のテーマを視野に入れつつ、まったく独自のアプローチで被害者遺族の視点から犯罪を捉えなおしている。しかも決して復讐や報復といったカタルシスの産出で終わらず、〈血〉をめぐる宿命と魂の浄化という大きなテーマにまで昇華していることだ。これが何とも素晴らしい。とにかくこれほどまでに力強く家族の愛と、加害者側と被害者側の複雑な愛憎を抉った作品はない。少なくとも僕はここ数年、こんなに辛くて、苦しくて、切ない小説は読んだことがなかった。人物の心理のダイナミズムを、これほどまでに綿密に書き込んだ作品に触れたことがなかった。

そう、この心理のダイナミズムこそ、作者の求めているものではないかと思う。〝冒頭の、闇の中に押し出されるような少女の不安の描写が圧倒的で、映像では表現できない緊迫感があり、秀逸だった〟と北方謙三氏が絶賛しているけれど（他の選考委員もみな推賞しているけれど）、この冒頭の場面は最後にもう一度変奏され、いちだんと深く味わう不安と絶望を際立たせているのだ。まさに〝映像では表現できない緊迫感〟があり、言葉で場面を屹立《きつりつ》させている。

言うまでもなく、野沢尚は有名な脚本家でもある。映画『その男、凶暴につき』やテレビドラマ『恋人よ』、一九九七年『破線のマリス』（講談社文庫）で江戸川乱歩賞を受賞した後も『眠れる森』『氷の世界』など高視聴率を誇る番組を手掛けてきた。そんな人気脚本家が小説を書くのは、〝映像では表現できない〟ものを求めているからだろう。〝波瀾万丈の作品に頼らなくても、人間心理のスペクタクルを描くことができるのかもしれない。今は小説の限りない可能性を信じることができる。/小説という「剣」を持ち、現代という藪を切り開けたら〟と思う……と受賞の言葉で述べているほどだ。

さて、前置きが長くなってしまった。本書『リミット』である。

ここで扱われているのは、理不尽な犯罪、女同士の葛藤劇、親と子の愛など、『深紅』のテーマと通じるものがある。おそらく『リミット』を書いたことで『深紅』の物語が浮かび、テーマをより深化させることができたのではないかと思う。もちろん『破線のマリス』の存在も大きかっただろう。というのも、『リミット』は、『破線のマリス』で江戸川乱歩賞を受賞した後の第一作として九八年に上梓されたからで、そのためにいくつか超えなければならないハードルがあったからである。

『破線のマリス』は、テレビの報道番組の編集ウーマンが官庁の汚職摘発ヴィデオの罠にはまり転落していく物語だが、殺人事件が解決されないために、乱歩賞の選考会ではもめにもめた。ミステリとして認めるかどうかで選考委員の間で乱歩賞はじまって以来の大激論が闘わされたのである。結局、小説の完成度が評価されて、授賞の運びとなったけれど、逆にそれが〝制約〟になったことは想像するまでもないだろう。だから受賞第一作の課題は、当然のことながら、ミステリとしての結構と、さらなる小説の完成度の追求でなくてはいけなくなった。新人にはかなり高いハードルとなったけれど、作者は楽々とクリアしてみせた。

誘拐事件が発生し、警視庁捜査一課特殊犯罪捜査係の婦人警官有働公子は、世田谷区玉川の被害者宅にかけつける。被害者は商社に勤める楢崎彰一の一人娘あゆみ。母親の動揺が激しく、公子が母親を装い、犯人たちと交渉をするものの、犯人たちは狡猾で尻尾をみせなかった。

状況が膠着したまま二週間がたったとき、被害者宅につめていた公子の携帯が鳴る。小学一年の息子貴之がかけてよこしたのかと思ったら、相手は何と誘拐犯だった。貴之を誘拐した、貴之の命が惜しければ、あゆみの身代金を警察の尾行をふりきってもってこい、警察内部にお前を監視している仲間がいるから下手なことはするな、というのだ。公子に選択の余地はなく、警察の目を逃れて犯人グループと接触するのだが……。

やがて公子は捜査側から外され、独自に捜査をおこない、犯人たちと繋がる連続幼児誘拐事件をさぐりあてる。そして冷酷非情な一人の女、澤松智永が捜査線上に浮かんでくる……。

読んでいて僕は、ロバート・マキャモンの秀作『マイン』（文春文庫）を思い出した。元過激派の女闘士に赤ん坊をさらわれた若き母親が、わが子を奪いかえすためにアトランタからカリフォルニアまで追いかける壮絶なロード・ノヴェル的サスペンス。母性が介在する善と悪の女性同士の凄まじい対決が似ているのだけれど、もちろん『マイン』ほど人物たちは狂ってはいない。何より野沢尚はどんでん返しを用意するなどサーヴィス精神が旺盛で、読者に心地よい昂奮を味わわせてくれる。

前半は、事件の経過をたどる捜査報告書を並べ、典型的な警察小説の展開をみせるが、犯人たちの大胆な企みから、物語はどんどん予想外の方向に進んでいく。警察小説からハードなアクション小説へと展開し、力感みなぎる活劇が次々と繰り広げられるのだ。この辺の婦人警官の徒手空拳の活躍を評して、「女版ダイハード」（西上心太）という賛辞もあるほどだが（「ミステリマガジン」九八年九月号所収「Jミステリ・レビュー」）でも、作者の狙いはアクションにあるのではない。警察の組織からはみだして単独で犯人たちを追う公子の絶望的な情熱と、幼児たちを誘拐して臓器移植や幼児ポルノのマーケットに送りだす智永の捩じれた妄執と暗い欲望にこそある。つまりノワール的な内面剔抉《てっけつ》が狙いなのである。人間が〝魔物〟に変貌するリミット、つまりその極限を迫真の描写と圧倒的なアクションの積み重ねで描いているのである。

三年前、本書を読んだとき、〝『破線のマリス』の作者が、これほどエモーショナルな、そしてこれほどノワールな小説を書いてくれるとは思ってもみなかった〟とある書評に書いたことがあるけれど、今回再読してもその思いは変わらない。冷やかで毒のある『破線のマリス』以前にも、温かくて優しい恋愛小説の秀作『恋愛時代』（幻冬舎文庫。第四回島清恋愛文学賞受賞）を書いているから、なおさら驚いてしまう。

ともかく本書『リミット』は、オーソドックスな警察小説からだんだんとねじれていって（読者の予想を次々と覆していって）ノン・ストップのアクション小説になり、後半は人物たちの暗い情念の葛藤を主眼にしたノワール調に傾斜していく。この小説のノワール性は、ジェイムズ・エルロイ（『LAコンフィデンシャル』『ホワイト・ジャズ』）や馳星周（『不夜城』『鎮魂歌』）の小説が人気を博し、ジム・トンプスンの埋もれた（およそ三十年前の）パルプ・ノワール『ポップ1280』（扶桑社ミステリー）が「このミステリーがすごい！」でベスト1に輝くほど再評価される時代では注目だろう。この物語とキャラクターの要素が、閉塞感の強い精神状況に置かれている現代の読者を惹きつけてはなさないからである。もちろん扱われている犯罪、すなわち臓器移植や幼児虐待といった現代的なテーマも忘れてはならない。作者はここでも（吉川賞の受賞の言葉を借りるなら）〝小説という「剣」を持ち、現代という藪〟を鋭く切り開いているのである。

繰り返しになるが、本書『リミット』は、物語とテーマにおいて、作者の記念碑的な傑作『深紅』へのステップとなった作品である。また、『マイン』のマキャモンのように、「野沢尚」が、ミステリにとどまらず、あらゆるジャンルを横断するような優れて懐の深い物語作家になりそうな予感を抱かせる力作でもある。読んで損することは決してないだろう。ぜひ一読をおすすめしたい。

●本書は一九九八年六月、小社より単行本刊行されました。
この作品はフィクションで、実在する個人、団体等とは一切関係ありません。

|著者| 野沢 尚　1960年、愛知県名古屋市生まれ。日本大学芸術学部映画学科卒業。1983年第9回城戸賞受賞。1985年テレビドラマ「殺して、あなた…」で脚本家デビュー。以後テレビ、映画で活躍。1997年『破線のマリス』で第43回江戸川乱歩賞受賞。同年『恋愛時代』で第4回島清恋愛文学賞受賞。1999年テレビドラマ「結婚前夜」「眠れる森」で第17回向田邦子賞受賞。2001年『深紅』で第22回吉川英治文学新人賞受賞。2005年「砦なき者」のテレビドラマ脚本などで第29回エランドール賞特別賞受賞。テレビ作品「親愛なる者へ」「青い鳥」「氷の世界」「水曜日の情事」ほか。映画作品「マリリンに逢いたい」「その男、凶暴につき」「ラストソング」「深紅」ほか。小説でも『リミット』『呼人』『砦なき者』『魔笛』『龍時 03-04』『殺し屋シュウ』『烈火の月』などミステリーから恋愛小説まで幅広く活躍。2004年6月28日急逝。享年44。
野沢 尚公式サイト　http://www.so-net.ne.jp/nozawahisashi/

リミット

野沢《のざわ》 尚《ひさし》

2001年6月15日第1刷発行
2011年8月17日第21刷発行

発行者――鈴木　哲
発行所――株式会社　講談社
東京都文京区音羽2-12-21　〒112-8001
電話　出版部（03）5395-3510
　　　販売部（03）5395-5817
　　　業務部（03）5395-3615

Printed in Japan

講談社文庫
定価はカバーに
表示してあります

デザイン―菊地信義
製版――慶昌堂印刷株式会社
印刷――豊国印刷株式会社
製本――株式会社若林製本工場

ISBN4-06-273172-X

講談社文庫刊行の辞

二十一世紀の到来を目睫に望みながら、われわれはいま、人類史上かつて例を見ない巨大な転換期をむかえようとしている。

世界も、日本も、激動の予兆に対する期待とおののきを内に蔵して、未知の時代に歩み入ろうとしている。このときにあたり、創業の人野間清治の「ナショナル・エデュケイター」への志を現代に甦らせようと意図して、われわれはここに古今の文芸作品はいうまでもなく、ひろく人文・社会・自然の諸科学から東西の名著を網羅する、新しい綜合文庫の発刊を決意した。

激動の転換期はまた断絶の時代である。われわれは戦後二十五年間の出版文化のありかたへの深い反省をこめて、この断絶の時代にあえて人間的な持続を求めようとする。いたずらに浮薄な商業主義のあだ花を追い求めることなく、長期にわたって良書に生命をあたえようとつとめるところにしか、今後の出版文化の真の繁栄はあり得ないと信じるからである。

同時にわれわれはこの綜合文庫の刊行を通じて、人文・社会・自然の諸科学が、結局人間の学にほかならないことを立証しようと願っている。かつて知識とは、「汝自身を知る」ことにつきていた。現代社会の瑣末な情報の氾濫のなかから、力強い知識の源泉を掘り起し、技術文明のただなかに、生きた人間の姿を復活させること。それこそわれわれの切なる希求である。

われわれは権威に盲従せず、俗流に媚びることなく、渾然一体となって日本の「草の根」をかたちづくる若く新しい世代の人々に、心をこめてこの新しい綜合文庫をおくり届けたい。それは知識の泉であるとともに感受性のふるさとであり、もっとも有機的に組織され、社会に開かれた万人のための大学をめざしている。大方の支援と協力を衷心より切望してやまない。

一九七一年七月

野間省一

講談社文庫　目録

西澤保彦　ファンタズム
西澤保彦　生贄を抱く夜《よ》
西澤保彦　ソフトタッチ・オペレーション
西村　健　ビ　ン　ゴ
西村　健　脱　出　GETAWAY
西村　健　突　破　BREAK
西村　健　劫火1　ビンゴR《リターンズ》
西村　健　劫火2　大脱出
西村　健　劫火3　突破再び
西村　健　劫火4　激　突
西村　健　笑　い　犬
西村　健　ゆ　げ　福〈博多探偵事件ファイル〉
楡　周平　青　狼　記　(上)(下)
楡　周平　陪　審　法　廷
楡　周平　宿　命　(上)(下)〈ワンス・アポン・ア・タイム・イン・東京〉
西村　滋　お菓子放浪記
西尾維新　クビキリサイクル〈青色サヴァンと戯言遣い〉
西尾維新　クビシメロマンチスト〈人間失格・零崎人識〉
西尾維新　クビツリハイスクール〈戯言遣いの弟子〉
西尾維新　サイコロジカル　(上)〈兎吊木垓輔の戯言殺し〉/(下)〈曳かれ者の小唄〉
西尾維新　ヒトクイマジカル〈殺戮奇術の匂宮兄妹〉
西尾維新　ネコソギラジカル(上)〈十三階段〉
西尾維新　ネコソギラジカル(中)〈赤き征裁vs.橙なる種〉
西尾維新　ネコソギラジカル(下)〈青色サヴァンと戯言遣い〉
西尾維新　ダブルダウン勘繰《かんぐ》郎《ろう》　トリプルプレイ助悪郎《スケアクロウ》
西村賢太　どうで死ぬ身の一踊り
貫井徳郎　修羅の終わり
貫井徳郎　鬼流殺生祭
貫井徳郎　妖奇切断譜
貫井徳郎　被害者は誰？
A・ネルソン　「ネルソンさん、あなたは人を殺しましたか？」
野村　進　コリアン世界の旅
野村　進　救急精神病棟
野村　進　脳を知りたい！
法月綸太郎　雪　密　室
法月綸太郎　誰《たそ》　彼《がれ》
法月綸太郎　頼子のために
法月綸太郎　ふたたび赤い悪夢
法月綸太郎　法月綸太郎の冒険
法月綸太郎　法月綸太郎の新冒険
法月綸太郎　法月綸太郎の功績
法月綸太郎　新装版　密閉教室
乃南アサ　鍵
乃南アサ　ラ　イ　ン
乃南アサ　窓
乃南アサ　不　発　弾
乃南アサ　火のみち　(上)(下)
野口悠紀雄　「超」勉強法
野口悠紀雄　「超」勉強法・実践編
野口悠紀雄　「超」発想法
野口悠紀雄　「超」英語法
野沢　尚　破線のマリス
野沢　尚　リ　ミ　ッ　ト
野沢　尚　呼《よ》人《ひと》
野沢　尚　深　紅
野沢　尚　砦　な　き　者
野沢　尚　魔　笛

講談社文庫　目録

野沢　尚　ひたひたと
野沢　尚　ラストソング
野口武彦　幕末気分
のり・たまみ　2階でブタは飼うな！〈日本と世界のおかしな法律〉
野崎　歓　赤ちゃん教育
野中　柊　ひな菊とペパーミント
野村正樹　頭の冴えた人は鉄道地図に強い
半村　良　飛雲城伝説
原田泰治　わたしの信州
原田泰治／原田武雄　泰治が歩く〈原田泰治の物語〉
原田康子　海霧(上)(中)(下)
林　真理子　テネシーワルツ
林　真理子　幕はおりたのだろうか
林　真理子　女のことわざ辞典
林　真理子　さくら、さくら〈おとなが恋して〉
林　真理子　みんなの秘密
林　真理子　ミスキャスト
林　真理子　ミルキー
林　真理子　新装版 星に願いを

林　真理子／山藤章二　チャンネルの5番
原田宗典　スメル男
原田宗典　私は好奇心の強いゴッドファーザー
原田宗典・文／かとうゆめこ・絵　考えない世界
馬場啓一　白洲次郎の生き方
馬場啓一　白洲正子の生き方
林　望　帰らぬ日遠い昔
林　望　リンボウ先生の書物探偵帖
帚木蓬生　アフリカの蹄《ひづめ》
帚木蓬生　アフリカの瞳
帚木蓬生　空夜
帚木蓬生　空山
坂東眞砂子　道祖土《さいど》家の猿嫁
坂東眞砂子　梟《きょう》首《しゅ》の島(上)(下)
花村萬月　皆月
花村萬月　惜春
花村萬月　空は青いか〈萬月夜話其の一〉
花村萬月　犬でわるいか〈萬月夜話其の二〉
花村萬月　草《くさ》臥《ぶ》し日記〈萬月夜話其の三〉

林　丈二　犬はどこ？
林　丈二　路上探偵事務所
原口純子と中華生活ウォッチャーズ　踊る中国人
はにわきみこ　たまらない女
畑村洋太郎　失敗学のすすめ
畑村洋太郎　失敗学実践講義〈文庫増補版〉
遙　洋子　結婚しません。
遙　洋子　いいとこどりの女
花井愛子　ときめきイチゴ時代〈ティーンズハートの1987～1997〉
はやみねかおる　そして五人がいなくなる〈名探偵夢水清志郎事件ノート〉
はやみねかおる　亡霊《ゴースト》は夜歩く〈名探偵夢水清志郎事件ノート〉
はやみねかおる　消える総生島〈名探偵夢水清志郎事件ノート〉
はやみねかおる　魔女の隠れ里〈名探偵夢水清志郎事件ノート〉
はやみねかおる　踊る夜光怪人〈名探偵夢水清志郎事件ノート〉
はやみねかおる　機巧館《からくりやかた》のかぞえ唄〈名探偵夢水清志郎事件ノート〉
はやみねかおる　ギヤマン壺の謎〈名探偵夢水清志郎事件ノート外伝〉
はやみねかおる　徳利長屋の怪〈名探偵夢水清志郎事件ノート外伝〉
勇嶺《はやみね》　薫《かおる》　赤い夢の迷宮
橋口いくよ　アロハ萌え

2011年6月15日現在